D0353627

La Vie vivante

Contre les nouveaux pudibonds

Jean-Claude Guillebaud

La Vie vivante

Contre les nouveaux pudibonds

les arènes

La Vie vivante
se prolonge sur le site www.arenes.fr

Éditions des Arènes
27 rue Jacob, 75006 Paris
Tél. : 01 42 17 47 80
arenes@arenes.fr

À Sophie et Laurent

Message personnel

Changer de ton

Ce livre voudrait inaugurer une «enquête sur les nouvelles dominations». J'aimerais m'expliquer sur la formule. De 1995 à 2009, j'ai consacré sept volumes à ce que j'appelais le «désarroi contemporain». Ces livres visaient à rendre le plus intelligibles possible les changements historiques et anthropologiques que nous vivions. Le mot «désarroi» se rapportait à la peine que nous avions à comprendre ce qui se passait. Trop de bouleversements survenaient en même temps pour que le sens général nous apparaisse d'emblée. C'est une vieille règle de l'Histoire : la portée des transformations n'est comprise qu'après coup, et rétrospectivement. Les grandes inflexions de l'aventure humaine – effondrement de l'Empire romain, Renaissance, avènement des Lumières, etc. – sont vécues dans la perplexité, l'indécision et – trop souvent – la crainte.

Le «désarroi», c'est quand nul n'est en mesure de répondre avec clarté à l'éternelle question : qu'est-ce qui nous arrive ? Si le monde est devenu plus imprévisible depuis vingt ans, relevons ce défi plutôt que de nous en désoler. Enquêter sur ce désarroi impliquait qu'on renonce, par avance, aux affirmations péremptoires, aux postures prophétiques ou apocalyptiques, fussent-elles gratifiantes. Face au changement, chacun d'entre nous est guetté par deux tentations : la bêtise du refus et la jobardise du ralliement. Or, il est aussi sot d'adhérer sans réserve que de condamner sans discernement. La simple raison nous enjoints d'avancer pas à pas, les yeux ouverts, plus désireux de comprendre le «nouveau» que de le rejeter en bloc.

Dans ces circonstances, si la peur est mauvaise conseillère, la nostalgie l'est encore plus. Je respecte les conservateurs qui pleurent un monde disparu. J'éprouve de la sympathie pour les regrets qui les habitent mais, indéfiniment ressassés, leurs discours m'ennuient. Je ne crois pas aux « restaurations ». Pour ce qui me concerne, j'ai voulu éviter le pessimisme poseur et la fulmination théâtrale. À mes yeux, chaque mutation – qu'elle soit technologique, économique, biogénétique ou géopolitique – porte en elle, intimement mêlés, le meilleur et le pire. Surmonter le désarroi et sacrifier au *gai savoir*, c'était justement se donner les moyens de prendre part au « tri » démocratique, à l'arbitrage volontariste entre les menaces et les promesses. Et cela, sans jamais renoncer à ce « goût de l'avenir » en qui Max Weber voyait une définition de la démocratie.

Ce livre, comme ceux qui suivront, se veut plus combatif. Il use quelquefois d'un ton différent. C'est délibéré. À mesure que progresse notre compréhension des choses, nous devenons plus sensibles aux injustices, aux inégalités, aux dominations qui réapparaissent autour de nous. La crise bancaire, puis économique et sociale survenue en septembre 2008 – ce grand hold-up planétaire – a marqué une étape. L'événement a ouvert les yeux de ceux-là mêmes qui doutaient encore de la puissance des nouvelles dominations. Elles sont d'autant plus redoutables qu'elles utilisent la thématique du « changement » comme on le fait d'un appât. Elles progressent à l'abri d'un rideau de fumée. Au nom de la modernité ou de la « rupture », les dominants nous promettent les miettes qui pourraient tomber des tables où ils festoient. Ces rhétoriques sont plus subtiles et enveloppantes qu'on ne le croit. Il n'empêche qu'elles sont menteuses.

Tout cela méritait d'être dit – et montré – avec plus de netteté.

J.-C. G.

Introduction

La domination : une catégorie mutante

> «Chaque génération se croit vouée à refaire le monde. La mienne sait pourtant qu'elle ne le refera pas. Mais sa tâche est peut-être plus grande. Elle consiste à empêcher que le monde ne se défasse.»
>
> Albert Camus [1]

Depuis trente ans, l'époque cherche ses mots.

L'énormité de ce qui nous arrive laisse sans voix nos contemporains. Parler de «crise» est devenu risible. User du terme «basculement» revient à se contenter d'un cliché. Alors, chacun cherche l'expression juste. Pour définir la fin de la première modernité, le Prix Nobel de chimie, Ilya Prigogine, parlait de «grande bifurcation». Bien avant lui, en 1944, l'historien de l'économie Karl Polanyi, dans un livre fameux, annonçait la «grande transformation». D'autres évoquent un «moment axial», expression empruntée au philosophe allemand Karl Jasper. J'avais moi-même suggéré «refondation du monde» ou «commencement d'un monde». L'ethnologue et sociologue français Georges Balandier a choisi quant à lui une belle expression arcadienne, «le grand dérangement [2]». C'est ainsi qu'en 1755 les Arcadiens, installés jusqu'alors au Canada, baptisèrent leur transfert en Louisiane, transmigration forcée qui métamorphosa leur identité et les obligea à réinventer leur culture. Aujourd'hui, on le verra, un autre mot circule : celui de *singularité*.

Ne parlons même pas des innombrables vocables que brandissent – comme c'est l'usage – les esprits chagrins : déclin, effondrement,

1. *Discours de Stockholm*, 1957.
2. Georges Balandier, *Le Grand Dérangement*, Paris, PUF, 2005.

désastre, guerre des civilisations, fin de l'histoire, barbarie, etc. De tous, le discours de l'angoisse est le plus bavard. Il rameute les faussaires et sert commodément les démagogues. Aujourd'hui, les boutiques à peur ont pignon sur rue et tiennent rubrique dans les médias. On nous y invite à regretter le bon vieux temps. Cela revient à parler pour ne rien dire. Quel bon vieux temps ?

*

* *

Une chose est sûre : la quête lexicale n'en finit pas. À elles seules, ces indéterminations du langage valent symptôme. Ce qui survient est réellement considérable. Hier encore, on se rassurait à bon compte en notant que les générations successives se sont toujours imaginé qu'elles vivaient une mutation historique. Nous ne ferions pas différemment, et du coup nous surestimerions l'importance du changement. Après tout, disait-on, la mondialisation ne fait que prolonger une tendance amorcée au XIXe siècle. Cette vision *a minima* n'est plus vraiment pertinente. Nous sommes confrontés à un phénomène d'un autre ordre. Chacun comprend, ou devine, qu'une inflexion décisive de l'aventure humaine est en cours. Elle n'a rien de commun avec les mutations historiques du passé. Elle s'apparente, pour l'instant, à un tourbillon énigmatique qui bouscule notre perception du réel et, de proche en proche, transforme – ou « augmente » – ce dernier.

Comment désigner la « chose » ? La simple description devient malaisée, et toute anticipation risible. La panne qui affecte le langage est plus sérieuse qu'on ne l'imagine. Les mots nous donnent l'impression d'être érodés, comme une matière devenue friable. Pour user d'une autre image, leur sens premier est comme la lumière venue d'une étoile morte. La clarté qu'elle apporte relève d'une illusion d'optique. Les mots, en somme, ne *parlent plus*. Par contagion, cet effritement du vocabulaire ruine la pertinence des débats contemporains les plus ordinaires. Trop souvent, nos querelles de tous les jours deviennent des leurres. Elles sont théâtrales mais infirmes. Rien d'étonnant à cela : leur virulence participe d'une réalité disparue. Le tumulte qu'elles font naître masque l'amenuisement de leur contenu. Péremptoires et simplificatrices, ces empoignades en costume d'époque désignent en général des clivages dépassés depuis longtemps. Elles campent sur des « lignes de front » qui, entre-temps, ont été déplacées. Elles rejouent, sans s'en rendre compte, des pugilats reconnaissables mais périmés. Elles se fondent sur des antagonismes binaires et télégéniques, mais qui n'apportent pas grand-chose à notre réflexion.

Tout cela compose, jour après jour, un flux ininterrompu, une rumeur, une clameur. Cette fanfare manichéenne fonctionne le plus souvent sur le mode de l'injonction ou de la remontrance. Êtes-vous pour ou contre la science ? Pensez-vous du bien ou du mal d'Internet ? Préférez-vous l'individualisme ou le lien social ? Faut-il restaurer la morale naturelle ou la combattre ? La mondialisation est-elle « heureuse » ou calamiteuse ? Doit-on défendre *la* famille ? Restaurer l'autorité ? Est-il nécessaire de réglementer la sexualité ou, au contraire, de congédier les derniers tabous ?

Hors médias, et jusque dans l'enceinte des universités, des joutes à peine mieux argumentées se livrent front contre front, philosophe « au marteau » contre moraliste empesé, aplomb contre aplomb, suffisance contre suffisance. Indécidables, ces affrontements font songer à ces combats de cervidés durant lesquels les mâles ne se lassent pas d'entrechoquer leurs bois, après avoir pris leur élan et rassemblé leurs forces. Dans la vraie vie, les forestiers gardent à l'oreille le bruit de ces chocs sous les grands arbres, métronome régulier de la domination animale : toc et retoc, jusqu'à l'aube… Pareille musique fait surtout diversion. Pendant que les cervidés confrontent leurs fureurs, d'autres antagonismes, bien réels ceux-là, apparaissent de façon subreptice. À l'insu des témoins mobilisés par le spectacle, des formes nouvelles de domination apparaissent, des injustices inédites émergent, des menaces se font jour, des barbaries cheminent. Sous l'écorce des grands arbres, dans le couvert des sous-bois, à l'écart des clairières médiatiques labourées par les grands cerfs, montent des périls mal identifiés. Les supporteurs de l'un ou l'autre camp deviennent vite les supplétifs inconscients, enrôlés sans le savoir par les nouveaux dominants.

L'époque échoue décidément à se définir elle-même.

Le nomadisme intégral

Les mots, en effet, nous manquent. Quand les substantifs font défaut, on peut encore recourir à la métaphore. Avec profit. L'usage de celle-ci est le plus souvent prospectif. Les dictionnaires nous disent que cette figure de rhétorique est «à l'origine des sens nouveaux d'un mot» (Le Petit Robert, 2008). Prudemment utilisée, la métaphore peut aider à rajeunir le langage. Essayons de tirer parti de celle qu'affectionne le philosophe Michel Serres, mais en élargissant sa portée. Serres affirme que, sans nous en rendre compte, nous sortons peu à peu du néolithique[3]. Voici dix à douze mille ans, en effet, que l'aventure humaine a quitté l'âge paléolithique pour entrer dans celui du néolithique. En simplifiant, on dira que ce dérangement-là, étiré sur plusieurs siècles, correspondait à trois mutations concomitantes. Les groupes humains passaient de la chasse à l'élevage, de la cueillette à l'agriculture, du nomadisme à la sédentarité. Ils renonçaient tout à la fois à l'errance et à l'incertaine prédation naturelle. Du même coup, avec la sédentarité (même relative), ils fondaient un rapport durable au lieu, au territoire, au pays, à la continuité culturelle, à un principe de permanence. La cité – la *polis* des Grecs – faisait son entrée dans l'Histoire et, avec elle, la politique, la culture, la civilité, cette dernière engendrant la civilisation.

Aujourd'hui, l'enracinement néolithique originel se défait. Nous redevenons «nomades», et pas seulement au sens migratoire du terme. Ni les voyages faciles ni les migrations humaines accélérées n'épuisent le sens nouveau pris par l'adjectif. Nous entrons dans une ère de *nomadisme intégral*, nous affrontons une *mobilité* devenue principe organisateur puisqu'elle englobe la pensée elle-même. L'itinérance des humains est devenue ontologique. Elle se décline et s'énonce de mille façons : incertitude, imprévisibilité, inachèvement, émergences, substitution de l'inédit au connu, surgissement de nouveaux mondes. Le «neuf», sans répit, nous requiert et transforme aussitôt le «déjà connu» en nostalgie.

3. Michel Serres revient sur cette idée dans l'un de ses derniers (petits) livres : *Temps des crises*, Le Pommier, 2009.

«Le Grand dérangement contemporain, note Balandier, marque le passage, par rupture, d'un passé défait à un présent où l'inédit s'étend, où le devenir se produit dans la transformation continue sans achèvements identifiables[4].» En nous tirant indéfiniment vers l'avant, il nous invite sans cesse à plier bagage, voire à partir les mains vides. Le terme sédentaire vient du latin *sedere*, qui signifie «être assis».

L'époque, c'est un fait, ne s'assoit plus guère.

On songe à ce vers d'Aragon : «J'arrive où je suis étranger». Nous pourrions décliner ce constat à la première personne du pluriel : nous avançons dorénavant vers l'avenir comme le feraient des immigrants qui ne connaissent ni la langue ni la grammaire du nouveau monde vers lequel ils cheminent[5]. Nous sommes des voyageurs qui s'approchent, démunis, d'une réalité totalement *autre*. C'est devant l'effervescence des technologies que notre *dépaysement* est le plus criant. «Il y a, entre nous et l'univers technologique, écrit l'essayiste québécois Ollivier Dyens, un profond silence. Rien, dans cet univers, ne nous répond, rien ne semble nous écouter, reconnaître notre présence. N'est-ce pas là, en quelque sorte, l'angoisse que l'univers machine produit en nous ? Non pas la crainte d'une domination des machines sur l'humain, comme tant de films l'ont proposé, mais plutôt la peur de l'indifférence des machines, l'angoisse à l'idée qu'elles nous oublient, qu'elles nous ignorent, qu'elles construisent un monde nouveau, étrange, sans même nous voir, nous entendre, nous reconnaître[6] ?»

Au quotidien, l'envasement répété de la délibération politique illustre le somnambulisme qui gouverne pour l'instant la marche des peuples. Nous ne vivons pas une «fin de l'histoire» mais une dissolution (provisoire) de son intelligibilité. Nous sommes en deuil d'une *narration* inaugurale. Notre rapport au monde se fondait jusqu'alors sur un récit qui reliait le passé à l'avenir, la

4. Georges Balandier, *Le Grand Dérangement*, *op. cit.*, p. 2.

5. J'emprunte cette image, en la modifiant, à Georges Balandier, qui s'y réfère encore dans un autre de ses livres : *Le Dépaysement contemporain. L'immédiat et l'essentiel*, entretiens avec Joël Birman et Claudine Haroche, PUF, 2009, p. 69.

6. Ollivier Dyens, *La Condition inhumaine. Essai sur l'effroi technologique*, Flammarion, 2007, p. 186.

tradition au changement. Ce lien est rompu. Les grands systèmes, historiquement mobilisateurs, ont fait faillite. Après le communisme, c'est le capitalisme qui échoue à produire du sens et, plus encore, à valoriser l'avenir. Celui-ci n'est plus défini comme une promesse, mais comme un péril.

Ce n'est pas tout. Le grand marché fonctionne en s'appuyant sur des valeurs et des liens qu'il n'a pas lui-même créés. Il s'apparente à un héritier ingrat qui vit encore d'un « legs » civilisateur en voie d'épuisement, qui s'abreuve à une source bientôt tarie. S'il est capable de produire de la richesse (et de l'injustice), le marché ne sait pas *fabriquer*, à lui tout seul, les normes minimales qui permettent aux humains de vivre ensemble.

L'intervalle, le creux, l'anomie dans lesquels les Occidentaux piétinent étaient évoqués, dès 1969, par le sociologue allemand Norbert Elias (1897-1990). « Des périodes comme celle que nous vivons, écrivait-il, des périodes de transition, offrent à notre réflexion une double chance : les normes anciennes sont en partie remises en question, des normes nouvelles, plus solides, n'existent pas encore. Les hommes perdent leur assurance quand il s'agit de contrôler leur comportement. La situation actuelle fait donc du "comportement" une question d'actualité[7]. »

Au risque de l'indifférence

« Chez elle, la surmodernité *défait* – des cadres de vie, des métiers et des emplois, des savoirs vite atteints d'obsolescence, des liens sociaux et des rapports à soi, des engagements militants et des croyances, des manières d'habiter l'époque –, elle bouscule le cours des vies, elle répète les épreuves, les moments qui sont vécus comme échec et non plus comme réussite. Le plaisir et la fascination d'accéder à des facilités instrumentales rapidement renouvelées, souvent inédites, ne peuvent suffire à compenser ce qui est perçu en tant que perte, manque, impossibilité. Et ce, d'autant plus clairement que les anciens langages de l'espérance et de l'attente, de la contestation et

7. Norbert Elias, *La Dynamique de l'Occident*, [1969], Pocket-Agora, 2003, p. 308-309.

de la révolte, de la croyance en une histoire désirable et réalisable se sont anémiés.
Le technicisme, et plus encore l'économisme du résultat, imposent un langage qui affaiblit tous les autres. C'est le langage de la réussite, de la performance et du dépassement, un langage qui discrimine, marginalise, exclut sans ouverture connue sur un devenir autre et prochain, sans limites vraiment opposables à l'expansion de l'*indifférence.* »

Georges Balandier, *Le Grand Dérangement*, *op. cit.*, p. 104.

Nous devinons confusément qu'une autre direction, un autre modèle, un choix différent seraient imaginables, mais personne n'est capable de définir clairement cette alternative. La fortune soudaine des préfixes « post » ou « alter » et le flou qu'ils charrient sont le signe d'une déréliction politique d'un type nouveau. Une fois encore, la métaphore du nomadisme peut nous éclairer. Le deuil de la « narration » qui nous affecte ne résulte pas d'une « perte » provisoire qu'il s'agirait simplement de remplacer. Il est plus profond. Peut-être ne sommes-nous plus en mesure de construire un récit capable de configurer notre rapport au temps et à l'histoire ? Le nomadisme qui nous échoit concerne jusqu'à nos idées, nos convictions, nos engagements. La mobilité et l'imprévisibilité président à notre sortie du néolithique. Elles rendent malaisée toute énonciation d'une volonté collective, problématique la désignation d'un projet, téméraire la simple fixation d'un itinéraire. En témoignent ces interjections qui, immanquablement, ponctuent les débats politiques : Avez-vous une solution de rechange ? Y a-t-il un plan B ? Quel modèle proposez-vous ?

La vitesse de libération

Les concepts – ces briques de la pensée – qui rendaient possible la « narration » ont tendance à se dérober quand nous voulons les saisir. Leurs significations sont provisoires, changeantes, incertaines, métissées. Alexandre Leupin, professeur au département d'études françaises de la Louisiana State University, propose le terme d'*homonymisation* pour définir cette métamorphose du langage qui résulte des transformations contemporaines et d'une fragilité permanente des paradigmes[8]. Les idées elles-mêmes sont nomades. Qui pourrait encore définir avec certitude ce qu'est aujourd'hui un individu, un être humain, une conscience, une réalité, la matière ? Pour reprendre une vieille expression, tous les concepts qui définissaient notre rapport au monde sont devenus *soupçonnables*.

Nomades dans l'espace et dans la pensée, nous le sommes aussi dans le temps. Ce nomadisme temporel prend plusieurs visages. Par exemple, celui de la hâte obligatoire, première injonction de l'époque. La « narration » dont nous portons le deuil s'inscrivait dans une temporalité linéaire, qui n'a plus cours. Dans le langage usuel, on a coutume de dire que le temps s'accélère. Au sens strict, le constat est inexact – ce n'est pas le temps qui s'accélère, c'est le rapport que nous entretenons avec lui – mais le sentiment qu'il exprime est fondé. Le constat est devenu banal : la vitesse, l'immédiateté, l'instantanéité surdéterminent la plupart des activités humaines : économie, culture, technologie, finance, information. Dans chacun de ces domaines, nul n'a plus jamais *le temps*. Nous voilà délogés de nos vies par « la vitesse de libération », pour reprendre l'expression de l'urbaniste et essayiste Paul Virilio. (Il en sera question plus loin.)

La vitesse, toujours plus hégémonique, émiette le temps humain. Elle fait de nous des *nomades* du temps. Elle nous assigne, comme lieux habitables, des segments temporels sans cesse plus exigus. Pour parler du temps, j'emploie le mot « lieu » à dessein. En resserrant jusqu'à l'étranglement le lien fondateur entre le temps et l'espace, la vitesse rétrécit *in fine* notre rapport à l'espace lui-même, et donc au monde. Au final, nous ne sommes plus simplement des nomades mais des *exilés*. Telle est l'idée que suggère l'immense – et trop méconnu – philosophe allemand Hans Blumenberg (1920-1990) quand il souligne l'opposition avérée entre le « temps de la vie » et le « temps du monde[9] ». La technologie, comme l'écono-

8. Plusieurs de ses livres sont publiés en France. Voir notamment : Alexandre Leupin, *Fiction et Incarnation*, Flammarion, 1994.

9. On se reportera utilement à son dernier livre (posthume) publié en France : *La Lisibilité du monde*, Cerf, « Passages », 2007.

mie, la finance ou l'information s'émancipent du temps archaïquement « humain », jugé trop lent. Curieusement, la surabondance de biens disponibles et le perfectionnement des outils techniques ne nous font jamais *gagner* du temps mais raccourcissent au contraire le temps que nous pouvons consacrer à chacun de ces objets ou de ces techniques [10]. Les grands systèmes, y compris culturels, ne gèrent plus des stocks mais des flux. « La mode n'est plus à la scansion des journées par des activités rituelles, mais à la nécessité pour chacun de respecter les *deadlines* à ses risques et périls [11]. » Le temps obligé est celui de la minute, de la seconde, voire de la nanoseconde. Le choix de cette logique du flux substituée à celle du stock consiste à *privilégier le temps plutôt que l'espace*. Cette substitution insidieuse aboutit à inverser la relation entre l'espace et le temps. L'espace rétrécit à mesure que le temps devient plus bref. Toute l'œuvre de Paul Virilio met en évidence ce paradoxe. Il est potentiellement dangereux. Un tel espace-temps, en effet, est hors de portée du cerveau humain. La temporalité contemporaine en devient immaîtrisable. Nous voilà bien en errance, tout à la fois exilés et dépaysés. Nous sommes passés du synchronique au diachronique. Nous n'avons pas perdu *du* temps mais *le* temps.

Le nomadisme spatio-temporel prend d'autres formes, y compris généalogiques. On s'avise aujourd'hui que, pour la première fois dans l'Histoire, un « dérangement » aussi ample s'accomplit *dans l'intervalle d'une seule génération*. L'aventure humaine n'a jamais fait l'expérience d'une mutation aussi rapide. L'expérience est d'autant plus difficile que le dérangement n'est pas le même pour tous. Sur l'ensemble de la planète, les mutations n'affectent pas tous les peuples d'une façon identique, pas même tous les humains d'un territoire donné. L'espèce humaine prend peu à peu l'apparence d'une procession hétéroclite de temporalités différentes. L'humanité ressemble à ces armées en campagne dont les lignes s'allongent jusqu'à la rupture. Des hommes ou des femmes que vingt ou trente années séparent ne vivent plus véritablement

10. C'est l'une des thèses – convaincante – de Hartmut Rosa, *Accélération. Une critique sociale du temps*, trad. Didier Renault, La Découverte, 2010.

11. Michaël Foessel, « Tout va plus vite et rien ne change : le paradoxe de l'accélération », *Esprit*, juin 2010, p. 26-31.

ensemble. Ils cessent d'être *contemporains*. La chose est encore plus vraie quand on songe aux abîmes historiques qui séparent aujourd'hui un paysan africain d'un jeune étudiant de l'hémisphère Nord. Comment réunir dans la même universalité humaine un artisan du Bihar et un trader de la City londonienne ? Habitant des temporalités différentes, vivent-ils dans le même monde ?

Certes, la coexistence de niveaux de développement inégaux a toujours existé dans l'Histoire, mais jamais de manière aussi abrupte. Reprenons notre exemple de la révolution néolithique. Cette expression fut proposée en 1930 par le grand archéologue australien Vere Gordon Childe (1892-1957), qui en est le théoricien [12]. Elle prête à confusion. Le terme porte à croire que la mutation néolithique s'est opérée de manière subite, déterministe et universelle. On sait aujourd'hui que les choses ne se déroulèrent pas ainsi. De sensibilité marxiste, Childe mettait abusivement en avant le concept de « révolution » auquel il adhérait en son for intérieur. En réalité, le processus fut long, progressif et différencié. Il s'étala sur plusieurs siècles, voire sur un millénaire. Il fut interrompu par des retours en arrière, freiné par des périodes de stagnation. Pour ces raisons, les archéologues préfèrent parler aujourd'hui de *néolithisation*.

On pourrait ajouter que, de nos jours, ladite néolithisation n'est pas vraiment achevée. Nombre de peuples de l'hémisphère Sud vivent encore sur le mode paléolithique en pratiquant la cueillette, la prédation et l'itinérance. Chez nous, certains – les gens du voyage – demeurent attachés au nomadisme. De la même façon, la chasse, devenue sport ou tradition, peut être comprise, sans jugement de valeur, comme une survivance paléolithique en voie d'extinction. Les cultures populaires, et jusqu'au cinéma de Hollywood, mettent volontiers en scène certains aspects de cette néolithisation inachevée. Il en va ainsi de l'antagonisme entre fermiers sédentaires et convoyeurs de troupeaux, thème inusable du western. À la clôture, s'oppose le grand espace ; à la ferme familiale, signe d'une vie rangée, s'oppose la solitude nomade du cow-boy.

12. La plupart des ouvrages de Gordon Childe furent publiés en français dans les années 1950, mais n'ont pas été réédités. Notamment le plus significatif d'entre eux : *La Naissance de la civilisation*, Médiations, 1964.

La référence faite ici à la révolution néolithique, on l'aura compris, n'est qu'une métaphore. En revanche, la lenteur avérée du processus de néolithisation nous aide, par contraste, à mesurer la fulgurance du grand dérangement que nous vivons. Pour l'essentiel, tout se sera passé en une trentaine d'années (1980-2010) : ouverture mondiale des marchés, informatisation des sociétés, banalisation de l'Internet, entrée en œuvre effective des neurosciences, généralisation des biotechnologies, etc. La mise en mouvement planétaire du changement aura obéi à un *déclic* qu'on peut localiser au début des années 1980. Ce déclic résultait lui-même de la conjugaison de choix politiques volontaires (financiers par exemple) et d'émergences technologiques, notamment sur le terrain des NTC (nouvelles techniques de communication). Depuis lors, nous vivons au rythme de ce qu'on pourrait appeler une *accélération de l'accélération*.

Quant aux difficultés qu'éprouvent les différentes communautés humaines à être «contemporaines» les unes des autres, elles n'ont plus rien à voir avec les échelonnements temporels qui ont marqué le long processus de la néolithisation. Les *différences* qui séparent les humains selon le degré de développement ne sont plus de même nature que celles qui distinguaient jadis un courtisan de Versailles d'un «sauvage» ramené des Caraïbes ou de Tahiti. Elles ne se limitent pas à des coutumes ou usages différenciés; elles incluent dorénavant l'agilité cognitive, le fonctionnement neuronal, la maîtrise biologique. Dans une large mesure, le nomadisme temporel reconfigure les esprits selon des modalités différentes, ce qui du même coup *brise l'unicité de l'espèce humaine*.

Une brèche s'est ouverte dans le principe d'humanité. Par cette brèche, s'engouffrent des dispositifs inégalitaires et des dominations d'un type nouveau. Ils sont d'autant plus difficiles à critiquer – et à combattre – qu'ils avancent masqués, voire parés de bienveillance ou de bons sentiments. Ils sont en vérité les premiers profiteurs de l'exténuation du langage, du dérèglement de la temporalité historique, des impossibilités de la narration, de la disparition du projet. Pour le dire simplement, devant ces figures inédites de l'injustice, la pensée critique n'en peut mais. À elle aussi, les mots manquent et les concepts font défaut.

Ces défaillances nouvelles (provisoires ?) de la pensée critique entraînent une dépolitisation redoutable de nos sociétés. Christopher Lasch, dans *La Culture du narcissisme*, montrait de quelle façon l'« homme historique » engagé dans la cité et capable de sacrifier son présent ou sa vie pour le futur avait été remplacé par l'« homme thérapeutique », mobilisé par la seule immédiateté. « Aujourd'hui, écrit-il, les individus n'aspirent plus au salut personnel, encore moins à la restauration d'un âge d'or, mais à la sensation, à l'illusion éphémère du bien-être, de la santé et de la sécurité psychiques personnels. La passion dominante consiste à vivre dans le présent – vivre pour soi-même, pas pour vos prédécesseurs ou votre postérité [13]. »

La domination : un fil d'Ariane

Devant ce grand flou, le concept de *domination* me paraît utile. Il fournit comme un fil d'Ariane. Je dois aux réflexions conjointes de Judith Butler et Catherine Malabou d'avoir choisi de m'y référer, d'un chapitre à l'autre. À l'usage, il se révèle plus utile – et moins ambigu – que les références les plus couramment employées pour désigner l'injustice. Le mot égalité a été fâcheusement profané par les totalitarismes du XXe siècle. À cause de cela, son emploi prête à confusion. Celui d'exploitation est corrélé, de façon trop restrictive, à la sphère économique. Quant au terme – emphatique – de *barbarie*, il est galvaudé. La domination est une catégorie plus ouverte, elle s'adapte à des contextualités différentes. Elle demeure identifiable même quand elle mute. Mieux encore, elle nous aide à comprendre l'ambiguïté de certains *consentements* contemporains qui procèdent de la *servitude volontaire* définie par Étienne de La Boétie et analysée par Hegel.

C'est d'ailleurs en débattant contradictoirement d'un texte célèbre de Hegel que Catherine Malabou et Judith Butler ont justifié – et affiné – leur emploi du terme *domination* [14]. Le texte en

13. Christopher Lasch, *La Culture du narcissisme*, Climats, 2000.

14. Judith Butler et Catherine Malabou, *Sois mon corps. Une lecture contemporaine de la domination et de la servitude chez Hegel*, Bayard, 2010.

question est inclus dans *La Phénoménologie de l'esprit* et traite des rapports ambivalents entre domination et servitude. Dans les chapitres suivants, on verra à quel point cette ambivalence est plus manifeste que jamais, et généralisée. L'adhésion irréfléchie à nombre d'innovations technoscientifiques, le consentement à certaines transgressions, le ralliement à de douteuses prophéties : tout cela gagne à être interprété en termes de domination et servitude dialectiquement corrélées. Certes, une bonne part de la résignation contemporaine s'explique – d'abord – par le brouillard qui enveloppe les dérangements à l'œuvre, et se trouve aggravée par la paralysie du langage que nous évoquions plus haut. Reste que l'hypothèse du consentement hégélien à la servitude ne doit pas être écartée.

Prenons l'exemple des adversités qu'il s'agirait de combattre. Elles deviennent quasiment impossibles à personnaliser. Ce sont rarement des hommes, des groupes, des partis qui servent la domination à visage découvert. Nous sommes le plus souvent confrontés à des *systèmes*. Ils sont proliférants et peu gouvernables. Ils charrient, en les mêlant de manière confuse, promesses et menaces. L'idéologie qui les habite est rarement facile à identifier. Elle est ordinairement invisible. La séduction qu'ils exercent résulte de cette intrication, toujours plus serrée, du meilleur et du pire, de la rationalité et de l'idéologie. L'*économie mondiale* est ainsi devenue un « système ». La *technoscience* en est un autre. L'*appareil médiatique* planétaire, qui s'est substitué à l'ancien journalisme, s'apparente à un système. Le *cyberespace* est un dispositif comparable. La même remarque peut être faite de la *finance planétaire*, vaste réseau hors sol dont rend assez mal compte l'expression « marchés financiers ». Ces différents systèmes posent les mêmes difficultés à la citoyenneté démocratique et aux États nations. Qui les gouverne vraiment ? À quel dessein obéissent-ils ? Comment départager les bienfaits qu'ils apportent et les dominations qu'ils induisent ? Où faudrait-il se poster pour leur résister ?

Le fait qu'ils soient effectivement hors sol leur confère une puissance inédite. Déterritorialisés, ces systèmes sont hors d'atteinte des peuples. Les États démocratiques sont à peu près démunis devant leur avancée. Ils sont des mécaniques sans visées particulière – en encore moins choisies –, des horlogeries sans horloger, des chantiers sans maître d'œuvre. Ils obéissent à la seule rotation de leurs engrenages. « L'économie moderne, reconnaît Luc Ferry, fonctionne comme la sélection naturelle chez Darwin : chaque entreprise doit innover sans cesse pour s'adapter, mais le processus global que cette contrainte absolue produit est définalisé. C'est un “procès sans sujet”, dépourvu de toute espèce d'idéal commun [15]. »

N'imaginons pas que ces systèmes n'interviennent qu'à l'échelon global ou macro-économique. Nous en faisons l'expérience dans notre vie quotidienne. Qu'il s'agisse des rapports que nous entretenons avec notre banque, notre fournisseur d'accès à Internet, l'opérateur de notre téléphone portable et bien autre chose encore, nous sommes confrontés à des vis-à-vis humains mais à des protocoles de communications gérés par des machines. Nos requêtes se voient ainsi englouties par un dédale de serveurs impersonnels auxquels nous donnent accès les codes et mots de passe en vigueur. Il en résulte un fort sentiment d'impuissance, voire d'abandon ou d'indifférence. À mesure que les outils informatiques se perfectionnent, la confrontation humaine se dissout davantage. Les fameux centres d'appel délocalisés qui sont encore en service et où des opérateurs, sous-payés, usent d'une politesse formatée ne sont jamais qu'une étape transitoire vers la généralisation des robots parlants. Quant aux salariés des entreprises multinationales, ils ont de plus en plus de mal, dans ces labyrinthes, à identifier *le* décideur auquel ils pourraient s'adresser.

L'énorme puissance qui émerge ainsi dans le monde, celle des systèmes, ne ressemble à aucune de celles que les humains ont affrontées dans leur histoire. Elle renvoie significativement à certaines figures modernes de la *catastrophe*. On pense à ces coulées volcaniques que rien ne peut ralentir. On songe tout aussi bien aux nuages toxiques (Tchernobyl) ou aux propagations épidémiologiques capables de couvrir la planète en un clin d'œil, ou encore aux dérèglements financiers dont la contagion intercontinentale

15. *Le Monde*, 13 juin 2009.

est plus foudroyante encore. Pareille puissance désarme l'action collective traditionnelle. Elle démonétise, d'emblée, les avancées de la pensée critique. D'autres formes démocratiques sont requises. Des engagements intellectuels d'un type nouveau sont à inventer. On veut dire par là que les intellectuels critiques doivent accepter de se faire eux aussi nomades, en courant le risque de mettre en danger les idées qu'ils tiennent pour vraies.

Quant aux citoyens ordinaires, ils doivent s'accoutumer à ruser avec la logique des systèmes, de façon à pouvoir retourner la domination contre elle-même. Des tentatives de cet ordre sont faites ici et là, mais on reste loin du compte. On cite parfois le concept de « foules intelligentes » proposé par l'écrivain américain Howard Rheingold, inventeur du concept de *smart mobs*, ces collectivités éphémères et non hiérarchiques qui apparaissent de façon spontanée pour résister à une injustice ou résoudre un problème [16]. D'autres pistes existent, d'autres dissidences se font jour [17].

Les hommes du levant

L'adjectif « mutante » accolé au mot domination n'a pas été choisi par hasard. Il suggère l'apparition toujours possible de formes mutantes, au sens de monstrueuses, de la domination. Les historiens de la modernité comme les anthropologues ont parfois utilisé l'expression de *sociétés monstres* pour qualifier les formes sociales créées par l'un ou l'autre des deux totalitarismes du XXe siècle. Ils se référaient aux formes sociales monstrueuses que ces sociétés avaient produites (extermination, déportations massives, racisme radical, destitution de l'humain, etc.). Nul ne peut exclure aujourd'hui que réapparaissent des « sociétés monstres ». Elles ne ressembleront pas aux précédentes. Elles ne seront pas faciles à identifier. Elles seront peut-être produites non pas sous la conduite d'une idéologie cohérente et folle, mais comme la conséquence ultime de cet « inespoir stupide » que dénonçait jadis

16. Howard Rheingold, *Foules intelligentes* (titre original : *Smart Mobs*), M21 éditions, 2005.
17. Voir plus loin, chapitre 7 : « La Résistance de l'intérieur ».

Emmanuel Mounier. « Le chevalier de l'absurde, écrivait-il, se présente comme le héros de l'âge moderne. Il se jette sans avenir, corps et âme, face au rien. Aucune complicité naturelle ou surnaturelle ne le soutient plus. Jamais folie plus entière ne semble s'être élancée vers les abîmes de l'expérience [18]. »

Tenter de débusquer les prémices d'une *société monstre* implique de renoncer, par avance, à tout fatalisme. Il s'agit bien au contraire d'entrer résolument, mais les yeux ouverts, dans les tourbillons du « grand dérangement ». Une telle intrépidité critique semble moins naturelle aux Occidentaux qu'aux innovateurs vibrionnants de l'Extrême-Asie. Sur ce front-là, les Européens semblent les plus frileux, les moins résolus. Tous se passe comme si les Occidentaux que nous sommes consentaient à être, pour de bon, des « hommes du couchant », des hommes fatigués que hante la crainte du déclin ou de la fin du monde. À rebours de la géographie, il faudrait essayer de redevenir, envers et contre tout, des « hommes du levant ». Dans un petit livre étincelant, Robert Scholtus trouve les mots justes quand il écrit : « Pour que le neuf advienne, il ne suffit pas de le décréter, il ne suffit même pas de prendre des initiatives et d'agir, il faut inlassablement l'attendre et le guetter, le surprendre et l'accueillir [19]. »

18. Emmanuel Mounier, *L'Affrontement chrétien*, [1945], Parole et Silence, 2006, p. 34
19. Robert Scholtus, *Petit christianisme d'insolence*, Bayard-Christus, 2004, p. 66.

Chapitre 1

Immatériel et nouvelles puissances

« La généralisation des représentations virtuelles ne pourra pas ne pas *virtualiser le monde*, et nous rendre nous-mêmes plus ou moins virtuels. »

Philippe Quéau [1]

S'il est un domaine où les nouvelles dominations avancent masquées, c'est d'abord celui de la révolution numérique et du monde virtuel. On doit débusquer leur présence derrière l'écran d'un progrès véritable, d'une avancée technologique qui fait naître, à juste titre, des célébrations enthousiastes. De prime abord, l'apparition du *sixième continent*, celui de l'immatériel, a tout pour nous combler. Ce dernier introduit dans notre rapport au monde une fluidité, une apesanteur et une agilité qu'aucun groupe humain n'avait connues auparavant. Sur ce sixième continent, nos déplacements sont sans efforts et nos demandes satisfaites à la seconde. Nous y faisons l'expérience d'une griserie si particulière que, à vrai dire, nous n'en revenons pas. Il est vrai que les choses se sont passées si vite que nous avons du mal à sortir de la *sidération*. La promptitude de ce changement-là nous laisse cois. Promptitude, le mot est faible.

Elle paraît déjà antédiluvienne l'époque où fut annoncée par l'armée américaine une première mise en réseau de ses ordinateurs, dispersés sur le sol des États-Unis afin d'échapper à d'éventuelles frappes soviétiques. C'était entre 1967 et 1972, années durant lesquelles fut inauguré le système ARPA, devenu

1. *Le Virtuel. Vertus et vertiges*, Champ Vallon, 1993, p. 39.

ARPANET (Advanced Research Projects Agency Network). Le même système, bricolé par les ingénieurs du Conseil européen pour la recherche nucléaire (CERN) – et notamment l'Anglais Timothy John Berners-Lee –, donna naissance en 1989 à l'Internet. Il y a moins de trente ans !

Plus proche encore : il nous semble aussi lointain le temps où les Français, d'abord incrédules, abandonnèrent leur Minitel national pour accéder au Web planétaire. C'était dans les années 1990, autant dire hier. Quant aux polémiques récurrentes qui agitèrent les intellectuels au sujet d'Internet, les uns criant au miracle de la liberté, les autres dénonçant le « nouvel égout du monde », elles paraissent bien surannées. On doit se frotter les yeux pour réaliser que ces pugilats durent encore. Vingt ans, dix ans... Au total, il n'aura pas fallu l'espace d'une génération pour que l'immatérialité du Web investisse massivement nos vies quotidiennes, transforme notre accès à l'information, au commerce, à la finance, à la musique, à la santé, à la défense nationale et à bien d'autres choses. Pourrait-on trouver, dans toute notre histoire, un seul exemple de mutation si soudaine ?

Malgré cela, les sociétés humaines se sont emparées sans difficultés particulières du nouvel outil. Elles ont collectivement digéré le changement. Les deuxième et troisième stades de cette adaptation sont largement accomplis, et le changement n'en finit pas d'accélérer et de s'étendre. Les générations de l'après-guerre auraient du mal à reconnaître le monde où nous vivons. Et ce n'est pas fini. Nous comprenons depuis peu que l'Internet et ses multiples usages ne sont que la partie émergée – on pourrait dire anecdotique – d'une rupture anthropologique plus profonde. L'avènement du virtuel transforme à jamais notre rapport au monde.

Sidération aidant, nos sociétés peinent à évaluer l'ampleur de la métamorphose. Digitalisée, l'entièreté de ce qui existe est à portée de clic. Savoirs, images, sons, informations, points de vue, chiffres, couleurs nous sont si facilement accessibles que nous intériorisons déjà cette proximité, sans plus prêter attention à son étrangeté. Au monde traditionnel – celui de la matière, du concret, de la chair –, se trouve surajouté un continent labyrinthique, une vastitude que dix mille vies humaines ne suffiraient pas à explorer. Flotte ainsi, à côté du vieux monde des territoires, une seconde planète aux propriétés singulières. On peut la parcourir du bout des doigts sans y être ralenti par la rigidité des anciens concepts de temps et d'espace. Cette aérienne circulation, convenons-en, est d'abord joyeuse. Quatre sentiments président à notre entrée collective dans l'ère du virtuel : profusion, liberté, mobilité, gratuité. Ils sont tous positifs.

Toute la mémoire du monde

La *profusion*, d'abord, est si démesurée que nous comprenons mal ce qu'elle signifie véritablement à l'échelle du monde. Pour ne citer que l'aspect culturel des choses, la Bibliothèque numérique mondiale (BNM), lancée en 2009 par l'Unesco, regroupe déjà trente-deux institutions partenaires et donne accès à un ensemble quasi illimité de données écrites, sonores, photographiques, cinématographiques, en sept langues différentes pour le moment et, demain, bien davantage. « C'est la mère de toutes les bibliothèques, écrit Éric Scherer. Ce sont, sous la main, des milliards de milliards de fois les bibliothèques d'Alexandrie ou du Congrès américain [2]. » Ajoutons que ladite bibliothèque mondiale ne représente qu'un infime fragment de l'offre disponible sur le Web. Des milliards d'autres sites – depuis les encyclopédies en ligne jusqu'aux portails spécialisés ou aux réseaux dits sociaux – permettent à quiconque d'accéder en quelques secondes à n'importe quel type d'information.

Tout se passe comme si une fabuleuse *mémoire collective* se trouvait accolée, vingt-quatre heures sur vingt-quatre, à la nôtre. Sa consultation est sans cesse plus simple et plus rapide. Ici, aucune contrainte de rayonnages, d'immeubles, d'espaces, de cartons, fiches, dossiers ou classements n'existe plus. Les moteurs de recherche ont remplacé les antiques procédures d'archivage et de repérage. En nous familiarisant avec l'outil numérique, nous intégrons à nos habitudes mentales cette disponibilité de la mémoire totale. Un seuil est franchi dans la définition et la pratique

2. Éric Scherer, *La Révolution numérique. Glossaire*, Dalloz, 2009, p. 29.

du *savoir*, un seuil dont nul ne peut dire sur quel avenir il ouvre. Intelligence collective (*crow sourcing*) ? Pratique généralisée du partage ? Interactivité planétaire ? Compétitions et violences d'un nouveau genre ? Tout cela mêlé, sans doute.

Le deuxième bénéfice, lui aussi ambivalent, c'est la *liberté*. Elle est plus entière que jamais. Dans ses fondements historiques, le Web est d'inspiration libertaire. Les traces de cette culture originelle – celle de la Silicon Valley – sont indélébiles. On ne s'en plaindra pas. Michel Élie, seul Européen présent le 29 octobre 1969 dans la salle de calcul de l'université de Californie Los Angeles (UCLA), où fut tentée la première expérience, témoigne, quarante ans après, de cette aspiration fondatrice. « La liberté d'expression, écrivait-il en 2009, deviendra un cheval de bataille des pionniers de l'Internet : sur le réseau, tout doit pouvoir se dire, il est “interdit d'interdire” ; à chacun de faire montre d'esprit critique, de filtrer et de recouper l'information [3]. » De fait, sur le Net, la libre expression n'est plus empêchée d'aucune façon, du moins dans les régimes démocratiques. Elle génère un pullulement d'opinions, de révélations, d'argumentations que rien n'entrave ni ne gouverne. La vie associative elle-même est transformée et décuplée grâce à la facilité de contacts et d'information mutuelle. Plus de circulaires à imprimer, à cacheter et à envoyer. Des campagnes de dimension internationale sont possibles depuis un simple ordinateur dans un village de campagne.

Cette permissivité de principe est d'abord un pied de nez permanent aux dissimulations institutionnelles, aux censures étatiques et aux conformismes sociaux. Le rôle déterminant joué par cette « cyberprotestation » en Iran durant l'été 2009 ou en Tunisie en janvier 2011 ne sont que des exemples, parmi les plus spectaculaires. Tout porte à croire que des révoltes comparables auront lieu à nouveau dans le monde, partout où des dictatures prétendent faire taire les peuples. Des portes aussi largement ouvertes aux dissidences ont de quoi réjouir. À la verticalité descendante – de celui qui sait vers celui qui apprend – s'est substituée une horizontalité participative, anarchique, proliférante, parfois douteuse en

3. *Le Monde*, 25 décembre 2009.

matière d'exactitude, mais souvent utile. Reste que les hiérarchies éducatives et informatives d'autrefois s'en trouvent bousculées, pour ne pas dire plus. Les institutions démocratiques de l'ancien monde – presse écrite, école ou politique – sont atteintes de plein fouet. Leurs défenseurs ont raison de rappeler que des données *en vrac* ne font pas une connaissance, qu'une rumeur invérifiée ne correspond pas à une information, ou que des commentaires hâtifs voire injurieux ne remplacent pas une délibération. Pour justes qu'elles soient, ces mises en garde ont peu d'effet. Le foisonnement d'opinions et l'ébriété expressive qui prévalent sur l'Internet changent la donne. Elles condamnent les institutions précitées à se réformer si elles ne veulent pas disparaître. Ajoutons que la permanence de cette liberté n'est pas garantie *ad vitam aeternam*. En décembre 2010, la répression soudaine organisée par les États contre le site WikiLeaks, tout comme le contrôle attentif du Web par le régime chinois, ont rappelé à tous que cette liberté demeurait plus fragile qu'on ne le croit parfois.

La *mobilité* est le troisième bénéfice. Elle s'améliore sans cesse, elle s'élargit à mesure. Toute réflexion à son sujet court donc le risque, à peine formulée, d'être en retard d'une avancée. Il suffit de constater la banalisation des *smartphones*. Avec ces téléphones portables *intelligents*, le libre accès au Web s'est libéré de l'encombrante matérialité de l'ordinateur, fût-il portable. L'accès à la Toile s'est extrait du bureau, du salon ou de la chambre à coucher. La banalisation des liaisons Wi-Fi (transmission sans fil) a correspondu à une « révolution dans la révolution » dont nous n'avons pas mesuré tout de suite la portée. *Le principe de connexion devenait constitutif de l'air du temps.*

Le réseau nous environne dorénavant comme une onde. Il nous accompagne dans tous nos déplacements. Un iPhone comme un Blackberry nous permettent d'être connectés de n'importe quel endroit : train, campagne, métro, avion. Ainsi suffit-il d'un instrument de la taille d'un paquet de cigarettes pour que la planète virtuelle tout entière – avec ses milliards de milliards de contenus – nous suive du matin au soir. On conviendra qu'il n'est pas ordinaire de posséder virtuellement, au fond de sa poche ou de son sac à main, le musée du Louvre à Paris et celui de l'Ermitage à Saint-Pétersbourg, d'être relié à trois quarts de siècle d'archives musicales, des milliards d'images ou de nouvelles arrivées à l'instant des antipodes.

Rendu possible par la généralisation du haut débit, le Web 2 permet quant à lui de mixer et d'assembler des contenus de nature différente (son, image, vidéo, écriture) tout en tirant profit du partage horizontal d'informations. Un «Web collaboratif» succède ainsi au «Web contemplatif» et le premier fait déjà figure d'antiquité. Ne nous berçons pourtant pas d'illusions. L'apparition de ce Web collaboratif au milieu des années 2000 s'est accompagnée d'un discours promotionnel qu'on aurait tort d'entériner sans plus d'examen, notamment sur le terrain de la domination. Lancé par l'Américain Tim O'Reilly, lors d'une fameuse conférence tenue en octobre 2004, le Web 2 a surgi des décombres de la bulle Internet gonflée abusivement en Bourse durant les années précédentes. Les principes dudit Web sont sans doute collaboratifs mais sûrement pas altruistes. C'est de l'application de ces principes qu'étaient nées des innovations comme eBay, YouTube, Dailymotion, MySpace ou Wikipédia, innovations «participatives» que le Web 2 entendait systématiser.

Ce mouvement aboutira au développement planétaire des blogs gratuits, des «pages perso» et des *users contents*, mais aussi à une meilleure emprise de la société marchande. Fondateur d'une maison d'édition spécialisée dans l'informatique, Tim O'Reilly ne fait pas mystère de ses visées néocapitalistes. Élargissement incontestable de la mobilité virtuelle, le Web 2 illustrait aussi – surtout – l'une des mutations du capitalisme conquérant[4]. On reviendra sur l'aspect particulier de cette ruse de l'immatériel.

Concernant ces deux idées de *profusion* et de *mobilité*, il faut bien comprendre que la numérisation du monde continuera de s'accélérer dans les années qui viennent, et de mille façons. La recherche scientifique, civile et militaire, usera toujours davantage de la *modélisation* informatique, déjà largement utilisée dans l'étude des phénomènes. Elle deviendra la norme. L'intégration de l'informatique dans les instruments de la vie quotidienne se généralisera.

4. Une copieuse interview d'O'Reilly est consultable sur le Net : http://www.internetactu.net/

Aujourd'hui déjà, une automobile haut de gamme contient plus de quatre-vingts processeurs qui contrôlent le freinage, la suspension, la combustion, la vitesse moyenne, etc. Leur omniprésence augmentera encore, avec la généralisation de l'« Internet des objets ». Dans un autre ordre d'idée, la mise en réseau d'ordinateurs ou de grappes d'ordinateurs permettra d'effectuer des calculs d'une infinie complexité. C'est à quoi s'emploie, en France, l'Institut des grilles du Centre national de la recherche scientifique (CNRS), qui met à la disposition des chercheurs une grille de production rassemblant une vingtaine de milliers de processeurs disséminés dans une vingtaine de centres ou d'universités, mais interconnectés. Quant au supercalculateur dont dispose déjà, à Orsay, l'Institut du développement et des ressources en informatique scientifique (Idris) du CNRS, il est capable de réaliser deux cent sept milliers de milliards de calculs par seconde.

À terme, la mise au point éventuelle de l'ordinateur quantique élargira encore ces possibilités, quasiment jusqu'à l'infini. Encore au stade très expérimental – notamment au Massachusetts Institute of Technology (MIT) – cet ordinateur quantique est à base de grappes de molécules organiques. Certains chercheurs estiment que, s'il n'est pas pour demain, il pourrait devenir opératoire dans une dizaine d'années. Il rendrait rétrospectivement dérisoires les performances des plus puissants ordinateurs utilisés aujourd'hui.

Comme le reconnaît Michel Beaudoin-Lafon, du Laboratoire de recherche en informatique d'Orsay, le problème sera alors d'éviter que, face à une telle *profusion*, la société de l'information ne finisse par crouler sous son propre poids[5].

Bonheur ambigu de la « gratuité »

Le quatrième bénéfice que nous tirons de notre entrée dans l'ère virtuelle, c'est assurément la *gratuité*. Il est le plus extraordinaire, mais aussi le plus dérangeant. L'abaissement rapide du coût de fabrication et de duplication des contenus a fait de la *gratuité* une

5. Je reprends ici les informations données dans *CNRS Journal*, n° 250 de novembre 2010.

des lois non écrites de l'univers virtuel. Sur le Web, et sauf exception, l'accès à une donnée ne *coûte* rien, de même que l'échange *peer to peer* (P2P) n'entraîne aucun coût ni aucune dépossession pour celui qui « donne ». Si j'envoie à mon voisin ou à un ami un concerto de Mozart en format MP3, le bénéfice qu'il en retire ne correspond pour moi à aucune perte. Le même raisonnement s'applique à une galerie de photos, à un texte de mille pages ou à un film numérisé. Ce mode d'échange, d'abord encouragé par le site Napster (vers 2000), s'est vite généralisé. Le principe de gratuité chamboule évidemment les trois modalités traditionnelles de l'échange : le troc, la vente ou le don. Celui qui donne ne renonce à rien. L'ontologie de l'échange n'est plus la même, et les modèles d'avant-hier deviennent obsolètes. L'émergence de l'« autre » logique est tout à la fois heureuse et cataclysmique.

On mesure encore mal toutes les conséquences d'une telle substitution sur le fonctionnement économique des systèmes, notamment dans le domaine de la culture. Or la gratuité est considérée comme allant de soi par tous les moins de quarante ans. Les *digital natives*, ceux qui sont nés et ont grandi avec les ordinateurs, n'ont jamais imaginé devoir payer pour bénéficier de la *profusion* évoquée plus haut. On les voit mal renoncer facilement à ce cadeau. En témoigne la violence des protestations qui saluent la moindre velléité de régulation ou de tarification. La loi du 12 juin 2009, dite loi Hadopi (acronyme de Haute Autorité pour la diffusion des œuvres et la protection des droits sur Internet) est un bon exemple de cette grande bagarre. Elle est censée opposer un principe de liberté à des visées mercantiles.

Dans la réalité, les choses ne sont pas si simples.

La gratuité a déjà ses théoriciens. Ils ne sont pas toujours de purs philanthropes. Le plus souvent cité est le journaliste américain Chris Anderson, rédacteur en chef du magazine *Wired*. Il fut l'inspirateur de la théorie marketing de la *longue traîne*, qui postulait l'existence d'une nouvelle loi du marché. Le Web, avec ses catalogues infinis, disponibles vingt-quatre heures sur vingt-quatre en tous points du globe, rendrait, selon Anderson, les petites ventes traditionnellement déficitaires soudain rentables. Dans ses livres, Anderson se fait l'avocat d'une « économie de la gratuité[6] ». Il est plutôt sévère sur l'usage qu'on peut faire du terme gratuité pour « égarer les consommateurs », mais n'en demeure pas moins convaincu qu'à l'avenir « chaque entreprise va devoir fabriquer des produits gratuits ou bien entrer en concurrence avec des compagnies dont les produits seront gratuits[7] ». Dans ce modèle, la gratuité permet soit d'acquérir des informations sur l'internaute (ses habitudes, ses désirs) revendues à son insu, soit d'attirer le plus grand nombre et de vendre un service exclusif à quelques-uns. Pour le reste – tout le reste –, Chris Anderson est un ardent défenseur de l'économie de marché, dans son acception la plus libérale.

La montée en puissance du principe de gratuité n'est donc pas toujours irénique, comme le croient – et le défendent – certains *geeks* (le mot désigne les passionnés de la sociabilité informatique). Dans le quotidien, elle n'en correspond pas moins à un spectaculaire bénéfice. La consultation de milliards de données par chacun d'entre nous demeure bien gratuite, en dépit des efforts du système marchand pour transformer l'Internet en un supermarché planétaire. (Seuls 0,3 % des fichiers en circulation sont payés !) À terme, cependant, on le répète sur tous les tons, cette gratuité fragilise les activités culturelles – surtout la musique ou le cinéma – et détruit la presse écrite dans de nombreux pays. À la longue, les dégâts collatéraux qu'elle provoque seront plus insidieux. On devrait garder en tête le paradoxe suivant : les sociétés propriétaires de moteurs de recherche affichent le plus souvent des résultats financiers faramineux. Pour ne prendre qu'un exemple, la capitalisation boursière de Google se montait à cent quarante-cinq milliards de dollars en 2010. Quant au réseau social Facebook, son patron, Mark Zuckerberg, laissait entendre qu'il ferait sans doute son entrée en Bourse en 2011 ou en 2012, avec une capitalisation de cinquante milliards de dollars. Or ces entreprises existent seulement depuis 1998 et 2006.

Gratuité d'un côté, bénéfices exponentiels et valorisation boursière phénoménale de l'autre : la discordance devrait faire réfléchir. En réalité, le concept de *gratuité* n'est pas toujours très

6. Chris Anderson, *Free ! Entrez dans l'économie du gratuit*, trad. de Michel Le Séac'h, Pearson, 2009.

7. Interview à *Libération*, 20 mars 2009.

clair. Il dissimule souvent une logique marchande qui emprunte simplement d'autres voies : omniprésence publicitaire, monétisation des données personnelles (sur Facebook, chaque internaute nourrit de lui-même un fabuleux questionnaire-client dont n'auraient jamais rêvé les services marketing avant le Web), vente de fichiers clients, archivages et commercialisation des tropismes d'achat et des interrogations, etc. La domination du système, au lieu de disparaître, change de configuration et chemine différemment.

Le capitalisme, lui aussi, est une catégorie mutante.

Le capitalisme de l'accès

Les quatre bénéfices énumérés plus haut illustrent en tout cas, jusque dans leur ambiguïté, le mouvement général dont nous sommes les contemporains : le passage progressif du réel au virtuel, la relégation de l'ancien monde des territoires et de la matière au profit du sixième continent, copie virtualisée des cinq autres. Il serait abusif d'en conclure que l'immatériel a *remplacé* le réel. Ce serait extrapoler une fois encore une *tendance*. On préférera la formule de Georges Balandier : « L'univers immatériel ouvre des sortes de trous noirs où l'univers de la matérialité se dissipe[8]. » Parmi les fragments de réalité déjà largement dissipés, il faut ranger le capitalisme lui-même.

L'un des premiers à proposer une réflexion globale sur la mutation tendancielle du capitalisme à l'heure du virtuel est l'essayiste américain Jeremy Rifkin, spécialiste de prospective économique et scientifique, dont l'influence est forte en Europe. À ses yeux, la logique immatérielle du monde entraîne une transformation, au moins partielle, du concept de propriété. L'interconnexion généralisée, la complexification des réseaux commerciaux, la concurrence faite aux transactions traditionnelles entées sur le réel, tout cela tend à reléguer au second plan la *propriété*, au sens où nous l'entendions jusqu'alors. Rifkin s'inspire sur ce point des intuitions clairvoyantes (elles datent de 1970) du Canadien Crawford MacPherson, professeur à l'université de Toronto. MacPherson

8. Georges Balandier, *Le Grand Dérangement*, *op. cit.*, p. 83.

montre que, dans un monde digitalisé et configuré en réseaux, la valeur prédominante n'est plus forcément la propriété, mais « le droit de ne pas être exclu de l'accès aux [nouvelles] ressources ».

La rareté d'intelligence

« Virtuellement dépassé, le capitalisme se perpétue en employant une ressource abondante – l'intelligence humaine – à produire de la rareté, y compris la rareté d'intelligence. Cette production de rareté dans une situation d'abondance potentielle consiste à dresser des obstacles à la circulation et à la mise en commun des savoirs et des connaissances : notamment par le contrôle et la privatisation des moyens de communication et d'accès, par la concentration sur une couche très mince des compétences admises à fonctionner comme du "capital cognitif". »

André Gorz, *L'Immatériel. Connaissance, valeur et capital*, *op. cit.*, p. 81.

De ce point de vue, l'inclusion participative, l'admission dans un réseau tend à l'emporter – même si on est encore loin du compte – sur le désir de possession. La connexion au sens large, c'est-à-dire immédiate et diversifiée, devient nécessaire à qui souhaite réaliser son « épanouissement personnel » et mener « une vie pleinement humaine ». Quant à la curiosité de chacun, ou plus exactement son *attention*, elle devient elle-même une *valeur marchande* que le système s'emploiera à étalonner et à rentabiliser. L'impératif de vitesse produit ici tout son effet. La propriété, en tant qu'institution centrale de l'ancienne économie, avec son épaisseur patrimoniale ou foncière, *fonctionne à un rythme trop lent*. La nouvelle économie opère désormais à la minute, à la seconde, voire à la nanoseconde. La concrétude d'un patrimoine à l'ancienne est non seulement trop lente à mouvoir, elle est aussi trop lourde. C'est ce qu'observait de son côté le philosophe Zygmunt Bauman quand il évoquait la nouvelle « liquidité du monde[9] ».

9. Voir notamment Zygmunt Bauman, *L'Amour liquide. De la fragilité des liens entre les hommes*, trad. fr. Christophe Rosson, Le Rouergue-Chambon, 2004 ; rééd. en poche Hachette, « Pluriel », 2010.

Rifkin, sur ce point, lui emboîte le pas. « L'échange de biens entre vendeurs et acheteurs – caractéristique centrale de l'économie de marché moderne –, écrit-il, est remplacé par un système d'accès à court terme opérant entre des serveurs et des clients organisés en réseaux. Les marchés classiques subsistent mais leur rôle a de moins en moins d'importance dans notre existence [10]. » Rifkin ajoute dans le même ouvrage que bientôt l'idée même de propriété paraîtra sans doute désuète, problématique, voire complètement inadaptée. Il n'exclut pas qu'elle disparaisse peu à peu au profit de l'usage locatif, bien mieux adapté à une société en transformation permanente. La pratique est déjà banalisée pour les voitures ou certains équipements domestiques. Il est probable qu'elle s'étendra.

Il faut ajouter que les marchandises, comme les entreprises qui les produisent, tendent à devenir virtuelles elles aussi, et cela de plusieurs façons. D'abord, la valeur d'un produit se détache peu à peu de sa stricte matérialité. On retrouve là tout le paradoxe des *marques* et des *logos* qui prévalait bien avant le Web. Ce qui est vendu n'est plus vraiment un objet mais un signe, un symbole d'appartenance. Autrement dit, la vraie nature de ce qui est vendu est immatérielle. Je n'achète pas forcément des Nike pour la qualité de leur matière mais pour le prestige symbolique qu'elles véhiculent. En outre, la plupart des grandes marques vendues partout dans le monde ne correspondent plus à des « entreprises », au sens ancien du terme. Elles n'ont parfois ni usine, ni atelier, ni chaînes d'assemblage. Elles coordonnent simplement le travail effectif d'innombrables sous-traitants. D'un certain point de vue, le cœur même de leur métier est devenu virtuel. Cette tendance prolonge en l'amplifiant une logique capitaliste plus ancienne, celle de l'externalisation.

L'accès et le symbole comme substituts possibles à la possession matérielle rejoignent les intuitions plus anciennes du philosophe Pierre Lévy, un des premiers à théoriser la cyberculture. « Dans le cyberespace, écrivait-il en 2000, il est encore plus évident que

10. Jeremy Rifkin, *L'Âge de l'accès. La nouvelle culture du capitalisme*, La Découverte, 2005, p. 13.

ce sont les mouvements de notre attention qui dirigent tout. La mesure des passages et des retours sur les sites Web, l'enregistrement du moindre clic de souris, c'est-à-dire le traçage le plus fin jamais réalisé de l'attention collective et individuelle, est la matière première du nouveau marketing, qui orientera bientôt l'ensemble de la production [11]. »

Au bout du compte, la transformation du concept de propriété entraîne celle du « bien marchand » en général. L'objet du commerce, son concept opérationnel, change de nature. La compétition organisée par le système ne vise plus simplement à séduire des clients potentiels, après évaluation de leurs pouvoirs d'achat respectifs. Mesurée en segments de temps, la vie même de chaque individu acquiert une valeur commerciale. Combien de temps tel homme aura-t-il besoin de louer une voiture ? Quelle peut être la *durée* de l'attention qu'une femme portera aux propositions d'un décorateur ? À un message publicitaire ? Combien d'années de lecture payante peut-on escompter d'un abonné masculin âgé de cinquante ans ? Le *temps de vie* devient le premier concept autour duquel gravitent tous les dispositifs commerciaux. Il a été théorisé outre-Atlantique sous le nom de *lifetime value* (LTV) ou « valeur marchande du moment de vie ».

C'est ce « moment », cette marchandise immatérielle, que les entreprises mettent sur le marché et que leurs clients achètent. La LTV est déjà considérée comme un concept clé du marketing. Dans le glossaire commercial français, on l'énonce ainsi : « Espérance mathématique de marge, valeur vie client, c'est-à-dire la somme des profits actualisés attendus sur la durée de vie d'un client. » Les élèves des grandes écoles de commerce sont benoîtement invités à réfléchir sur ce nouveau « concept opérationnel ».

On peut juger glaçante la formulation.

Ainsi, sous l'effet d'un spectaculaire retournement, chaque être humain se trouve amené à *acheter, sous forme de segments tarifés, un peu de sa propre existence*. On voit poindre une figure nouvelle de la domination. En faisant de l'*attention* et du *moment de vie* des valeurs marchandes, elle ouvre la voie à un projet de manipulation

11. Pierre Lévy, *World philosophie*, Odile Jacob, 2000, p. 127.

de l'esprit. Au surplus, cette nouvelle logique de l'échange payant laisse intacte une immense question : si la pensée et le temps humains deviennent des marchandises, qu'adviendra-t-il des pensées et des vies qui ne sont pas immédiatement commercialisables ? En d'autres termes, restera-t-il une place pour la pensée non marchande, l'idée invendable, l'inattention rêveuse, le bien commun ?

Se pourrait-il en somme que la gratuité de l'immatériel nous conduise vers un monde où plus rien ne sera gratuit ? La question, on le verra, mérite d'être posée. « Quand tout le monde est incorporé dans toutes sortes de réseaux commerciaux de façon permanente par toute une série d'engagements financiers de type location, partenariat payant, abonnement ou honoraires, [...] le temps culturel s'évanouit, et les seuls liens qui tiennent la civilisation ensemble sont des liens commerciaux [12]. »

Un système attrape-tout

Disons-le d'entrée : aux critiques cinglantes de Bauman ou de Rifkin, répondent des analyses moins alarmées. Celles de la sociologue française Ève Chiapello, qui enseigne à HEC, valent d'être évoquées ici. Pour cette dernière, on aurait tort d'oublier les gains que procure aux consommateurs ce nouvel esprit du capitalisme (pour reprendre le titre d'un de ses livres, cosigné avec Luc Boltanski). La fluidité des réseaux à travers lesquels il se déploie, la « maigreur » que lui confère l'externalisation toujours plus large de ses fonctions, tout cela permet au nouveau système de mieux répondre aux désirs des consommateurs. Ces derniers sont toujours plus individualisés, nomades, changeants, mais aussi impérieux dans leurs désirs d'achat. La brutalité de son fonctionnement n'est jamais que la traduction de l'impatience quasi libertaire de ses clients. Pour y répondre, ledit système doit pouvoir s'adapter immédiatement à des marchés toujours plus capricieux. L'ancien capitalisme n'en était pas capable. Ève Chiapello n'est pas loin

12. Jeremy Rifkin, *L'Âge de l'accès*, *op. cit.*, p. 18.

de repérer dans cette transformation radicale un héritage direct et bienheureux de… Mai 1968.

Une interprétation voisine, délibérément optimiste elle aussi, est avancée par le chroniqueur économique du *New Yorker*, James Surowiecki. Ce journaliste spécialisé, qui écrit également pour le *Wall Street Journal* et le *New York Times*, estime que le nouveau capitalisme en réseau permet de mieux mettre à profit l'intelligence collective des consommateurs. À ses yeux, ces derniers ont littéralement pris le pouvoir et dictent la conduite à suivre. La machinerie économique serait aujourd'hui entre leurs mains. Le client serait devenu roi, en somme. Or, ajoute Surowiecki, il est légitime de tabler sur « la sagesse des foules ». La réaction coordonnée d'une foule serait toujours plus pertinente que n'importe quelle décision prise par un seul individu ou un petit groupe de responsables. Dans cette optique, la réactivité sans précédent d'un réseau numérique contribuerait à une meilleure sagesse des choix quotidiens dictés par les consommateurs. Il en résulterait un « plus » indéniable en termes de qualité des produits, de coût ou d'amélioration fonctionnelle des dispositifs de production.

Dans son ouvrage, *La Sagesse des foules*, le journaliste propose en définitive une reformulation numérique – et améliorée – de la fameuse main invisible du marché, théorisée jadis par Adam Smith [13]. Le titre choisi se présente comme une réponse argumentée au célèbre ouvrage de Charles Mackay, *Folie des foules*, publié au XIXe siècle. Si tout n'est pas faux dans ces remarques, la vérité oblige à dire qu'elles pèchent par naïveté, pour ne pas dire plus. Les phénomènes de foule n'ont que rarement la sagesse que leur prête Surowiecki. Toute l'anthropologie et l'ethnologie contemporaines enseignent qu'ils obéissent plutôt à des tropismes mimétiques, à des engouements brutaux, sautes d'humeur ou mouvements dont la rationalité n'est pas la première vertu. Le XXe siècle nous a montré jusqu'à quel degré de violence, de panique, de lynchage ou de sauvagerie pouvait conduire une foule qui obéit à ses choix collectifs.

13. James Surowiecki, *La Sagesse des foules*, trad. Elen Riot, Jean-Claude Lattès, 2008.

D'un strict point de vue économique, la même remarque vaut pour le fonctionnement des marchés financiers. Ces derniers sont à l'image d'une foule virtuelle dont les décisions nous apparaissent comme le produit d'un arbitrage mathématique. Or, après tant de crises ou paniques boursières, il est bien difficile de s'en remettre – comme on le faisait encore dans les années 1990 – à la rationalité supposée desdits marchés. On a vu de quelle manière ils pouvaient être traversés de mouvements incontrôlés, de passions soudaines, de sautes d'humeur intempestives. Les places boursières, capables de folie et de déraison, ne sont plus les instances raisonnables dont on louait jadis les mérites, en opposant leur « sagesse » au « populisme » ou à la démagogie du politique.

Quant à la corrélation qu'établit Ève Chiapello entre l'esprit de Mai 1968 et celui du néolibéralisme numérique, elle est avérée. Elle a d'ailleurs été souvent théorisée, mais pas toujours de la même façon. Rétrospectivement, il apparaît qu'en libérant les individus de leurs appartenances sociales, familiales, culturelles ou institutionnelles, la grande rupture de 1968 les a rendus plus facilement manipulables par le marché et plus vulnérables au marketing. Là se situe la vraie – et redoutable – corrélation entre le « libéral » et le « libertaire ». Il n'est plus guère que les *libertariens* de stricte obédience pour s'en féliciter.

Le capitalisme numérique mérite donc d'être mieux examiné et plus sévèrement critiqué. La logique qui le gouverne, celle de l'immatériel, est assurément pourvoyeuse de fluidité, de profusion et de confort opérationnel. Elle n'en constitue pas moins un système attrape-tout qui favorise la marchandisation générale des réalités humaines. Quand la connexion prend la figure d'un bien de première nécessité ; quand l'accès aux réseaux prend le pas, même partiellement, sur l'envie de possession, alors le virtuel tarifé tend à l'emporter sur la vie vivante, c'est-à-dire non marchande. La vie elle-même devient, par le truchement de la brevetabilité du vivant, un *objet de commerce*.

Quant à la domination, elle change insidieusement de titulaires. Ceux qui, à quelque titre que ce soit, contrôlent les accès deviennent les détenteurs du vrai pouvoir. Ce sont eux qui disposent du pouvoir souverain de départager les exclus et les inclus.

Ils sont les éclusiers postés à l'entrée des canaux d'un monde devenu liquide. Ils ouvrent ou ferment l'écluse en fonction de leur intérêt propre. Ces nouveaux passeurs (*gatekeepers*) qui filtrent et commercialisent l'admission dans les réseaux constituent déjà une nouvelle classe dominante. Elle s'est enrichie plus vite que les anciens possédants. Que l'on songe aux privilèges – et aux plus-values – dont profitent les divers fournisseurs d'accès à Internet (FAI). Que l'on se souvienne de la valorisation affolante des start-up, les jeunes entreprises numériques, juste avant l'explosion de la première bulle Internet en mars 2000.

Mais la domination nouvelle ne correspond plus à la même démarche que l'ancienne. La stratégie principale *ne consiste plus à contrôler le monde mais plus simplement à « attraper » – en les numérisant – les réalités qui le composent.* « À l'heure où la bourgeoisie numérique émerge, s'ajoutant aux bourgeoisies foncières et industrielles issues des révolutions techniques passées, les nouveaux maîtres du monde ne sont plus ceux qui entendent le contrôler sciemment, mais ceux qui, au nom de l'intérêt général, veulent le récupérer [14]. »

Place aux « experts »

Reste à comprendre pourquoi la numérisation facilite un tel avalement du réel, lequel prélude à sa mise sur le marché. Pour simplifier, on dira qu'en congédiant une part de la matérialité – qu'elle soit inerte ou vivante – l'immatériel permet d'instaurer une espèce de totalitarisme doux, celui de l'équivalence généralisée. L'élément constitutif du numérique se ramène, dans tous les cas de figure, à une suite donnée de 0 et de 1. Qu'il s'agisse de son, de texte ou d'image, la configuration virtuelle devient extraordinairement simple. Elle consiste en l'agencement particulier, déclinable à l'infini, des deux mêmes symboles mathématiques. L'ancienne réalité devenue virtuelle, c'est-à-dire *simplifiée*,

14. Cédric Biagini et Jérôme Carnino, *La Tyrannie technologique*, L'Échappée, 2007, p. 8.

devient à la fois convertible, transportable, repérable, manipulable, vendable, etc.

Du même coup, le *visible* tend à devenir aussi important que le *réel*, l'image l'emporte sur la substance dont elle est le reflet. L'avalement dont nous faisions état plus haut correspond finalement à un *escamotage*, pour ne pas dire un *rapt*. Jean Baudrillard se référait à cela quand il écrivait, au sujet de l'omniprésence des écrans dans les sociétés contemporaines : « Aujourd'hui l'écran devient le monde, comme la carte devient le territoire. Nous vivons désormais dans une sorte de collusion totale. C'est le principe de réalité lui-même qui a disparu. Quand tout le monde communiquera avec tout le monde, on vivra dans une espèce de transparence meurtrière et inépuisable, dans une saturation totale d'artefacts, de simulacres, d'information perpétuelle et d'images [15]... » Baudrillard, dans d'autres textes, évoquait la généralisation du *simulacre*.

Quand le *signe* tend à l'emporter sur la *réalité*, quand un reflet simplifié, mesurable et traçable, entre en compétition avec l'ancienne complexité de la matière, tout ce qui « se compte » tend à prévaloir sur ce « qui compte ». L'évaluation, la quantification, la notation arithmétique gouvernent peu à peu notre présence au monde. Le nouveau *media*, plus englobant et plus malléable qu'aucun autre, prend le pas sur le contenu de l'expérience humaine. La vie individuelle ou collective se voit soumise à une évaluation permanente. Quand l'expérience sensible est congédiée ; quand l'information se substitue à la matérialité ; quand le réel peut être mis en formules, alors la figure du *spécialiste* prédomine. La vie tout entière devient l'affaire des experts. Seuls ces derniers sont en mesure de procéder aux « bonnes » évaluations. C'est par la faille ouverte de l'expertise obligatoire que s'engouffre la marchandisation généralisée. Nous aurons bientôt besoin d'experts pour apprécier la qualité de notre sommeil, l'innocuité de notre alimentation, la séduction de notre apparence, l'intensité de nos orgasmes, les performances de notre mémoire, la réactivité

15. Jean Baudrillard, « Les humains hypnotisés par les écrans perdent tout sens critique », *Le Monde 2*, n° 528, 28 mai 2005.

de notre esprit, l'historique de notre éducation, la valeur des soins que nous prodiguons à nos enfants, etc.

L'intervention des experts à chaque étage de notre existence correspond à une *externalisation généralisée des activités humaines*. Ces dernières devraient être prises en charge par des agents spécialisés, diplômés, reconnus. Ils sont prestataires des soins dont nous avons besoin pour parfaire notre épanouissement personnel. Nombre de tâches quotidiennes (éducatives, familiales, culinaires, etc.) étaient jadis accomplies en dehors de toute régulation commerciale. Elles participaient du vivre ensemble, et nul n'aurait songé à les tarifer. Ce n'est plus le cas. Ces tâches exigent, pense-t-on, une compétence hors de portée du citoyen ordinaire. Elles se sont professionnalisées en devenant payantes. Il n'est pas certain que l'opération soit positive pour les prétendus bénéficiaires que nous sommes. La transformation peut se révéler un jeu de dupes, notamment pour les femmes. En s'appuyant sur le savoir des professionnels (pédiatres, puéricultrices, obstétriciens...), les femmes ont d'abord amélioré leur position au sein de la famille. Mais elles ont été finalement victimes d'une autre domination, celle du marché et des experts, dont les prestations sont toujours payantes, non seulement pour la satisfaction de leurs désirs, mais pour leur définition même [16].

Arrêtons-nous un moment à cette affaire de définition de nos désirs. Le phénomène est pernicieux. Pour être à même de « réussir » notre vie, nous sommes invités à nous conformer à quantité de normes. Hier encore celles-ci étaient principalement édictées par des institutions surplombantes et oppressives (Église, école, famille, État). Elles pouvaient aussi résulter de l'appartenance à une culture, ouvrière ou paysanne, ou être transmises dans le cadre d'une tradition politique ou syndicale. Cette normativité venue de la transmission a vécu. Dans nos sociétés fondées sur la liberté individuelle, la fixation des normes emprunte d'autres canaux. Elle résulte d'une pression médiatique et « sub-culturelle »

16. Je m'inspire ici d'une remarque de Christopher Lasch, « Vivre dans l'État thérapeutique », in *Les Femmes et la vie ordinaire*, *op. cit.*, p. 233.

plus diffuse mais pas moins prégnante. Elle vient des magazines spécialisés, des conseils colportés par la télévision, des forums de discussion sur l'Internet, des modes lancées *via* les nouveaux réseaux sociaux, etc.

La nouvelle pression normative est d'autant plus efficace qu'elle est douce et laisse à chacun l'illusion qu'il se soumet librement. Ajoutons qu'elle est rarement désintéressée. Le système qui promeut quotidiennement ces normes est une composante, à part entière, de l'univers marchand. Le moindre conseil s'accompagne en général de la promotion d'un produit achetable. Ainsi la production de règles devient-elle une branche particulière du marketing global, celui-là même que certains rendent responsable de la *misère symbolique* dont souffrent les sociétés avancées[17].

Le sociologue lyonnais Jean-Hugues Déchaux estime que cette production normative correspond, au bout du compte, à une sous-traitance marchande de l'intimité. « Cette sous-traitance, écrit-il, ne porte pas seulement sur le travail domestique (externaliser des activités domestiques comme les courses, le ménage, la garde des enfants ou des personnes âgées, les soins, etc.), mais sur l'intime : l'éducation desdits enfants, l'organisation de fêtes ou d'anniversaires (d'enfants notamment), la tenue d'albums de photos ou la confection de DVD de souvenirs familiaux, l'organisation de rencontres amoureuses, le choix du type d'obsèques que l'on souhaite pour soi, etc. [...] Ce qui est proposé à la vente n'est pas simplement matériel. C'est une définition (presque imperceptible) des bonnes pratiques[18]. »

De tels dispositifs témoignent d'un perfectionnement assez extraordinaire du néocapitalisme numérisé. Ce dernier est donc capable de produire des normes, de les imposer en douceur et de vendre ce qui peut nous aider à les respecter. La récursivité de la domination est quasi parfaite. Le système se boucle sur lui-même. Il tend à rejeter ce qui lui demeure étranger, à savoir la substance même de la vie vivante et gratuite.

17. Voir les travaux de Bernard Stiegler, *La Misère symbolique,* 1, *L'Époque hyperindustrielle*, Galilée 2004 ; 2, *La Catastrophe du sensible*, Galilée 2005.

18. Jean-Hugues Déchaux, « Ce que l'"individualisme" ne permet pas de comprendre. Le cas de la famille », *Esprit*, juin 2010, p. 103.

Ce qui échappe aux algorithmes

La domination ainsi décrite, certes, n'est pas absolue. En pointant les processus grâce auxquels son empire s'accroît, on pointe une *tendance* plus qu'une réalité massive. Nos sociétés connaissent encore, Dieu merci, de nombreuses poches de gratuité qui échappent à l'emprise de la marchandise. Ni le lien social, ni l'expérience de la vie ordinaire, ni la gratuité naturelle n'ont disparu du paysage. (Nombre de mouvements associatifs ou alternatifs s'emploient d'ailleurs à reconquérir, ici ou là, une part du terrain perdu [19].) Il n'empêche que le discours dominant déprécie volontiers ce qui procède de l'*amateurisme*, terme qu'on oppose à celui de *professionnalisme*. Pour cette raison, l'État lui-même peut – comme le marché – se montrer discrètement hostile aux activités qui se déploient à l'ancienne, en dehors de la logique commerciale. Travail à la maison, repos du dimanche, bénévolat associatif, entraide familiale, autoproduction : la liste est longue des activités humaines que l'on regarde aujourd'hui avec méfiance. Tout se passe comme si on ne les jugeait plus assez performantes, ni assez sécurisées, pour parler l'idiome en vigueur.

Lesdites activités ont surtout l'inconvénient d'échapper aux statistiques, aux taxes, aux évaluations expertes, à la comptabilité nationale, au calcul du taux de croissance, aux codifications professionnelles, bref à la « pensée du nombre ». Elles sont hors système. Tout sera fait – en douceur ou pas – pour les y faire rentrer, et cela au nom d'une *obligation de performance* vérifiable. Dans le discours dominant, l'adjectif « performant » désigne le Bien suprême, ou quelque chose d'approchant. La tendance consiste à remplacer par des liens contractuels – abonnements payants, location, honoraires, partenariat commercial, frais d'admission, etc. – les anciennes relations humaines qui procédaient de la *subjectivité*. Ni le système ni ses logiciels ne savent gérer des choses aussi bizarres que la confiance, la solidarité, l'empathie, le dévouement, la cohésion sociale, la complicité amoureuse ou

19. Voir plus loin, chapitre 7 : « La Résistance de l'intérieur ».

familiale. La *vie vivante*, en somme, échappe trop anarchiquement aux algorithmes des ordinateurs.

Ajoutons que la *subjectivité* n'est jamais comptabilisable, évaluable, transparente. Son imprévisibilité éruptive – et créative – la rend d'autant plus inquiétante aux yeux des experts. Une ruse peut toujours s'y tenir cachée, un mensonge s'y dissimuler, une inattention rêveuse s'y abriter. Rien de tout cela n'est compatible avec la rationalité instrumentale des systèmes. La subjectivité humaine est, par nature, *incalculable*. Ce dernier mot nous renvoie à la superbe remarque de Paul Claudel au sujet de la poésie : « Il faut qu'il y ait dans le poème un nombre tel qu'il empêche de compter. » Par comparaison, les experts appointés, comme les logiciels, sont crédités d'une vertu froide : ils sont supposés compter mais ne jamais mentir.

On comprend de quelle façon l'expansion du virtuel marchand peut ainsi entraîner, à terme, l'assèchement de la culture, cette dernière n'étant jamais qu'un autre nom donné à la subjectivité humaine. La tendance numérique qui pousse à tout transformer en produit vendable – même le temps humain – implique l'éviction progressive de tout ce qui n'a pas d'utilité immédiate. À quoi pourrait bien servir de lire Emmanuel Kant, Sénèque ou *La Princesse de Clèves* ? Quelle peut être l'utilité immédiate de la compassion ou de la poésie ? Questions très sottes en vérité. Toute société humaine s'édifie sur un socle d'activités gratuites et de valeurs inutiles. André Gorz rappelle cette évidence quand il écrit : « Ce sont les capacités qui excèdent toute fonctionnalité productive, c'est *la culture qui ne sert à rien* qui, seules, rendent une société capable de se poser des questions sur les changements qui s'opèrent en elle et de leur imprimer un sens [20]. »

On rejoint ici le constat ironique que faisait déjà Cornelius Castoriadis au début des années 1980. Le néocapitalisme ne doit son existence qu'à une série de types humains, de valeurs et de modèles sociaux qu'il n'est pas capable de fabriquer lui-même. Disons que les logiques comptables et marchandes qui le constituent ne sont

20. André Gorz, *L'Immatériel. Connaissance, valeur et capital*, Galilée, 2003, p. 31.

pas taillées pour produire le substrat anthropologique sur lequel s'appuie l'économie de marché elle-même. On faisait allusion à cette idée dans l'introduction : d'un certain point de vue, le système vit sur un gisement fossile. Il est l'héritier ingrat – et imprudent – d'un corpus de valeurs que d'autres époques ont élaborées dans le passé. Or elles s'épuisent plus vite que le pétrole.

La remarque a été faite mille fois : bénéficiaire inconsciente de cette rente symbolique, l'économie de marché, chaque fois qu'elle sort de ses gonds – ce qui est le cas avec la numérisation –, procède comme un enfant prodigue qui dilapiderait toujours plus vite le capital culturel qui le fait vivre. Quand le système justifie la cupidité, répudie le concept de bien commun, s'emploie à dissoudre les corps intermédiaires, conspire au recul voire à la disparition de l'État (comme le souhaitent les libertariens), oublie le rôle central de la cohésion sociale : alors le capitalisme joue contre son propre avenir. Il ébranle le socle sur lequel il se tient encore debout. Ce tropisme autodestructeur, repéré depuis longtemps, est puissamment renforcé par les nouvelles logiques de la numérisation. La raison en est simple : en congédiant le réel, elles effacent l'idée même de limite.

En matière de culture, cette abolition des limites débouche sur le plus dangereux des réductionnismes. Il consiste à faire fond sur la *connaissance instrumentale* au détriment des autres formes de savoir, dont la culture, au sens large, est le produit composite. Plusieurs auteurs ont souligné l'existence nécessaire, à côté de la stricte rationalité, de la connaissance-vérité, de la connaissance-beauté, de la connaissance-sagesse. Pour reprendre l'expression citée plus haut, toutes ces dimensions appartiennent à la *culture qui ne sert à rien*, ou plutôt à rien d'autre qu'à bâtir une société humaine. Elle joue d'ailleurs un rôle important – et sous-estimé – au cœur même de l'économie. Pour prendre un seul exemple, est-il possible d'imaginer une économie sans l'ingrédient de la *confiance* ? Et de quoi la conscience est-elle le fruit, sinon de cette culture « inutile », aujourd'hui reléguée aux marges du système ?

La fabrication des consommateurs

À lire de près les avocats les plus fervents de l'immatériel, on comprend mieux pourquoi le péril s'accroît. En effet, ils vendent souvent la mèche. Dans les différents ouvrages qu'il a consacrés à la cyberculture, Pierre Lévy tient pour acquise la transformation de chaque individu en une « entreprise », occupée à faire du business avec n'importe quoi. À ses yeux, il faut accepter l'idée que tout soit mesuré en argent : sexualité, mariage, beauté, santé, connaissance, idées, etc. L'être humain en gestation sera un entrepreneur soucieux de gérer au mieux le « capital » dont il est propriétaire et qui n'est autre que sa propre vie. Pour chacun, il s'agira ainsi de veiller le plus intelligemment possible à la *production de soi*. L'emploi de l'expression capital humain, très fréquente dans l'univers du management, dit bien ce qu'elle veut dire. Le *soi*, en tant que capital, doit être profitable, c'est-à-dire rentable et bien géré.

Reste à savoir, bien sûr, ce qu'on entend par bonne gestion. L'individu que l'on invite ainsi à se *produire* n'est pas n'importe lequel. Avant d'être vu comme citoyen, père de famille, poète libre de contraintes ou amoureux des étoiles, il est d'abord défini comme *consommateur*. Le discours dominant privilégie cette dimension au détriment de toutes les autres. L'entrée dans l'immatériel accentue une tendance inhérente à la théorie économique néoclassique et que désignait jusqu'alors l'expression latine *Homo œconomicus*. Cette désignation rabat la complexité humaine sur une seule de ses caractéristiques : la capacité de faire des choix rationnels en fonction de leur *utilité*. C'est dans cette acception réductrice qu'on invite chacun à la *production de soi*. Il s'agit en réalité de *produire des consommateurs*, et donc, *ipso facto*, de se produire comme consommateur.

L'homme devenu instrument

« La preuve que tout cela se joue dans l'Être et que l'homme n'est pas le maître du jeu, c'est que l'homme est pris dans quelque chose qu'il ne maîtrise pas. C'est ça la question de la société de consommation : folie de ce processus de productivité infini où l'homme est instrument et pas du tout le maître. Et c'est là que la pensée est en retard, parce que la pensée croit pouvoir donner des solutions techniques à ce problème qui a sa source dans le rapport de l'Homme à l'Être et de l'Être à l'Homme par-delà toute réalité technique particulière. Par exemple, on va essayer de limiter les gaz à effet de serre. Très bien. Mais c'est encore une réponse technique. Ce qui est en jeu n'est pas la technique au sens premier, empirique, mais le rapport de l'homme à l'être de lui-même. Il faut une mutation de ce rapport. »

Bernard Sichère, « Pour une pensée de haute mer », revue *Nunc,* septembre 2009, p. 15.

Fabriquer des consommateurs ? L'expression peut faire sursauter. Elle est pourtant exacte. Dans l'un de ses derniers livres, André Gorz nous invite à examiner de plus près l'extraordinaire histoire du neveu de Freud, Edward Bernays (1891-1995), qu'on présente comme l'inventeur de la propagande moderne et des techniques de manipulation des esprits. Nous l'avons fait. Né à Vienne, Bernays n'avait qu'un an quand ses parents s'installèrent aux États-Unis, où ils obtinrent rapidement la citoyenneté américaine. Quand son parcours et ses écrits sont évoqués, on insiste d'abord sur l'usage qu'ont pu en faire les régimes totalitaires du XXe siècle. Il est vrai que cet usage est troublant. Du côté des nazis, on sait que Goebbels fut l'un des fervents admirateurs de Barnays, et qu'un de ses livres, *Crystallizing Public Opinion* (*La Cristallisation de l'opinion publique*), publié en 1923, fut lu de très près et mis à profit par Hitler lui-même[21].

21. Une traduction de son principal livre a été récemment publiée en France : Edward Bernays, *Propaganda. Comment manipuler l'opinion en démocratie*, préface de Normand Baillagon, La Découverte, 2007. De même, Daniel Mermet a consacré, le 7 mai 2009, son émission de France Inter, « Là-bas si j'y suis », à Edward Bernays. Normand Baillagon y était longuement interrogé.

Les douteuses récupérations politiques de la pensée de Bernays (Goebbels et Hitler s'inspirant d'un auteur juif !) ne doivent pas nous faire oublier que ce dernier s'intéressa aussi – et même surtout – à la propagande économique, c'est-à-dire à la publicité. On dirait aujourd'hui le marketing. Il proposa d'abord ses talents à l'American Tobacco et mit au point, avec succès, la campagne publicitaire de la marque Lucky Strike. Plus tard, il se vantera d'être parvenu à faire fumer les femmes, et cela sur toute la planète. Pour ce faire, il avait détourné très habilement la sensibilité féministe et démocratique en présentant la cigarette comme un droit, tout en martelant – sans y croire lui-même – que le tabac était bon pour la santé. Il alla même jusqu'à baptiser les fumeuses de « torches de la liberté » ! Bernays, présenté comme le père de la manipulation, prétendait s'inspirer des recherches sur l'inconscient menées par son oncle, Sigmund Freud. Il proposa un concept, l'*ingénierie du consentement, l'art de fabriquer des consommateurs*.

Détail significatif : son jugement sur la foule était à l'opposé des visions naïves, pour ne pas dire candides, que l'on évoquait plus haut. À la différence de James Surowiecki, il ne croyait pas à l'intelligence naturelle des foules, bien au contraire. À ses yeux, une foule était toujours offerte à la manipulation de quelques esprits déterminés. Tout était affaire de méthode et d'à-propos. En rupture avec les slogans publicitaires de l'époque qui s'adressaient à la rationalité du consommateur, Bernays sollicitait les pulsions irrationnelles, les désirs inconscients, voire les fantasmes intimes de chacun. Pour lui, par exemple, la représentation phallique d'une cigarette ou d'un hot-dog pouvait se révéler efficace auprès d'une clientèle féminine. Manipuler les pulsions, même cachées, des consommateurs était plus utile que d'essayer de peser sur leurs « anticipations rationnelles ».

Dans ces conditions, les désirs d'une foule pouvaient être, sans trop de difficulté, orientés vers une consommation donnée et vers le consumérisme en général. Il est vrai que les bénéfices *politiques* attendus d'une telle opération n'étaient pas négligeables. La promotion du consumérisme ne servait pas seulement à faire tourner l'économie. Fabriquer des consommateurs plutôt que des citoyens permettait de mettre une société (relativement) à l'abri des passions politiques et des revendications plébéiennes. En d'autres termes, la consommation rendait les foules dociles. Les thèses de Bernays avaient décidément tout pour plaire aux grandes sociétés qui louèrent ses services. Pour satisfaire les producteurs de porcs, il promut la mode des œufs au bacon au petit déjeuner ; pour la firme Procter & Gamble, il rendit le savon Ivory populaire auprès des enfants ; au bénéfice de la société de camionnage Mack Truck, il ruina délibérément l'image du chemin de fer. Ce ne sont là que des exemples. Une chose est sûre : la relecture des écrits de Bernays, *parce qu'ils sont ingénument cyniques*, nous aide à décrypter les propagandes plus retorses d'aujourd'hui. À quatre-vingts ans de distance, Bernays vend lui aussi la mèche…

On doit garder tout cela à l'esprit lorsqu'on examine, dans la nouvelle configuration numérique – celle de l'accès –, les supputations réjouies sur l'épanouissement personnel ou la construction de soi. Derrière la connotation libertaire des slogans, la domination est à l'œuvre. La « production de soi » revient même, pour chaque individu, à intérioriser la domination, jusqu'à devenir son propre geôlier. Quand on invite les consommateurs d'aujourd'hui à se *construire*, on oublie de leur dire qu'ils obéiront, en général, à des désirs fabriqués et promus.

Citons André Gorz : « On retrouve sur le terrain de la consommation le même asservissement de soi que nous constations dans le domaine du travail. L'incitation faite au consommateur à se produire selon l'image de lui-même que lui tend la publicité, et à changer son identité d'emprunt au gré des changements des goûts et de la mode, le prépare à se produire dans son travail conformément au modèle qui le rendra employable et vendable. Dans l'un et l'autre cas, l'activité de se produire est la clé qui donne accès au monde social[22]. »

Connectés et affamés

Reste à apprécier l'aspect quantitatif de tout cela. Quand on accole l'adjectif planétaire à l'évocation de l'immatériel, cela

22. André Gorz, *L'Immatériel*, *op. cit.*, p. 68.

appelle quelques précisions. Elles sont disponibles. Les chiffres récents donnent carrément le vertige. Le 15 juillet 2010, la société suédoise Ericsson, l'un des géants de la téléphonie, rendait publique une étude évaluant à *cinq milliards le nombre de téléphones portables en service dans le monde*. La même étude ajoutait que ce total augmentait d'environ *deux millions d'abonnements supplémentaires par jour*. La rapidité de cette progression serait due, était-il précisé, « en grande partie aux marchés émergents comme l'Inde ou la Chine ». D'un strict point de vue statistique, cela signifie que la plupart des habitants de la planète – 6,8 milliards – *sont désormais « reliés », ou en passe de l'être*. (La réalité est un peu différente, beaucoup d'abonnés étant propriétaires de plusieurs appareils.)

Pour ce qui est de la connexion à Internet, les données statistiques ne sont pas moins impressionnantes. Fin 2009, on évaluait à *un milliard et demi le nombre de personnes ayant accès au Net* depuis leur domicile ou leur bureau. La Chine à elle seule – si l'on en croit l'agence officielle Chine Nouvelle – a largement passé le cap des *quatre cents millions d'internautes*. Un pays émergent comme le Brésil est un peu en retard, avec cinquante millions de connectés sur une population totale de cent quatre-vingt-dix millions d'habitants. En revanche, ce sont les Brésiliens qui passent le plus de temps à surfer sur l'Internet, soit une moyenne de soixante-dix heures par mois (contre soixante-huit pour les Français et soixante-deux pour les Japonais). Il existe sans aucun doute des continents retardataires comme l'Afrique, mais à y regarder de plus près, le rythme de la progression annuelle – pour le téléphone mobile comme pour l'Internet – est l'un des plus rapides du monde. Entre 2000 et 2008, le nombre d'internautes africains a crû de 1 030 %, soit quatre fois plus vite qu'en Europe, laquelle partait, il est vrai, d'un niveau déjà très élevé.

Sachons en outre que le lien entre la téléphonie portable et l'accès à l'Internet se resserre chaque année davantage. La convergence des technologies est en marche. L'étude précitée de la société Ericsson laisse entendre que, dans un proche avenir, *quatre-vingts pour cent des connexions à l'Internet se feront* via *un téléphone portable*. Si l'« âge de l'accès » ne concerne pas encore la totalité des humains, nous n'en sommes pas très loin. On chercherait en vain dans l'Histoire l'exemple d'une innovation technique aussi rapidement mondialisée. Celle-ci progresse comme une nappe qui étend sa surface, comme un nuage dont la dilatation couvre peu à peu tout l'espace habitable. L'image du nuage est parlante. La progression de l'immatériel, pour reprendre l'expression utilisée par le chercheur en sciences cognitives Dan Sperber à propos des croyances, obéit à *une propagation de type épidémiologique*. Des phénomènes d'imitation, de contagion, de transmission se combinent pour accélérer le processus.

L'empire du virtuel élargit donc ses frontières à un rythme qui n'a pas son équivalent dans le monde réel. Certes, il faut se garder de toute démagogie dans le maniement des chiffres, mais ceux qu'on voudrait citer valent néanmoins de l'être. Ils fournissent une indication sur d'autres rythmes, bien différents ceux-là, qui concernent la vieille et tenace *réalité du monde*. En 2010, le nombre d'enfants mourant de la rougeole – une maladie relativement facile à éradiquer – est encore supérieur à deux cent mille par an. Et cela, en dépit des progrès spectaculaires réalisés entre 2000 et 2008 (la mortalité a diminuée de 74 %). Au dire des institutions sanitaires internationales, cela signifie que les campagnes de vaccination marquent le pas. Selon des évaluations récentes de l'Institut national d'études démographiques (INED), « si les tendances observées ces dernières années se poursuivent, 9,3 millions d'enfants, soit près de 7 % des nouveau-nés d'une année, mourront avant leur cinquième anniversaire[23] ».

Dans un autre domaine – et pour parler d'« accès » – un bilan a été publié début 2010 par les Nations unies, au sujet de l'accès des populations à l'eau potable. Lui aussi s'est beaucoup amélioré durant la dernière décennie, mais un peu plus de sept cents millions d'êtres humains en sont toujours privés. Quant au fait de disposer d'un équipement sanitaire minimal, un rapport du Programme conjoint OMS/Unicef, publié en 2009, évaluait à 2,6 milliards le nombre de personnes qui n'y avaient pas encore accès. Le même rapport estimait qu'un million et demi d'enfants de moins de cinq

23. Cité par *Le Monde* du 3 février 2010.

ans mouraient chaque année à cause de ce défaut d'équipements sanitaires.

L'accès à la téléphonie mobile ou à l'Internet progresse beaucoup plus vite que l'accès à l'eau ou à la santé, pourtant considérés comme des droits fondamentaux de la personne humaine. La lenteur est d'autant plus choquante que le coût global de ces équipements de base (quelques dizaines de milliards de dollars) est relativement modique au regard des sommes dépensées pour l'extension des réseaux immatériels.

Quant au simple accès à une alimentation minimale, on sait qu'il n'est pas ouvert – et de loin – à tous les habitants de la Terre. En juillet 2010, entre mille autres initiatives, l'ONG Médecins sans frontières a lancé une campagne de sensibilisation à la persistance du fléau de la malnutrition. Les Nations unies, de leur côté, usent d'une ironie légitimement cinglante en baptisant « faim invisible » (*hidden hunger*) cette injustice cardinale que nos sociétés marchandes, dévouées à la main invisible du marché, échouent à guérir. En 2011, la malnutrition affecterait encore deux milliards de personnes, lesquelles souffrent de carences en sels minéraux et en vitamines, carences souvent à l'origine de maladies mortelles.

Pour ce qui concerne plus généralement la pauvreté dans le monde, les bilans triomphalistes qui sont faits ici et là doivent être nuancés. Tout dépend des critères d'évaluation. Selon les données de la Banque mondiale, qui fixe le seuil de pauvreté à 1,25 dollar par jour, le nombre des pauvres est passé de 1,9 à 1,4 milliard d'habitants au cours des dix dernières années. Il a donc notablement diminué, passant de 52 à 26 % de la population mondiale. Pourtant, si l'on choisit le seuil, plus raisonnable, de 2,50 dollars par jour, le nombre de pauvres *dépassait encore les trois milliards à la fin des années 2000*. Tout porte à croire que, crise mondiale aidant, il repartira à la hausse dans les prochaines années.

De tels déséquilibres, on le sait, ne sont pas explicables par la seule rareté des ressources. Ils trouvent leur origine dans la répartition inéquitable de celles-ci et des raisons *politiques* président à leur funeste maintien. Le cas de l'eau est l'un des plus flagrants. Le partage de son accès obéit surtout à des rapports de force internationaux (la guerre de l'eau) mais aussi à des calculs rationnels.

Privatisée, affermée, la distribution de l'eau est – aussi – une industrie gouvernée par des impératifs de rentabilité. Elle participe donc, à part entière, de la *domination*, mais une domination traditionnelle, pourrait-on dire. Le poids qu'elle conserve est la preuve que les nouvelles dominations immatérielles ne se déploient pas en *remplaçant* les anciennes. *Elles s'ajoutent à ces dernières*, ce qui n'est pas la même chose.

Des centaines de millions d'êtres humains partagent ainsi, et depuis peu, une bien étrange condition : ils sont à la fois *connectés* et *affamés*.

Chapitre 2

Les droits humains sur le marché

> «Avec l'extension de l'économie bourgeoise marchande, le sombre horizon du mythe est illuminé par le soleil de la raison calculatrice, dont la lumière glacée fait lever la semence de la barbarie.»
>
> M. Horkheimer et T.W. Adorno [1]

À plusieurs reprises, dans les pages qui précèdent, on a souligné que l'avènement du réseau et de l'immatériel changeait la donne, et cela dans tous les domaines. Si la domination change de visage, alors les lignes de front où peut se poster la résistance s'en trouvent brouillées. La nouvelle liquidité du monde induit tant de métamorphoses que nous sommes aveuglés par le brouillard du virtuel. Comme dans le poème de Goethe, «Le roi des Aulnes», il nous fait confondre l'adversité avec une simple traînée de brume. Ainsi que l'enfant emporté dans les bras de son père, nous sommes apeurés, mais notre effroi reste indéfinissable. «Mon père, mon père, ne vois-tu pas là-bas. Les filles du roi des Aulnes cachées dans l'ombre?»

Le sentiment d'un péril, vague parce que totalement nouveau, est particulièrement net à propos du droit en général, et des droits humains en particulier. Ces derniers nous paraissent moins bien garantis qu'auparavant. C'est surtout vrai sur le terrain des droits dits sociaux : santé, emploi, protection, réglementation du travail. Nous les voyons s'effilocher. Des réalités quotidiennes comme les délocalisations, la pression sur les salaires, la précarité, le harcèlement au travail ou l'aggravation des inégalités ne sont plus

1. *La Dialectique de la raison*, 1944, trad. fr. par Éliane Kaufholz, Gallimard, «Tel», 1983.

freinées par la barrière du droit social. Dans les pays occidentaux, en Europe surtout, les droits sociaux se trouvaient pourtant garantis par de solennelles et universelles déclarations. Citons celle de Philadelphie, du 10 mai 1944, fondant l'Organisation internationale du travail (OIT). Pensons aussi, pour la France, au programme du Conseil national de la Résistance, adopté le 15 mars 1944 et prévoyant « un plan complet de sécurité sociale, visant à assurer à tous les citoyens des moyens d'existence ». Citons encore les articles 25 et 26 de la Déclaration universelle du 10 décembre 1948, articles (bien oubliés) qui définissaient les droits sociaux jugés essentiels : niveau de vie, enseignement gratuit, sécurité de l'emploi, assistance aux chômeurs, etc.

Tout cela paraît loin. Les protections juridiques de base deviennent volatiles, encombrantes, vieillottes. Elles disparaissent peu à peu du paysage. Nos codes du travail sont présentés comme des handicaps. Nous sentons bien que cette érosion ne vient pas uniquement d'un changement des rapports de force entre une droite « dure » et une gauche « protectrice », même si lesdits rapports de force jouent leur rôle. L'analyse en termes de lutte des classes, par exemple, ne suffit plus à rendre compte du phénomène. D'autres processus sont à l'œuvre. Ils sont moins faciles à définir, peut-être parce qu'ils nous sont moins familiers. Quelque chose a changé. Plus profondément, c'est *l'idée même que nous nous faisons du droit* qui n'est plus la même.

Tout se passe comme si les différentes législations nationales se voyaient mises en concurrence, en temps réel, et en permanence. Les droits humains, en somme, sont soumis à l'examen comparatif du marché. On évalue leurs « performances ». Ils sont progressivement arraisonnés par l'obsession comptable. Cette dernière, en privilégiant le *rationnel* plutôt que le *raisonnable*, évalue les droits à rebours de ce qu'on pourrait attendre. Les plus protecteurs seront jugés avec moins d'indulgence que les plus flexibles. Au nom d'un calcul immédiat, on leur reprochera d'affaiblir la compétitivité d'une économie ou d'un pays. Le souci de protection se trouvera ainsi marqué d'un signe négatif. Cela semble aberrant mais c'est ainsi. On reviendra dans ce chapitre sur les méthodes comparatives employées. Restons-en pour l'instant au niveau des principes.

Le renversement de perspective est si extraordinaire qu'on a envie de paraphraser Nietzsche pour parler d'une stupéfiante transvaluation des valeurs. C'est bien de cela qu'il s'agit. Le *plus* devient le *moins*. Le *noir* est vu comme *blanc*. Le régressif devient *progrès* (ou *réforme*). Le *civilisé* est jugé *archaïque*. Pareille métamorphose du droit est puissamment aidée par l'hégémonie de l'immatériel. La fluidité du numérique permet d'installer en douceur des dispositifs – et des habitudes – d'évaluation instantanée, de comparaison quantitative, d'étalonnage arithmétique. Les droits humains se voient mécaniquement soumis au même régime que les objets techniques et les marchandises. Ils sont d'abord, et instantanément, *jugés à leur coût*. Leurs bénéfices qualitatifs – moins facilement comptabilisables – ne sont plus guère pris en compte.

Les murs de la réalité s'estompent

Le romancier américain Richard Powers, maintes fois couronné outre-Atlantique, est aussi de formation scientifique. Il a même exercé les fonctions de programmateur informatique. L'inquiétude qui l'habite devant les risques technologiques nourrit la plupart de ses romans.

« J'ai peur de ce que font les êtres humains. Lors de la crise financière, des "petits génies" ont créé un système de valeurs imaginaires, en découplant le monde de la carte que nous nous étions efforcés d'en dresser. C'est une virtualisation à plusieurs niveaux : on achète et vend grâce à des outils électroniques qui inventent un flux de capitaux d'un point du monde à un autre. Et, d'un seul coup, cette foi excessive en une économie virtuelle se met à avoir des répercussions sur le monde réel. Les échanges sont faits dans un monde imaginaire, alors même que des transferts d'argent à cette échelle ne sont pas physiquement possibles, et subitement, la pyramide, le château de cartes, s'écroule. Mes livres insistent beaucoup sur cette numérisation du monde qui crée des outils informatiques rendant possibles les pires fantasmes d'affranchissement des contraintes qu'impose la réalité du monde. [...] À présent, les murs de la réalité s'estompent. »

Le Nouvel Observateur, 8-14 juillet 2010.

Les réflexions critiques sur cette métamorphose du droit accordent toujours une large place aux effets sociaux induits par la révolution numérique. Ce n'est pas par hasard. La mise en réseau entraîne une dilution de la responsabilité, un fonctionnement anonyme où l'action responsable est remplacée par un enchaînement de *feedbacks* (rétroactions). « L'utopie du modèle cybernétique et son idéal de transparence et de mobilité s'imposent. L'institution est remplacée par le réseau : des structures polycentriques dont chaque élément est autonome et relié à tous les autres. Les liens ne sont plus que communications, échanges, relations contractuelles, qui se tissent sans hiérarchie. On passe du gouvernement à la "gouvernance" ou à la "régulation", selon le modèle du marché[2]. »

Un droit **a minima**

Chose étonnante : ni le discours dominant ni les médias ne s'intéressent vraiment aux ressorts de cette prodigieuse *transvaluation juridique*. Les citoyens que nous sommes, faute d'explication, se sentent désarmés. Ils ont du mal à saisir l'énormité de ce qui se passe. La réflexion sur le droit, il est vrai, n'est pas bien attrayante, et le débat – capital – sur les fondements anthropologiques de la loi est perçu comme une obscure affaire de spécialistes. C'est bien dommage. Le flou entretenu sur la question est une aubaine pour toutes les dominations contemporaines, celles qui avancent masquées. Il permet d'enrôler à leur service tous ceux qu'une expression attribuée (à tort) à Lénine définit comme les « idiots utiles ». On qualifie ainsi les acteurs sociaux qui, en toute bonne foi, font le lit d'une injustice tout en croyant œuvrer pour la liberté. Sur le terrain du droit, les idiots utiles agissent avec les meilleures intentions du monde. Les raisons qu'ils invoquent paraissent si légitimes que nous sommes tous tentés, à un moment ou à un autre, d'y souscrire.

2. Éric Gagnon, « Sur la fonction anthropologique du droit (Essai bibliographique) », *Anthropologie et Sociétés* (revue de l'université Laval au Québec), vol. 30, n° 1, 2006, p. 221-232.

Pour essayer de s'y reconnaître, il faut partir d'une question simple : le droit qu'élabore une société donnée porte-t-il la trace des valeurs communes ou, pour parler comme Émile Durkheim, des «représentations collectives» partagées ? N'est-il au contraire qu'un dispositif technique, respectueux de la pluralité des points de vue, et chargé d'organiser *a minima* la vie commune d'une collectivité ? Dans cette dernière hypothèse, celle d'un droit strictement rationnel, les valeurs – sauf quelques-unes – doivent être renvoyées à la sphère privée. Elles ne peuvent pas être considérées comme le fondement des lois, pas plus que ne peuvent l'être la morale, la croyance, ou encore le fameux ordre symbolique cher aux psychanalystes. Le droit n'est qu'un artefact. Il est contraignant, certes, puisqu'il a fait l'objet d'un vote majoritaire, mais il peut être librement révisé, changé ou aboli en fonction des besoins immédiats.

En réalité, le débat sur les fondements du droit est ancien. Il opposa par exemple, au XIXe siècle, les théoriciens de l'utilitarisme comme Jeremy Bentham (1748-1832) ou John Stuart Mill (1806-1873) aux tenants de la tradition aristotélicienne ou kantienne. Ces derniers analysaient le droit comme une mise en forme des croyances communes. Ils dominèrent la scène juridique européenne. Dans les faits, la définition prédominante en Europe continentale fut bien celle – plutôt kantienne – d'un droit enraciné sur des représentations partagées, lesquelles découlaient d'un droit naturel auquel le législateur lui-même ne pouvait désobéir. Les peuples étaient censés respecter des principes anthropologiques communs, dont le droit n'était que la traduction imparfaite. L'antique formule *cujus regio ejus religio* («un seul prince, une seule religion») exprimait le souci de cohérence dont le droit était l'instrument. Jusqu'au début des années 1980, cette conception «holiste» fut la règle. À quelques variantes près, les législations nationales se fondaient sur des bases anthropologiques communes, et cela d'autant plus aisément que ces fondements *étaient considérés comme universels*. Le droit européen, puis occidental, se voyait comme modèle, un modèle civilisateur sur lequel les autres peuples devaient s'aligner.

Plusieurs éléments se sont ligués pour ruiner cette bonne conscience juridique. D'abord la critique, sans cesse plus vive, de l'« occidentalisme », critique émise du dehors par les anciens peuples colonisés, et du dedans par les nouveaux nationaux issus de l'immigration. Aux États-Unis, ce fut l'un des thèmes des *Postcolonial studies*. Rétrospectivement, à l'âge postcolonial qui est le nôtre, il apparaît assez clairement que les valeurs prétendument universelles étaient d'abord celles des colonisateurs et de l'Empire. Elles faisaient partie d'un discours impérial qui se défait. Dans une société donnée, il devient donc plus difficile de définir un socle de valeurs partagées. Ce qui caractérisait nos sociétés multiculturelles, c'était plutôt le polythéisme des valeurs cher au sociologue Max Weber (1864-1920). Quant à la prétention universaliste des Européens, elle fut malmenée par le déclin continu de l'hégémonie occidentale, et le décentrement du monde qui en résultait. D'autres interprétations des droits humains, d'autres définitions de l'homme, d'autres modèles familiaux réclamaient voix au chapitre [3]. On verra plus loin de quelle façon.

Le second élément propice à un changement de perspective fut l'importance grandissante des questions de droit liées aux mœurs : transgressions nouvelles, rendues possibles par la biogénétique, remise en question des catégories sexuelles et familiales, etc. Les réformes juridiques revendiquées touchaient cette fois au cœur de l'ancien monde commun. Elles conduisaient à s'en prendre aux anciennes « catégories » anthropologiques. Fallait-il permettre le mariage des homosexuels et l'homoparentalité ? Pouvait-on autoriser les recherches sur les cellules d'un embryon ? Devait-on combattre la pornographie ? Restaurer l'antique morale familiale ? Interdire la mise en scène de la violence ? Toutes ces revendications juridiques nouvelles amenaient logiquement ceux qui les portaient à rejeter l'idée – contraignante – de fondements anthropologiques. Quant au concept cher à Pierre Legendre de « montage normatif », il devenait plus qu'encombrant. Par cette expression, Legendre désigne les choix adoptés en connaissance de cause et *institués* par le droit, afin d'instaurer une distinction juridique claire entre ce qui est humain et ce qui ne l'est pas. C'est ce qu'il

3. J'ai longuement développé cette analyse dans *Le Commencement d'un monde. Vers une modernité métisse*, Seuil, 2008 et « Points Essais », 2010.

appelle la *dogmatique occidentale*. Il s'agit de nouer ensemble le biologique, le psychique et le social pour « construire » l'humanité de l'homme.

Au regard des nouvelles revendications transgressives, mettre en avant de tels montages équivaudrait à imposer une pensée réactionnaire, coercitive, moralisatrice, pour ne pas dire plus. Chercher à maintenir le vieil arrimage du droit à ses fondements anthropologiques serait faire échec au « progrès ». Pour répondre aux nouvelles libertés, qu'on identifie – parfois de manière hâtive – à la modernité, le droit devrait être libéré de ses chaînes, réduit *a minima*, redéfini comme une simple technique, amendable à l'envi. L'ancienne morale elle-même devrait être laïcisée au sens fort du terme, c'est-à-dire émancipée de ses fondements religieux, civiques ou naturels. Pour que la liberté individuelle soit étendue – par exemple à propos de la sexualité – il faut opter, dit-on, pour un droit minimaliste, désencombré de références éthiques. Les tenants de ce minimalisme juridique estiment que notre idée du Bien et du Mal ne regarde que nous-mêmes. Nos choix privés n'ont aucune dimension morale susceptible de s'imposer aux autres.

Bien qu'il soit peu accessible au grand public, ce débat sur la nécessité ou l'inutilité de fondements anthropologiques en matière de droit atteint des niveaux de violence verbale qui l'apparente aux inexpiables querelles idéologiques du XXe siècle (« Tout anticommuniste est un chien », disait Jean-Paul Sartre !). Leur violence se révèle périodiquement à l'occasion de telle ou telle décision de justice. Un bon exemple en fut donné par les polémiques nées à propos de l'arrêt Perruche du 17 novembre 2000. Il accordait à un handicapé, Nicolas Perruche, le droit de demander réparation du préjudice subi du fait de sa naissance, ou plus exactement du fait de l'erreur de diagnostic médical qui avait empêché sa mère de réclamer une interruption médicale de grossesse. Une interminable bataille opposa les « antiperruchistes » aux « perruchistes ». Les premiers – parmi lesquels le Comité national d'éthique – s'indignaient qu'on puisse arguer d'un « droit à ne pas naître ». Ils appuyaient leur argumentation sur la référence aux fondements et aux fonctions anthropologiques du droit, référence théorisée par Pierre Legendre[4]. Les seconds mettaient en avant la liberté individuelle de la personne et l'extension souhaitable de celle-ci. Ils invoquaient les avancées de la réflexion juridique sur la notion de personne, notamment du fait de la banalisation des pratiques de procréation médicalement assistée.

À lire les textes, on sent sourdre – dans les deux camps – une agressivité langagière qui en dit long sur la portée politique de la querelle. Les antiperruchistes (de très loin les plus nombreux) sont présentés comme les continuateurs de la pensée contre-révolutionnaire, antimoderne et adversaire de la liberté individuelle. Les seconds se voient accusés de défendre étourdiment l'« euthanasie prénatale », un « eugénisme doux » et un « nihilisme métaphysique », lesquels rendraient possible l'avènement d'une « société post-hitlérienne[5] ». Détail étrange : l'argument de la domination socio-économique n'apparaît quasiment pas dans ces invectives. Or c'est lui qui nous paraît décisif. Le désarrimage entre le droit et ses fondements anthropologiques comme la défense d'un juridisme purement « rationnel » peuvent se révéler « utiles ». Dans les faits, la combinaison des deux favorise presque toujours les nouveaux dispositifs de la domination.

La pensée chauve-souris

Reste à savoir ce qu'on entend au juste par l'expression « rationalisme juridique ». On en aura une idée en examinant les formulations d'un représentant français de la philosophie analytique anglo-saxonne, Ruwen Ogien, par ailleurs directeur de recherche au CNRS. Sur toutes les questions éthiques qui font aujourd'hui débat (pornographie, clonage, mères porteuses, etc.), Ogien défend l'idée d'une éthique réduite au minimum. Il emprunte à Stuart Mill le principe de non-nuisance (*harm principle*), qui a l'avantage d'être simple. Il propose de limiter l'éthique à *l'interdiction de porter préjudice à autrui*. John Stuart Mill, dans le chapitre IV de

4. Pierre Legendre, *Sur la question dogmatique en Occident*, Fayard, 1999.

5. Voir notamment Olivier Cayla et Yan Thomas, *Du droit de ne pas naître. À propos de l'affaire Perruche*, Gallimard, 2002.

son livre majeur, *De la liberté*, formulait avec clarté ce principe : « La seule raison légitime que puisse avoir une communauté civilisée d'user de la force contre un de ses membres, contre sa propre volonté, est d'empêcher que du mal ne soit fait à autrui. Le contraindre pour son propre bien, physique ou moral, ne fournit pas une justification suffisante[6]. »

Partant de ce principe, Ogien ajoute qu'il n'est pas possible de condamner rationnellement une action, quelle qu'elle soit, si elle n'entraîne aucun dommage pour autrui. Il parle ainsi des « crimes sans victimes » que réprouve la morale traditionnelle, que le droit sanctionne, alors même qu'ils n'ont causé « aucun tort concret à quiconque ». Le suicide assisté, la masturbation, le sadomasochisme entre adultes, la sodomie, la prostitution ou le clonage reproductif, pour reprendre les exemples qu'il cite, entrent dans cette catégorie. Les réprimer au nom de principes moraux particuliers – ou en invoquant la notion de dignité humaine qu'Ogien juge « inutile et dangereuse » – ne serait pas rationnel. « Ma réponse, écrit-il, est que le suicide assisté sous ses différentes formes, la gestation pour autrui, l'aide médicale à la procréation pour les gays, les lesbiennes et les femmes jugées "trop âgées", et même le clonage reproductif ne visent nullement à causer des torts à quiconque et n'en causent effectivement à personne : ce sont bien des "crimes sans victimes" qu'il est injuste de pénaliser[7]. »

Comme les libertariens – qui lui font fête – Ogien place au premier rang le principe du *consentement*. C'est par son biais que des adultes éclairés se fixent eux-mêmes les règles auxquelles ils acceptent d'obéir. Pour lui, le consentement individuel est toujours préférable à la règle de portée générale, de même que le *contrat* doit être préféré à la loi, chaque fois que faire se peut. Certes, le philosophe n'est pas assez naïf pour oublier l'ambiguïté récurrente du « libre » consentement. Dans de très nombreux cas (prostitution, contrat de travail, etc.), les individus ne consentent pas aussi librement qu'on le pense. Ils se plient en réalité à toutes sortes de contraintes et de dominations.

6. John Stuart Mill, *De la liberté*, trad. Laurence Lenglet, Gallimard, « Folio Essais », 1990.

7. Ruwen Ogien, *La Vie, la mort, l'État. Le débat bioéthique*, Grasset, 2009, p. 16.

Consentir, reconnaît Ogien, revient parfois à « accepter ce qu'on ne peut pas refuser ». Ce déficit de liberté, parfois bien réel, ne lui semble pourtant pas rédhibitoire. Lui accorder trop d'importance entraînerait un « coût moral et politique [...] trop élevé ». Ogien s'en tire par une question en forme de pirouette : « Sous prétexte qu'il peut, en effet, servir à légitimer des situations de domination, faut-il renoncer à faire du consentement un critère du juste dans les relations entre personnes [8] ? » Sur ce point, on pourrait prolonger l'analyse en développant la distinction canonique entre ce qui est *rationnel* et ce qui est *raisonnable*. Ce distinguo fut opposé à la pensée utilitariste en général et aux disciples « anarchistes » de Stuart Mill en particulier. En l'occurrence, disons que le droit rationnel des utilitaristes ne coïncide pas forcément avec un droit raisonnable, au sens social et culturel du terme. Le mathématicien et philosophe Bertrand Russell (1872-1970) n'hésitait pas à comparer l'homme qui serait rigidement rationnel à un « monstre inhumain ». On ne s'attardera pas sur cette querelle.

Le rejet de toute tradition ou éthique maximaliste permet en tout cas à Ogien d'ironiser – non sans talent – sur quelques-uns des désarrois contemporains. Le titre de certains de ses livres en témoignent : *La Panique morale*, *Pourquoi tant de honte ?*, *Penser la pornographie*, etc. Dans tous les cas, il fait entendre un point de vue ostensiblement permissif et affirme œuvrer pour une déculpabilisation généralisée. Le projet est attrayant. On peut aussi le trouver, malgré tout, très ingénu. En émettant cette critique, on ne s'abrite pas derrière une morale traditionnelle. On se place sur un tout autre terrain. Car enfin ! l'éthique minimaliste, le droit détaché de tout fondement anthropologique, la primauté du consentement et du contrat : tout cela est parfaitement conforme aux figures anciennes ou nouvelles de la domination, notamment économique. Bien qu'il s'en défende (assez mollement), Ogien est très proche sur ce point des ultralibéraux et des libertariens de stricte obédience.

Rappelons que ces derniers, qui se qualifient eux-mêmes d'arnacho-libéraux, s'en remettent à l'économie de marché,

8. *Ibid.*, p. 56.

fondée sur la propriété privée, les libertés civiles et l'abstention maximale de l'État. Ils s'opposent à toute idée de redistribution ou de *welfare state,* dont ils dénoncent les effets pervers. Leur position très à droite en matière économique et sociale cohabite avec un « progressisme » résolu dans toutes les affaires touchant aux mœurs. Ils incarnent parfaitement l'étrange métissage théorique évoqué dans le chapitre précédent : celui que revendiquent les libéraux libertaires. Il correspond à ce qu'on pourrait appeler une « pensée chauve-souris ». L'expression renvoie à La Fontaine : « Je suis oiseau, voyez mes ailes. Je suis souris, vivent les rats ! »...

Pour cette raison, l'ingénuité de Ruwen Ogien ne risque-t-elle pas, à tout moment, de faire de lui un précieux serviteur du système, pour ne pas dire un « idiot utile » ? La question n'est pas sournoise. En convoquant la pensée de John Stuart Mill, Ogien oublie d'apporter une précision historique. La pensée de ce dernier s'édifie dans un contexte particulier, postérieur à la Révolution française et à la Terreur. À l'époque, il s'agit de protéger l'individu contre la toute-puissance de l'État, dont la Terreur de 1792-1794 avait donné un redoutable exemple. Au XXIe siècle, c'est peu de dire que la situation a changé. Elle s'est carrément inversée. L'époque est marquée par le recul continu et l'affaiblissement de l'État face aux puissances privées. La crise financière de septembre 2008 nous a fourni un bel exemple de la nouvelle faiblesse des États. On a vu l'administration américaine tenue en échec par la puissance des banques et des institutions financières privées. L'État, ultime défenseur du bien commun, nous est apparu comme une instance protectrice plus que dominatrice.

Les armes de l'oppression ont changé de mains.

Si la société existe...

« Si la société existe comme une entité ontologiquement distincte des individus qui la composent, ainsi que de toutes les interrelations actuelles qu'ils accomplissent sans cesse, c'est que son mode d'existence est de l'ordre de l'idéalité normative. Les individus socialisés – qu'on les nomme "membres", "acteurs", "sujets sociaux" ou autrement – n'existent en effet en tant qu'êtres proprement humains, reconnus comme tels par les autres êtres humains, que dans la mesure où ils agissent de manière significative tant pour eux-mêmes que pour leurs partenaires sociaux. Un aspect essentiel de ce caractère significatif de leur action est qu'elle est généralement soumise à des normes qu'ils partagent avec autrui dans leurs interrelations concrètes ou qui leur sont imposées "par en haut", ou du moins par un "milieu" qui les englobe. »

Michel Freitag, *L'Oubli de la société. Pour une théorie critique de la postmodernité*, Presses universitaires de Rennes, 2002, p. 50.

En stigmatisant l'interventionnisme civique et juridique d'un État devenu impotent, on sert à coup sûr les puissances privées. Le même reproche a été fait à la juriste Marcela Iacub, dont la sensibilité et les centres d'intérêt sont proches de ceux d'Ogien. Dans la revue juive *Controverses*, Jacques Amar, spécialiste du droit privé, assure sans aménité que « les opinions de cet auteur sont surtout le vecteur d'une idéologie juridique qui n'accorde finalement du crédit qu'à une seule chose : l'argent ». Outre son approche simpliste du consentement, il reproche surtout à la juriste, avocate médiatique de la « liberté sans entraves », de raisonner comme les syndicats patronaux, sans se soucier de l'inégalité des personnes et des pesanteurs de la domination. « La liberté de l'individu est conçue d'une façon tellement abstraite, écrit-il, qu'elle en arrive à rejeter l'idée même d'égalité. Dans un tel monde, pour reprendre la rhétorique propre au sadomasochisme, il y a nécessairement des gens soumis, et l'inégalité devient une composante essentielle de la réalité[9]. »

9. Jacques Amar, « Marcela Iacub ou la régression sociale, version de gauche », *Controverses*, n° 8, mai 2008, p. 67.

La « sainte ignorance » juridique

En congédiant la question de l'inégalité sociale afin de mieux défendre l'égalité identitaire, notamment sexuelle, on finit par évacuer le droit social du paysage. L'effacement est d'autant plus aisé que le droit a été coupé de ses racines anthropologiques. Le processus qui se met en place mérite d'être examiné de plus près. Pour ce faire, on voudrait transposer l'analyse provocante que propose le chercheur Olivier Roy, spécialiste de l'islamisme, à propos du religieux. Quand il évoque la « sainte ignorance », Roy se réfère au phénomène de déculturation du religieux. Il observe que le prétendu retour planétaire du religieux coïncide avec une rupture entre la religion et sa culture d'origine. Le décrochage sans cesse mieux avéré entre les marqueurs culturels, ethniques, historiques, géographiques, et les marqueurs strictement confessionnels (les traditions bibliques, coraniques, hindoues, etc.) aboutit à des religions mondialisées, voire à un marché planétaire du religieux ouvert à tous. « L'ouverture [d'un tel] marché suppose la constitution d'un acteur individuel, plus ou moins libéré des contraintes ethniques, culturelles et historiques, et choisissant librement, sur le marché religieux, le produit qui lui convient[10]. »

Ce déracinement culturel ne favorise pas seulement la sainte ignorance, c'est-à-dire des formes de croyance vigoureuses, exclusives, identitaires mais dangereusement incultes (comme c'est souvent le cas pour les islamistes). Il amoindrit toujours davantage l'influence des autorités et institutions confessionnelles, de la même façon que la privatisation généralisée concourt au dépérissement des États. Les diverses spiritualités mises sur le marché se voient soumises au principe d'*availability fort export* (disponibilité pour l'exportation). « Le marché, écrit encore Olivier Roy, suppose l'affaiblissement de la contrainte sociale et même la perte de l'évidence sociale. Il rend l'homme libre de son choix et fait que les autorités religieuses ne peuvent imposer leurs règles, sinon au risque de perdre leurs clients[11]. »

10. Olivier Roy, *La Sainte Ignorance. Le temps de la religion sans culture*, Seuil, 2008, p. 207.

11. *Ibid.*, p. 209.

Comment ne pas être troublé par la similitude des mécanismes ? Ce qui se joue sur le terrain du religieux correspond point par point à ce qu'on observe sur celui du droit, ou plus exactement *des* droits. Priver ces derniers de leurs fondements anthropologiques revient à les détacher de la culture qui les portait. Eux aussi peuvent dès lors être soumis au libre choix, lequel s'effectuera après évaluation des avantages et inconvénients. Par le biais du virtuel, on l'a dit, les progrès de la mondialisation se font désormais à un rythme exponentiel. Les législations nationales tout comme les anciennes religions sont assujetties aux principes marchands. Elles font l'objet, elles aussi, d'une évaluation permanente en termes de coûts/avantages. Cette quasi-marchandisation est rendue possible par ce que le grand juriste Jean Carbonnier appelait la « pulvérisation du droit en droits subjectifs [12] ».

Les droits sociaux sont évidemment les premiers à en faire les frais, puisqu'ils sont les plus coûteux et les moins manipulables par la domination. Ces réflexions préalables nous aident à mieux interpréter certaines analyses (inquiètes), comme celles d'Alain Supiot, spécialiste reconnu du droit du travail. Pour lui, les choses sont claires : le droit social n'est pas seulement oublié par l'idéologie néolibérale, il fait l'objet d'une déconstruction méthodique et réfléchie. La moindre contrainte extérieure qui serait fondée sur des impératifs sociaux est vue comme un obstacle et accusée de ralentir la marche vers un progrès planétaire, lequel n'est d'ailleurs jamais vraiment défini. L'univers globalisé et numérisé est perçu comme un « monde plat », dont les habitants sont des individus disposant des mêmes droits et dont la concurrence n'est plus réglée que par le marché. Toute forme de transcendance – y compris laïque – est rejetée au profit du libre arbitre des individus, invités à choisir eux-mêmes les droits dont ils réclament le bénéfice. « Réduit à l'état de monade contractante et calculante, écrit Supiot, l'être humain ne devrait être soumis qu'à deux types de règles : celles qui auraient une base scientifique et celles qu'il se fixe librement à lui-même. On distribue à tous les mêmes droits

12. Jean Carbonnier, *Droit et passion du droit sous la Ve République*, Flammarion, 1996, p. 121 (j'emprunte cette référence à Alain Supiot).

individuels comme on leur distribuerait des armes et l'on espère faire ainsi advenir une société entièrement contractuelle où il n'y aurait d'obligation que consentie[13]. »

En dehors du caractère aberrant – pour ne pas dire délirant – d'un tel projet, la pulvérisation du droit empêche de rendre juridiquement opératoires des principes comme la solidarité ou la mutualisation des risques. Or ces principes furent, en Europe, au fondement du droit social et inspiraient directement les grandes déclarations et programmes d'après-guerre. Aujourd'hui, lesdites déclarations sont explicitement récusées, ou en passe de l'être. Alain Supiot cite à ce sujet une roide déclaration en forme d'aveu de Denis Kessler, ancien vice-président de l'organisation patronale française (le Medef). Dans une interview au magazine *Challenges*, il appelait à « défaire méthodiquement le programme du Conseil national de la Résistance[14] ». On ne saurait être plus clair.

Il s'agit en définitive d'organiser au plus vite la mise en concurrence de tous les habitants de la planète, quels que soient leurs particularités, leur *habitus*, leurs préférences culturelles, leur histoire ou leurs traditions. Fictivement, ils sont considérés comme des êtres interchangeables, mus par l'esprit de calcul, et par cette prétendue capacité qu'on n'ose plus guère invoquer depuis la déroute financière de septembre 2008 : celle de faire des *anticipations rationnelles*. Formulée au début des années 1960, notamment par l'économiste Robert Lucas (qui reçut le prix Nobel en 1995), cette théorie décrivait les consommateurs comme parfaitement capables de tirer profit des informations économiques disponibles afin d'effectuer des choix éclairés sur le marché mondial, y compris par anticipation. Ladite théorie – très technique – a longtemps servi à légitimer la mondialisation néolibérale. Rétrospectivement, elle nous paraît critiquable.

De même nous paraît aujourd'hui dévaluée la théorie qui lui faisait pendant pour légitimer la mondialisation néolibérale, et

13. Alain Supiot, *L'Esprit de Philadelphie. La justice sociale face au marché total*, Seuil, 2010, p. 49. Voir aussi Alain Supiot, *Homo juridicus : essai sur la fonction anthropologique du droit*, Seuil, 2005 ; livre important auquel ce chapitre emprunte plusieurs notations.

14. Denis Kessler, « Adieu 1945, raccrochons notre pays au monde ! », *Challenges*, 4 octobre 2007.

conforter les partisans du libre-échange : *celle des avantages comparatifs*. Formulée au début du XIXe siècle par l'économiste britannique David Ricardo, cette théorie postule qu'un pays doit se spécialiser dans la production du bien pour lequel il dispose d'un avantage comparatif et accéder ensuite au marché mondial pour y échanger ce bien contre ceux qu'il ne produit pas, ou qu'il produit moins bien. Comme c'est le cas pour de nombreuses théories, celle-là – plus complexe et plus riche qu'on ne le pense – a été souvent réduite à une vulgate infantile : que la Chine fabrique des chaussettes, nous fabriquerons des avions ! On sait ce qu'il en est advenu. Les avantages comparatifs sont un bon exemple d'une théorie à la fois rationnelle mais irréaliste, qui finit par buter sur la résistance du réel. On le comprend mieux aujourd'hui : une telle organisation de l'économie mondiale, basée tout entière sur le principe des avantages comparatifs, exigerait *de facto* une circulation permanente des marchandises et des objets d'un bout à l'autre de la Terre. Ce mouvement brownien planétaire, dont nous faisons déjà l'expérience, met en mouvement des centaines de milliers de navires, avions ou camions. Il entraîne des coûts indirects si énormes que son « bénéfice » s'en trouve ruiné, sans parler des émissions de carbone.

Ce n'est pas tout. À l'expérience, il apparaît que le premier des avantages comparatifs, c'est l'amenuisement concurrentiel des droits sociaux…

Adieu Philadelphie, bonjour Marrakech…

La pauvreté de ces visions, la supercherie manifeste des nouveaux appels aux lendemains qui chantent, tout cela pousse chacun, si l'on peut dire, à écarquiller les yeux. Se peut-il qu'un tel projet soit devenu l'idéologie dominante du postcommunisme ? Est-il vrai que les grandes institutions internationales s'en inspirent ? N'assombrissons-nous pas exagérément le paysage ? Ces questions sont sérieuses. Essayons d'y répondre en nous appuyant sur quelques exemples. Le premier concerne l'Organisation mondiale du commerce (OMC), que dirige un Français de bonne foi, Pascal Lamy. Les principes qui ont présidé à sa création sont énoncés dans la fameuse déclaration de Marrakech du 15 avril 1994 instituant l'OMC. À un mois près, cette déclaration *intervient un demi-siècle après celle rédigée à Philadelphie* le 10 mai 1944. La comparaison entre les deux textes – à laquelle nous invite Alain Supiot – permet de mesurer le chemin parcouru, ou plus exactement la régression opérée. Nous nous sommes reportés aux textes.

Dans son premier article, la déclaration de Philadelphie énonçait les quatre principes de base ayant présidé à son élaboration. Le premier d'entre eux était clair et net dans sa formulation : «Le travail n'est pas une marchandise.» Le troisième ne l'était pas moins : «La pauvreté, où qu'elle existe, constitue un danger pour la prospérité de tous.» Dans son article III, le texte définissait de façon plus concrète les objectifs qui devaient être ceux de l'Organisation internationale du travail (OIT), dont le siège fut établi à Genève. Parmi ceux-là, les «soins médicaux complets», «une protection adéquate de la vie et de la santé des travailleurs dans toutes leurs occupations», «la plénitude de l'emploi», etc.

Si l'on se reporte à la déclaration de Marrakech, on trouve mentionnés «l'ouverture des marchés pour les marchandises», «la protection des droits de propriété intellectuelle qui touchent au commerce», «la volonté de résister aux pressions protectionnistes de toute nature», «l'accroissement de la production et du commerce de marchandises et de services». On cherche en vain un simple rappel des droits sociaux élémentaires, sinon sous la forme d'une allusion assez vague au caractère «juste» de l'ordre commercial souhaité, laquelle est aussitôt suivie d'une référence ambiguë au caractère «plus ouvert au profit et pour la prospérité de la population de leurs pays». Outre le style alambiqué de la rédaction, force est de constater que tout ce qui concerne la subjectivité humaine a littéralement disparu du texte signé à Marrakech.

Il est clair – et reconnu – que les pays riches, les grandes firmes multinationales et les lobbies financiers sont parvenus à faire prévaloir leurs options au sein de l'OMC. Ils ont notamment obtenu que des services comme l'accès à l'eau, l'éducation ou la santé soient considérés comme des marchandises et que l'on privatise peu à peu les services publics. L'objectif premier (le seul ?) est bien de promouvoir une vision commerciale et compétitive de la marche du monde. Le commerce est érigé en valeur suprême, et les droits sociaux sont glissés sous le tapis.

Comme c'était prévisible, la brutalité de cette *doxa* suscita, en réaction, la naissance du mouvement altermondialiste. D'abord apparu aux États-Unis, il se révéla au grand public lors des grandes manifestations de Seattle en 1999 ou de Gênes en 2001. Il déboucha sur le rassemblement régulier de *Forums sociaux*, à Porto Alegre, au Brésil, à Bombay, en Inde ou à Atlanta, aux États-Unis. Pour ce qui concerne la France, il correspondit à la création (en 1998) de l'Association pour la taxation des transactions financières et pour l'action citoyenne (Attac). Cible privilégiée des néolibéraux (et plus encore des libertariens) le mouvement altermondialiste parvint, dans un premier temps, à fédérer une multitude d'associations présentes dans le monde entier. Victime de contradictions théoriques et de divergences d'intérêts, il est aujourd'hui en quête d'un second souffle. La crise financière, puis économique, sociale et politique apparue en septembre 2008 démontra pourtant la justesse prémonitoire de certaines analyses altermondialistes. En dépit de cela, ni le mouvement ni même les gauches européennes ne parvinrent à tirer profit d'une telle vérification, partielle mais concrète, de leurs thèses.

Entre-temps, il est vrai, le remodelage du droit s'était poursuivi et approfondi, notamment en Europe. Le cheminement du processus fait songer à ces feux de tourbe capables de cheminer sous la terre avant de réapparaître plus loin, rallumant du même coup l'incendie qu'on croyait éteint. La relégation du droit social passe ordinairement inaperçue. Ses accentuations sont révélées de loin en loin par certaines décisions judiciaires qui confortent – ou fondent – une tendance de la jurisprudence. Les arrêts Viking et Laval, rendus en décembre 2007 par la Cour de justice des Communautés européennes en sont de bons exemples. Ces deux décisions n'ont guère été commentées par les médias traditionnels, mais elles ont enflammé le Web. Les sites dissidents ou proches de l'altermondialisme y ont vu une consécration redoutable de la primauté du marché sur toutes considérations sociales.

Il s'agissait de savoir comment pouvait s'appliquer une protection sociale déterminée dans le cas de travailleurs détachés, c'est-à-dire travaillant temporairement dans un autre pays européen. La plainte initiale émanait de syndicats finlandais dans un cas (la société Viking est un armateur usant d'un pavillon de complaisance estonien), suédois dans l'autre (la société Laval est une entreprise de construction lettone chargée d'édifier une école en Suède). Les syndicats réclamaient pour les salariés détachés le bénéfice des conventions collectives les plus favorables, et cela afin de contrecarrer tout *dumping* social.

Dans ces deux arrêts (rédigés d'une manière confuse), la Cour européenne inverse nettement la jurisprudence en vigueur. Elle privilégie le principe de «liberté d'établissement» plutôt que le respect des droits sociaux (salaires, protection, droit de grève, etc.). En clair, elle modifie la perspective. Dans ses conclusions concernant l'arrêt Viking, le procureur général Poiares Maduro formule cela on ne peut plus clairement : «La réalisation du progrès économique par le commerce intracommunautaire implique fatalement le risque pour les travailleurs de toute la Communauté d'avoir à subir des changements de leurs conditions de travail ou même à souffrir de la perte de leur emploi.»

Cela signifie, certes, que les droits sociaux (y compris le droit de grève) sont reconnus, mais à la condition expresse qu'ils n'entravent pas la «liberté d'établissement» en rendant «moins attrayante» la pratique des délocalisations. «La logique profonde de l'Europe actuelle fait [ainsi] de l'ouverture à la concurrence son axe principal de construction. La liberté de circulation des biens, des services et des capitaux est au cœur des traités. La liberté d'établissement et la liberté de prestation des services sont [même] considérées comme des «libertés fondamentales [15].»

«Il sera dans l'abondance»

Par ce biais, les différentes législations nationales sont donc bien mises en concurrence. Ajoutons une remarque : le mouvement joue

15. Pierre Khalfa, «La Cour européenne de justice contre l'Europe sociale». Disponible sur le site du mouvement Attac : http://www.france.attac.org/spip.php?article8958

à l'échelle du monde, et l'Europe n'a pas été capable de s'en protéger. Sa persistance sur le vieux continent n'est pas une « exception » fâcheuse, qui serait la conséquence provisoire d'une insuffisante intégration – et harmonisation juridique – européenne. En fait, elle est déjà « la » règle planétaire. Cela signifie qu'un marché mondial d'un nouveau genre s'est ouvert : celui des « produits législatifs ». Les particuliers, mais surtout les entreprises, peuvent s'y livrer au *law shopping* pour trouver le produit avantageux. L'expression anglo-saxonne, que l'on pourrait traduire par « emplette juridique », est maintenant familière aux juristes et aux commentateurs. Elle fait l'objet, comme l'évasion fiscale ou les retraites chapeau, de dénonciations politiques grandiloquentes mais sans effet. La règle ne cesse de se renforcer et de s'élargir.

La compétition est ouverte entre des *produits législatifs* de nature différente : les droits sociaux, bien sûr, mais aussi les dispositions fiscales, les régimes de succession, les réglementations médicales, la procréation médicalement assistée, les biotechnologies, etc. La mise en concurrence des réglementations nationales est facilitée par l'existence de dispositifs d'évaluation perfectionnés. On généralise du même coup un vocabulaire qui appartenait jusque-là au langage du marketing. Les termes anglais *scoring* et *bench marking* en font partie. Ils désignent des méthodes permettant d'évaluer un risque ou un avantage en mêlant plusieurs critères. La combinaison de ces paramètres aboutit à une note globale, c'est-à-dire un score. Ces procédés de marketing ont été transposés. Les droits nationaux sont ainsi notés, comme le sont les États eux-mêmes. Les agences de notation réalisent un classement systématique de ces derniers, en fonction de leur solvabilité mais aussi selon d'autres critères. Ces notes, quand elles sont bonnes, ouvrent droit à des avantages fixés par les marchés, par exemple l'abaissement du taux d'intérêt exigé pour un emprunt. Dans tous les domaines, la logique qui prévaut est la même : une prime est donnée au moins-disant social, au moins regardant en matière de bioéthique, au plus accommodant fiscalement parlant, etc.

Ainsi des préoccupations élémentaires comme la justice fiscale, la protection sociale ou le souci bioéthique sont-elles perçues comme des handicaps. Le pays le plus vertueux sur le terrain de l'équité devient *ipso facto* le moins attractif. La délocalisation vers des pays juridiquement plus « profitables » n'est plus l'affaire des seules entreprises. La médecine, la chirurgie, le contrat familial : tout peut faire l'objet d'un *law shopping* permanent. On voit ainsi se développer des tourismes d'un nouveau genre. Ils consistent à faire élection d'un pays donné pour trouver un dentiste au meilleur prix, une mère porteuse bon marché, un chirurgien complaisant... Défiés par la rigueur implacable de ces mécanismes concurrentiels, les États sont irrésistiblement conduits à aménager leurs législations pour demeurer attractifs. On limitera ainsi les impôts frappant les plus fortunés (en France le fameux bouclier fiscal), on améliorera la flexibilité du travail tout en essayant d'abaisser le niveau des salaires.

Évidemment, ce marketing généralisé *favorise la domination en général*. La richesse va à la richesse plus systématiquement que jamais. Dans un article publié en 1968 dans la revue américaine *Science*, le sociologue Robert Merton avait proposé une métaphore pour décrire ce mécanisme qui entraîne un « cumul » dynamique des avantages, de sorte que le déjà nanti reçoit toujours plus que le moins nanti, à mérite équivalent. À l'époque, Merton visait l'injustice faite aux chercheurs : les plus en vue n'en finissent jamais d'engranger rétributions et notoriété, au détriment d'aussi bons scientifiques dont le seul tort est d'être moins comblés au départ. Merton parlait de « l'effet Matthieu » (*Matthew effect*), en référence à la parabole des talents dans l'Évangile : « Car on donnera à celui qui a et il sera dans l'abondance, mais à celui qui n'a pas, même ce qu'il a lui sera retiré. » (Matthieu, 25-29.) Aujourd'hui, ledit effet joue à plein sur le terrain de l'économie comme sur celui du droit. « Le gagnant prend tout » (*winner takes all*), comme on dit aujourd'hui, en transposant une règle particulière du système électoral américain [16].

La mise en concurrence des *produits législatifs* entraîne des effets qui vont bien au-delà du dépérissement accéléré des États ou de l'injustice faite aux plus faibles. Au bout du compte, *le droit*

16. Selon ce principe, les grands électeurs d'un État américain doivent obligatoirement voter en bloc pour le candidat arrivé en tête dans cet État.

lui-même change de nature. Il n'est plus la codification d'un « vivre ensemble » élaborée par une communauté humaine. Il n'organise plus cet assemblage systémique de droits et de devoirs qui permet aux humains de faire société. En s'émiettant et en se pulvérisant, la règle juridique cesse de fournir l'ossature nécessaire à ce que nous avions pris l'habitude d'appeler un État de droit. Le juriste Pierre Legendre n'hésite pas à parler d'un retour subreptice au système féodal. « Sur la pente où nous sommes, observe-t-il, il faudra en revenir à ce qui se passait à la fin de l'Empire romain d'Occident après les invasions barbares : c'était le règne de la personnalité des lois. On demandait à quelqu'un : sous quelle loi vis-tu ? Et on lui appliquait le régime juridique qui le concernait [17]. »

Une rationalité infirme

Des juristes, y compris de premier plan, relativisent la portée de ce remodelage du droit. Ils y voient l'influence – partiellement positive – du pragmatisme juridique anglo-saxon. Les traditions propres au pays de la *common law* feraient simplement leur entrée sur le vieux continent. On retrouve trace d'une telle analyse dans le discours solennel du premier président de la Cour de cassation, Guy Canivet, discours prononcé lors de la rentrée judiciaire, le 7 janvier 2005 [18].

Tout en assurant qu'il fallait défendre « l'originalité et le génie du système juridique français », le très haut magistrat estime que « le temps des citadelles nationales, que furent les grands codes du XIXe siècle, n'est plus ». La France et l'Europe, dit-il encore, se voient soumises « à l'impératif d'efficience par des écoles américaines d'analyse économique des facteurs de développement ». De façon plus explicite, il ajoute : « Notre justice ne peut rester plus longtemps à l'abri, ni de la logique économique, ni de sa

17. Pierre Legendre, *Vues éparses. Entretiens radiophoniques avec Philippe Petit*, Mille et une Nuits, 2009, p. 67.

18. On peut lire cet exposé dans son intégralité sur le site de la Cour de cassation : http://www.courdecassation.fr/institution_1/occasion_audiences_59/debut_annee_60/monsieur_guy_canivet_60.html

soumission à des repères objectifs de qualité. » Au-delà des prudences rhétoriques et des renvois au projet d'unification européenne, ces propos du premier magistrat de France témoignent d'une interprétation bienveillante de l'instauration d'un « marché législatif » où les traditions juridiques sont mises en concurrence. Quant à la mention des repères objectifs auxquels les législations nationales devraient se soumettre, elle laisse songeur.

La prétendue objectivité dont il est question se rattache en effet à la « pensée du nombre » déjà évoquée et qui hante la modernité. Elle est le produit direct de ce que Max Weber appelait la *rationalité instrumentale* (*zweckrationalität*) par opposition à la *rationalité de valeurs* ou évaluative (*wertrationalität*). Depuis Weber, une telle rationalité, amputée de tout ce qui n'est pas comptabilisable, a fait l'objet de critiques argumentées et approfondies. On trouve les plus cinglantes sous la plume des philosophes de l'école de Francfort, mais aussi dans l'œuvre du philosophe Cornelius Castoriadis (1922-1997). Pour définir cette pensée purement quantitative, Castoriadis soulignait qu'elle avait été littéralement inventée – « instituée » – à la fin du XVIIIe siècle par le capitalisme naissant, et bientôt transformée en une idéologie conquérante. Dans l'un de ses textes, publié un an avant sa mort, il décrit ce qui a rendu possible cette invention : « Le moyen le plus formidable a été la destruction de toutes les significations sociales précédentes et l'instillation dans l'âme de tous ou presque de la rage d'acquérir ce qui, dans la sphère de chacun, est ou apparaît accessible, et pour cela accepter pratiquement tout. Cette énorme mutation anthropologique peut-être élucidée et comprise, non pas "expliquée"[19]. »

Fait nouveau : cette rationalité infirme, par le moyen de la révolution cybernétique, étend aujourd'hui son empire jusqu'à l'intérieur des sphères politiques et juridiques. Elle y produit une méthode d'analyse et d'action qu'Alain Supiot, en juriste sourcilleux, qualifie de *gouvernance par les nombres*. Cette dernière, écrit-il, « nous engage dans une boucle spéculative où la croyance en des images

19. Cornelius Castoriadis, « La "rationalite" du capitalisme », in *La Résistible Emprise de la rationalité instrumentale*, Éditions Eska, 1998.

chiffrées se substitue progressivement au contact avec les réalités que ces images sont censées représenter». En ce sens, elle participe bien du mouvement tendanciel de déréalisation du monde. Le contact est coupé avec les réalités de la vie vivante, de la souffrance des peuples, de la quotidienneté la plus ordinaire. La financiarisation de l'économie mondiale – avec ses surgissements de bulles spéculatives, de déroutes bancaires et de spéculations dévastatrices – en est le résultat. Si les peuples n'ont pas encore appris à résister à ces nouvelles dominations, la réalité, elle, n'oublie jamais de se venger…

Nous mesurons mal l'emprise de cette pensée du nombre. Elle est un peu comme l'air que nous respirons sans y prendre garde, une fausse évidence que nous avons intériorisée sans nous en rendre compte. Les médias lui font la part belle, sans penser à mal. Songeons à l'habitude prise de publier semaine après semaine toutes sortes de classements, étalonnés selon des critères quantitatifs. On classe les lycées en fonction du pourcentage de réussites, les quartiers d'une ville sur le prix des loyers, des hôpitaux selon la quantité de soins prodigués, des lignes de chemin de fer d'après le nombre de voyageurs transportés, etc. On vérifie la pertinence d'une opinion en calculant le nombre de personnes qui la partagent ; on est obsédé par les sondages au point que bien des choix politiques en sont tributaires. Certes, on prétend à chaque fois tenir compte de paramètres qualitatifs, mais c'est souvent un argument de pure forme.

Le plus extraordinaire est sans doute le fait que cette survalorisation quasi maniaque du quantitatif et des statistiques fait l'objet de critiques sévères *de la part des statisticiens eux-mêmes*. On peut citer Alain Desrosières, diplômé de l'École polytechnique, spécialiste français de l'histoire des statistiques et administrateur de l'Institut national de la statistique et des études économiques (Insee). Dans l'introduction d'un ouvrage très savant, traitant justement de la *gouvernance par les nombres*, il montre de quelle façon les statistiques et la quantification en général, par leur emploi systématique, finissent par reconfigurer le monde en faisant passer

– abusivement – des procédures de quantification « codifiées et routinisées » pour la réalité elle-même[20]. Il insiste également sur la dimension idéologique que revêt toujours l'emploi de l'instrument statistique. Cela signifie que les statistiques, elles aussi, ont une histoire. L'usage qu'en firent les économistes keynésiens n'était pas le même que celui des néolibéraux contemporains. Il est dangereux d'oublier que les nombres ne sont pas *par eux-mêmes* porteurs de sens mais qu'ils sont de simples outils, plus incertains que l'on croit, à qui on a dévolu aujourd'hui – follement ! – une fonction axiologique (relative aux valeurs). Ces mises en garde ne sont pas entendues. La gouvernance par les nombres prend ainsi l'allure d'un impérialisme statistique.

Dans ces conditions, on ne doit pas s'étonner de voir le droit lui-même succomber à cet exercice de la rationalité instrumentale. Pour les juristes, un tel remodelage du droit comporte d'autres risques que ceux évoqués plus haut. Ils sont à la fois plus lointains et plus redoutables. Dans une société humaine quelle qu'elle soit, la première fonction du droit consiste à contenir, en la codifiant, la violence qui habite toute collectivité. Pour domestiquer cette violence, il s'agit de la métaboliser afin de la placer sous l'emprise juridique. Le processus continu de civilisation des mœurs, pour reprendre la formule du sociologue allemand Norbert Elias, se développe d'autant mieux qu'il s'effectue dans le cadre précis d'un État de droit. Cela signifie qu'une législation nationale vise un but sociétal qui va très au-delà de la pure et simple « codification » normative. Le très grand juriste et académicien français, Jean-Étienne-Marie Portalis, père du Code civil (1746-1807), évoquait ainsi le dessein ultime du législateur : « De bonnes lois civiles sont le plus grand bien que les hommes puissent donner et recevoir, elles sont la source des mœurs… et la garantie de toute paix publique et particulière […] Elles sont souvent l'unique morale du peuple, et toujours elles font partie de sa liberté[21]. »

20. Alain Desrozières, *Gouverner par les nombres* (2 volumes), Presses de l'École des Mines de Paris, 2008.

21. Jean-Étienne-Marie Portalis, *Discours et rapports sur le Code civil.* Précédés de l'*Essai sur l'utilité de la codification* de Frédéric Portalis, Presses universitaires de Caen, 2010.

Gardant à l'esprit cette fonction ultime de la loi, nombre de juristes s'alarment des conséquences à long terme d'une instrumentalisation du droit par la *pensée du nombre* et l'organisation subséquente d'un marché législatif planétaire. Poussé à son terme, cela reviendrait à libérer tôt ou tard des réserves de violence que l'État de droit avait pour vocation d'endiguer, du moins tant qu'il était capable de transformer les rapports de force en rapports de droit. Ce n'est plus le cas quand on s'assigne comme seul projet de placer tous les habitants de la planète – et leurs systèmes juridiques – en compétition constante. Alain Supiot évoque cette perspective avec gravité. « Bloquer tous ces mécanismes et faire de la compétition le seul principe universel d'organisation du monde, écrit-il, conduit aux mêmes impasses que les totalitarismes du XXe siècle, dont le trait commun fut justement l'asservissement du Droit aux lois supposées de l'économie, de l'histoire ou de la biologie. » Répondant par avance à ceux qui pourraient juger outrée son inquiétude, il ajoute : « Affirmer cela [...] ne procède pas d'une quelconque position politique ou morale, mais de l'une des rares certitudes que peut apporter la "science du Droit" [22]. »

Trois pistes ouvertes

Il reste finalement à poser trois grandes questions. Chacune d'elles mériterait une longue réflexion, un approfondissement qui n'est pas l'objet de ce livre. On se contentera donc de les désigner comme autant de pistes de recherches.

La première concerne le visage qu'aura fini par donner d'elle, au début du IIIe millénaire, la culture européenne, et plus largement occidentale. Cela revient à s'interroger sur les refus et les révoltes que fait naître, un peu partout dans le monde, la toute-puissance avérée d'une rationalité instrumentale qu'on identifie à l'Occident et qui, vue d'ailleurs, peut sembler pathogène. On aurait tort de croire que ces résistances sont uniquement le fait des terroristes,

22. Alain Supiot, *L'Esprit de Philadelphie. La justice sociale face au marché total*, *op. cit.*, p. 72

des fondamentalistes religieux, des nationalistes rétifs au dialogue, ou des adversaires de la modernité. La lecture de quelques auteurs postcoloniaux suffit à s'en convaincre.

Prenons un seul cas : celui de l'anthropologue indo-américain Arjun Appadurai, professeur à la New School University de New York. Cet auteur de premier plan est un adversaire résolu du nationalisme et, plus encore, des fondamentalistes religieux. En revanche, il a longuement analysé le rôle de la quantification systématique, du chiffre, *de la statistique dans la domination coloniale*. Il l'écrit en toutes lettres. « Bien que les premières politiques coloniales de quantification aient eu un objectif utilitaire, je suggère que les chiffres ont occupé avec le temps une part plus importante de l'illusion d'un contrôle bureaucratique. Ils sont devenus l'une des clés de l'imaginaire colonial[23]. »

La *gouvernance par les nombres* qui préside aujourd'hui à la mondialisation néolibérale et commande l'action de la plupart des institutions internationales (OMC, FMI, Banque mondiale, etc.) rappelle de fâcheux souvenirs à beaucoup d'intellectuels de l'hémisphère Sud. Ils y voient une version à peine travestie de l'ancienne domination coloniale. Elle constitue une confiscation autoritaire de l'héritage des Lumières. Pour les intellectuels de l'hémisphère Sud, cette confiscation permet de soupçonner jusqu'au discours des droits de l'homme qu'invoquent, y compris de bonne foi, les démocraties du Nord. Il leur semble désastreux que la belle utopie universaliste soit ainsi ramenée à une logique comptable, c'est-à-dire défigurée. L'universel, ce n'est pas cela, ce ne peut pas être cela.

C'est tout à l'honneur de certains auteurs occidentaux de l'avoir compris.

23. Arjun Appadurai, *Après le colonialisme. Les conséquences culturelles de la globalisation*, trad. de l'anglais (États-Unis) par Françoise Bouillot, Payot-Rivages, 2001 (édition de poche, 2005), p. 158.

Réélaborer l'universel

«Il me semble que si nous ne voulons pas que le droit universel se réduise à l'imposition d'une culture occidentale à tout le monde, alors nous devons comprendre que ce qui est "universel" est l'objet d'une élaboration constante, d'une formulation et d'une reformulation constante dans le cadre défini par la traduction culturelle. Il s'agirait, pour les différents gouvernements et les organisations non gouvernementales, d'examiner des questions complexes comme, par exemple, ce qui pourrait être le droit à la liberté de la personne, ou le droit à l'intégrité corporelle, ou le droit à la protection contre la violence dans une culture donnée. Comment ce droit serait-il appliqué, et quels en seraient les effets ? Quel genre de tension surgirait entre l'affirmation de ce droit et les traditions locales ou les lois nationales ? Il me semble que cette lutte, la lutte qui oppose ces conceptions rivales ou ces cadres de références concurrents, est essentielle au processus visant à rendre certains droits universels. À mon sens, cette pratique de traduction culturelle est l'alternative à l'imposition brutale de la culture dominante à ses "autres".»

Judith Butler, «La paix est résistance aux terribles satisfactions de la guerre», entretien avec Jill Stauffer (2003), repris dans *Humain, inhumain. Le travail critique des normes*, trad. de Christine Vivier et Jérôme Vidal, Éditions Amsterdam, 2005, p. 90.

La deuxième grande question touche au rapport contradictoire que les citoyens des pays développés entretiennent avec l'État. Depuis une quarantaine d'années, on s'est efforcé de libérer l'individu des sujétions du collectif. Nous devions, pensions-nous, nous arracher aux contraintes sociales, aux limitations, aux «devoirs», à l'autoritarisme, à la glu de l'ancienne société et des institutions qui l'incarnaient et dont l'État était la clef de voûte. Contre lui, il fallait tâcher d'élargir sans cesse davantage le champ d'application de la liberté individuelle. Cependant, contrairement à ce que laissent entendre trop d'analyses moralisatrices, ce n'était point pour promouvoir un individualisme délétère. Dans le même temps, en effet, nous persistions à attendre de l'État une protection de tous les instants.

Aujourd'hui encore, le premier réflexe est de réclamer une intervention plus efficace de ce dernier dès qu'un péril nous menace, qu'il soit économique, sanitaire, climatique, financier, sécuritaire, etc. Nous trouvons ainsi tout naturel de nous libérer des pesanteurs et des codifications astreignantes de la « société », tout en conservant les bénéfices du « social ». En septembre 2008, lors du déclenchement de la crise financière, même aux États-Unis, chacun attendit son salut d'une intervention précipitée de l'État fédéral. L'adversaire traditionnel contre lequel on ne ménageait pas ses critiques redevenait le sauveur espéré. Ce virage symbolique témoigne d'une ambivalence qui n'est pas propre à l'Amérique du Nord. Elle est à l'œuvre chez nous. Au bout du compte, les libertés nouvelles revendiquées par chacun n'ont de sens que si elles demeurent abritées sous le parapluie de l'État[24]. À la limite, un surcroît de liberté, dans quelque domaine que ce soit, devrait s'accompagner d'un renforcement compensateur de l'État. C'est au nom de ce syllogisme que les citoyens des pays développés ont pris l'habitude de réclamer une chose et son contraire.

Quand on se libère du collectif, du bureaucratique ou de l'institutionnel, on contribue en effet à miner la toute-puissance de l'État. On a vu dans ce chapitre comment la pulvérisation du Droit en droits subjectifs dissolvait la puissance tutélaire de ce dernier. De fait, l'État n'est plus ce monarque qui règne et veille sur ses sujets. Il n'est qu'un intermédiaire fragile entre ses citoyens et le monde. Affaibli, dépouillé de l'arme du droit dans sa fonction anthropologique, quotidiennement miné par les rouspétances individuelles ou corporatistes, il ne peut donner ce qu'il a perdu. Il flotte comme en apesanteur au-dessus des citoyens. Or une configuration aussi instable, nous le savons bien, ne peut durer éternellement. Pour cette raison, la troisième question à poser est la plus redoutable.

Elle concerne la violence qui affleure dans les sociétés développées. Certes, les statistiques et l'histoire nous enseignent que son niveau réel n'est pas aussi élevé qu'on le croit. Les pays européens ont connu dans le passé – par exemple au XIXe siècle – des étiages

24. J'emprunte cette idée à l'historien et sociologue Jacques Donzelot, « En attendant la crise », *Esprit*, juillet 2009, p. 17.

de violence bien supérieurs. Il n'empêche que le sentiment de violence – le ressenti, comme on dit aujourd'hui – a rarement été aussi puissant, massif, permanent. Nos sociétés se comportent, réagissent, s'alarment, se surveillent comme si elles pressentaient le bouillonnement, sous leurs pas, d'une lave en fusion. Elles paraissent danser sur un volcan. À tort ? L'avenir le dira.

Chapitre 3

« Gender studies » : qui domine qui ?

> « Nous taillons le langage jusqu'à l'os. »
> George Orwell [1]

Les pays européens découvrent aujourd'hui – avec retard – une pensée venue d'Amérique : celle des *gender studies* (études du genre). Il serait plus juste d'écrire « revenue » d'Amérique car, de Michel Foucault à Gilles Deleuze, Jacques Derrida, Jean-François Lyotard ou Monique Wittig, les auteurs qui l'ont originellement inspirée étaient européens. De prime abord, la démarche des *gender* se veut libératrice. Elle affiche un projet flamboyant : s'attaquer aux racines mêmes de la domination sexuelle. On comprend qu'elle soit accueillie avec faveur, pour ne pas dire avec passion.

Comme ce fut le cas pour les *Postcolonial studies*, le vieux continent s'enflamme rétrospectivement pour une réflexion conduite depuis près de quarante ans outre-Atlantique. En témoignent, en France, la traduction précipitée de certains ouvrages, l'abondance des dossiers publiés dans les magazines ou les revues, ou encore l'ouverture en 2010, à l'Institut d'études politiques de Paris, d'un programme de recherche et d'enseignement des savoirs sur le genre (PRESAGE). Il marque l'accueil officiel de cette nouvelle discipline du savoir par l'Université française. La récente passion hexagonale pour les études de genre transparaît dans la virulence des polémiques que cette réflexion fait déjà naître. Les uns y voient l'ouverture inespérée vers une « deuxième révolution sexuelle », les autres redoutent une déconstruction de l'ordre social sous l'effet d'un nouveau « politiquement correct » américain. Dans les deux

1. *1984*, (chap. v), Gallimard, « Folio », trad. fr. par A. Audiberti, 1990, p. 78.

cas, l'excès polémique est significatif. Il est à la mesure du retard à rattraper.

À y regarder de près, les études de genre (la traduction exacte est difficile) sont plus diverses, moins monolithiques et moins novatrices qu'on le prétend quelquefois. Elles ne constituent d'ailleurs pas une *doctrine* au sens traditionnel du terme, ni une idéologie à proprement parler. À l'instar de l'appellation « sciences cognitives », l'expression désigne plutôt une nébuleuse de travaux, de recherches, de points de vue. Quiconque projetterait d'écrire une introduction ou une initiation à ce courant de pensée devrait vite renoncer à établir une bibliographie exhaustive, tant sont nombreux les titres à prendre en compte. À elles seules, ces publications composent une vaste bibliothèque où le meilleur côtoie le plus médiocre. Les ouvrages – souvent collectifs – expriment des options qui peuvent être très éloignées les unes des autres. Les *gender* sont traversées depuis l'origine par des désaccords, des oppositions irréductibles, des débats jamais clos... La pluralité des points de vue constitue au bout du compte la vraie richesse de cette démarche. Elle invalide par avance tout jugement simplificateur.

Tentons de repérer les principales galaxies de la nébuleuse *gender*.

Faire valser la « république straight »

De quoi s'agit-il au juste ? D'opérer une distinction entre le *sexe* comme réalité biologique et le *genre* qui procède, lui, d'une construction sociale. Le sexe ne correspond pas forcément au genre. Tout est là. Le distinguo doit permettre de récuser les normes qu'impose une société au nom d'une « essence » et d'une « nature », y compris les normes qui établissent une nette différence entre hommes et femmes. L'objectif est évidemment de « défaire » (pour reprendre l'expression de Judith Butler) le vieil ordre patriarcal, hétérosexuel et masculin, dont les femmes subiraient la domination depuis la nuit des temps, et dont les minorités sexuelles feraient encore les frais. La libération à promouvoir ne consiste plus seulement à obtenir une forme de tolérance ou de bienveillance (*gay friendly*) à l'égard de la diversité sexuelle. Elle vise une pleine *reconnaissance*, ce qui n'est pas la même chose.

Aux États-Unis, l'entreprise fut lancée dans les années 1970 par les groupes féministes initiateurs des *women's studies*. Un des premiers manifestes, publié à ce moment-là, fut l'ouvrage de la féministe Anne Oakley, *Sex, Gender and Society* (1972). Les féministes de l'époque ont emprunté le terme *gender* au psychologue américain John Money, qui fut le premier à l'utiliser en 1955. Il le faisait dans le cadre de ses études sur l'ambivalence génitale qui amène certains enfants *à ressentir leur appartenance sexuelle à rebours de la réalité biologique*. Élevé comme une fille, un garçon aura tendance à se penser fille et inversement. « Le genre d'un sujet, soutient Money, est définitivement fixé à l'âge limite de deux ans et demi, sauf dans le cas où les parents, incertains quant au sexe de leur enfant, lui ont transmis leurs doutes et, donc, une identité ambiguë qui permettra une réassignation plus tardive[2]. »

Dans ce dernier cas – l'hermaphrodisme génital, par exemple –, c'est la réalité biologique elle-même qui est indécise. En substituant le mot *genre* à celui de *sexe*, Money voulait mettre en évidence *le rôle déterminant de la culture dominante* dans la fixation des catégories sexuelles, catégories à partir desquelles s'établissent les normes sociales en vigueur. En cela, il représentait le courant dit « interactionniste » de la sociologie américaine. Pour les membres de cette école, la construction sociale de la différence est faite d'une multitude d'interactions quotidiennes qui conduisent l'individu à adopter inconsciemment des stratégies de comportement pour être reconnu comme femme ou comme homme.

Percer à jour ces stratégies correspondait à une démarche effectivement libératrice. L'objectif était bien de combattre une domination. Les normes sexuelles ont pour effet d'introduire et de cadenasser, d'une époque à l'autre, un principe hiérarchique : l'homme avant la femme, l'hétérosexualité comme seule option légitime, etc. Au départ, la réflexion sur le genre visait à débusquer

2. Patricia Mercader, « Le genre, la psychanalyse, la "nature" : réflexions à partir du transsexualisme », *in* Françoise Héritier (dir.), *Hommes, femmes, la construction de la différence*, Le Pommier/Cité des sciences et de l'industrie, 2005, p. 125.

la supercherie «essentialiste» : celle qui présente comme un fait de nature incritiquable ce qui n'est qu'une construction culturelle, sociale et politique. Pour cette philosophie, l'essence d'une chose ou d'un être précède son existence. Il y aurait ainsi – et de toute éternité – une essence du masculin et du féminin à laquelle les comportements humains ne pourraient qu'obéir. Définir l'hétérosexualité comme *la* norme, ajouter qu'elle seule est «naturelle» procède d'un raisonnement essentialiste qui permet d'imposer des catégories en dissimulant les dominations qu'elles induisent. La déconstruction de ces catégories, *via* la réflexion sur le genre, ouvrait la voie à la pleine reconnaissance de sexualités *autres*, jusque-là marginalisées, pour ne pas dire plus. Dans l'un de ses livres, la Française Marie-Hélène Bourcier affirme vouloir «faire valser en tout sens la république *straight* (blanche, mâle, hétérosexuelle[3]).

Vers la fin des années 1980, les *gender studies* supplantèrent peu à peu les *women's studies* au sein des universités américaines. Elles allaient plus loin que le féminisme traditionnel puisqu'elles récusaient jusqu'à la distinction tranchée entre homme et femme. Au lieu et place de cette répartition binaire, on défendit l'idée d'un *continuum* entre les genres, lequel autorisait une variabilité infinie des options sexuelles. Entre le masculin et le féminin, il existait quantité d'autres genres, jamais nommés, jamais reconnus, jamais aperçus. Pour exprimer cette indétermination de principe, on détourna le mot anglais *queer* (étrange) qui avait valeur d'insulte quand on l'appliquait aux homosexuels (quelque chose comme «pédé» ou «tapette»). La pensée *queer*, sur laquelle on reviendra, met en avant l'idée d'une indéfinition ouverte. Elle s'oppose à la rigueur de la pensée *straight*, jugée ségrégationniste.

Dès l'origine, dans les années 1970, l'entreprise se heurtait de plein fouet aux deux interprétations alors dominantes de la sexualité humaine : celle de l'anthropologie dite structurale, inspirée par Claude Lévi-Strauss, et celle portée par la psychanalyse. Pour Lévi-Strauss, la différence sexuelle est un «invariant anthropologique», tout comme la prohibition universelle de l'inceste. En

3. Marie-Hélène Bourcier, *Sexpolitiques. Queer Zones 2*, La Fabrique, 2005.

d'autres termes, la catégorisation sexuelle participe d'une structure et ne peut, en tant que telle, être ignorée. La psychanalyse emprunte quant à elle un autre chemin mais aboutit au même constat. La théorie freudienne de l'inconscient permet de définir une double polarité du désir, c'est-à-dire l'attirance réciproque des deux sexes opposés, le masculin désirant le féminin et vice versa. Pour Freud, la différence des sexes existe bien dans le réel : *elle est liée à la matérialité des corps*. Quant au sentiment éprouvé par certains de se sentir femme dans un corps d'homme, ou l'inverse, il n'est jamais qu'une construction psychique défensive. C'est de la brutalité du réel que l'on cherche à se protéger. Cela ne signifie pas que ce dernier n'existe pas.

La théorie du complexe d'Œdipe confirmerait quant à elle, par sa symétrie, l'existence de « prédispositions libidinales » liées au sexe biologique. Cela conduit à considérer l'homosexualité comme une pathologie. « Ce faisant, [Freud] contribue à normaliser la sexualité, instituant l'hétérosexualité comme pulsion naturelle et reléguant l'homosexualité aux bancs des "ratés" du développement psycho-cognitif[4] ». (Aux États-Unis, cependant, tous les psychanalystes ne furent pas sur cette ligne. L'un d'entre eux, Robert Stoller (1925-1992), se trouva même associé aux premières réflexions sur le « genre ».)

Pour s'attaquer de front à des figures aussi considérables que Lévi-Strauss ou Freud, les *women's studies* trouvèrent en Michel Foucault, partisan d'une « politique de l'inconfort », un allié de poids. On verra de quelle façon.

Des Inuits canadiens à la French theory

Qu'on ne s'y trompe pourtant pas. Il serait réducteur de ne voir dans les *gender studies* qu'une réplication américaine de la *French theory*, c'est-à-dire le paradigme de la déconstruction porté par les philosophes français cités plus haut. La généalogie de la réflexion sur le genre est plus complexe et ses racines plongent beaucoup

4. Alessandra Pendino, « L'utopie du non-genre », *Controverses*, n° 8, mai 2008, p. 51.

plus loin dans le passé. Pour simplifier, on pointera trois types de sources distinctes.

Les premières appartiennent à l'histoire universelle du féminisme. Dans l'Europe du XVIIIe siècle, certain(e)s « féministes » (on ne les appelait pas encore ainsi) affirmaient déjà que la masculinité et la féminité étaient des conventions sociales que l'on pouvait contester ou modifier. Les noms du philosophe cartésien Poullain de La Barre (1647-1725) ou de la féministe britannique Mary Wollstone (1759-1797) sont les plus souvent cités à ce propos. Aux yeux de ces précurseurs, « même les relations entre hommes et femmes, apparemment réglées par la biologie, pouvaient être réordonnées une fois qu'on les percevait comme le produit des coutumes, des "préjugés", des lois et de l'éducation[5] ».

Ces réflexions anciennes se trouvèrent confortées par les découvertes d'anthropologues comme Margaret Mead, ou celles d'ethnologues spécialisés. Leurs enquêtes de terrain mettaient en lumière nombre de pratiques insolites en usage chez les peuples dits primitifs. Elles montraient que les « primitifs » en question savaient déjà faire la différence entre le sexe et le genre, même s'ils ne théorisaient pas leurs comportements. Le Québécois Bernard Saladin d'Anglure, par exemple, professeur émérite à l'université Laval, a étudié le cas des Inuits du Grand Nord canadien. Chez eux, l'identité sexuelle d'un nouveau-né est déterminée par celle de « l'âme-nom », à savoir l'ancêtre qui a choisi de revenir en lui. Or le sexe de ce dernier n'est pas forcément le même que celui, apparent, de l'enfant[6]. L'anthropologue française Françoise Héritier évoque, elle aussi, le cas des Inuits canadiens. Elle y voit la preuve que « [L'inégalité entre les sexes] est construite exclusivement dans le monde des idées, ces structures mentales développées par nos ancêtres pour donner du sens aux faits bruts qu'ils observaient, transmises sans difficulté de génération en génération et qui imprègnent l'ensemble de nos interprétations[7]. »

5. Christopher Lasch, « La comédie de l'amour et la querelle des femmes », in *Les Femmes et la vie ordinaire*, *op. cit.*, p. 65.

6. Bernard Saladin d'Anglure, *Être et renaître inuit. Homme, femme ou chamane* (préface de Claude Lévi-Strauss), Gallimard, 2006.

7. Françoise Héritier (introduction), *Hommes, femmes, la construction de la différence*, *op. cit.*, p. 33.

De son côté, le grand anthropologue britannique Evans-Pritchard (1902-1973) avait repéré, en 1940, des coutumes analogues chez les Nuers du Sud-Soudan. Pour ces peuples, une femme doit impérativement avoir des enfants pour que soit reconnue son appartenance au sexe féminin. La femme stérile sera socialement considérée comme un homme. Elle devra donc prendre une *épouse* et sera présentée comme le père des enfants de cette dernière [8]. Ces deux exemples montrent bien la récurrence – dans le temps comme dans l'espace – des tentatives de remodelage de la donne strictement biologique.

Au chapitre des influences européennes, on cite traditionnellement celle de Simone de Beauvoir (1908-1986). Dans *Le Deuxième Sexe*, livre en deux volumes publié en 1949, Beauvoir écrit la fameuse phrase : « On ne naît pas femme, on le devient. » La suite du texte, plus rarement reproduite, est encore plus nette : « Aucun destin biologique, psychique, économique ne définit la figure que revêt au sein de la société la femelle humaine ; c'est l'ensemble de la civilisation qui élabore ce produit intermédiaire entre le mâle et le castrat qu'on qualifie de féminin. »

Moins souvent cités, d'autres précurseurs européens ont contribué à l'émergence des *gender*. Le cas de la féministe italienne Elena Gianini Belotti mérite d'être rappelé. Le livre qu'elle publia au tout début des années 1970 aux éditions Des Femmes, *Du côté des petites filles*, fut traduit et diffusé dans le monde entier. Son apparition fut un véritable événement. L'auteur y montrait la puissance des stéréotypes inculqués aux enfants dès leur naissance, et qui attribuent des caractéristiques particulières (et inégales) aux filles et aux garçons. À la même époque, les sociologues français Georges Falconnet et Nadine Lefaucheur proposèrent une réflexion voisine (en plus modérée) dans *La Fabrication des mâles*, livre publié en 1970 au Seuil.

Toutes ces réflexions conduisent peu ou prou aux *gender studies*. L'influence déterminante fut malgré tout celle des philosophes français postmodernes et poststructuralistes, ceux auxquels

8. Edward Evans-Pritchard, *Parenté et mariage chez les Nuer*, Payot, 1973 [éd. anglaise : 1940].

les Américains attribuent la *French theory*. Aux noms de Foucault, Derrida, Lyotard, Deleuze, Wittig déjà cités, il faut ajouter ceux de Jacques Lacan, Félix Guattari, Luce Irigaray, Hélène Cixous, Julia Kristeva et quelques autres. L'implantation de ces penseurs français aux États-Unis remonte à un fameux colloque organisé en 1966 à l'université Johns-Hopkins de Baltimore sous l'intitulé suivant : *Sign and Play in the Discourse of the Human Science*. Tous n'y assistaient pas mais tous y furent cités. Ironie de l'histoire, l'un des initiateurs de ce colloque, celui qui lança les invitations, n'était autre que le philosophe chrétien René Girard. Or, en Amérique du Nord, où il enseignait depuis 1947, il allait devenir l'adversaire le plus conséquent de la « déconstruction » théorisée par Derrida.

Ce dernier, dont l'intervention avait fait quelque bruit au colloque de Baltimore, fut sollicité par l'université Yale. Il y anima dès 1973 un séminaire annuel. Trois ans plus tard, la féministe française Monique Wittig (1935-2003) s'installa elle aussi aux États-Unis et enseigna dans plusieurs universités, dont celle de Berkeley. Son influence sur la pensée *queer* fut profonde et durable. Le « derridisme » et la *French theory* partaient ainsi à la conquête de l'Amérique. Détail important : ils s'y implantèrent par le canal des départements littéraires des grandes universités, départements mal considérés jusqu'alors mais à qui la *French theory* apporta une légitimité novatrice.

Le rôle joué par les départements littéraires peut surprendre, dans la mesure où c'est de sciences humaines qu'il s'agit. Ce rôle est pourtant très logique. La question du langage, de l'écriture, de l'expression – et donc de la littérature – remplit une fonction importante au sein des *gender*. C'est grâce à l'arme du langage que peuvent être bousculés les discours et catégories dominantes. Les rapports sociaux, il faut s'en souvenir, sont d'abord des « actes de langages ». La remarque est souvent faite par les auteurs français de la postmodernité. Jean-François Lyotard parle des *grands récits* en voie de disparition. Gilles Deleuze (qui s'est suicidé en 1995) insiste sur l'importance de la lecture et sa dimension « labyrinthique ». Michel Foucault, de son côté, revient longuement sur le rapport étroit qui unit le « savoir énoncé » et le « pouvoir exercé ». Ce rapport aboutit à la production inconsciente, par le seul langage, d'une réalité qu'on aura tendance à confondre avec une vérité ontologique. À l'inverse, le simple fait d'énoncer clairement une norme peut aider à en alléger la domination. Subitement mise au jour, elle est « délogée de son site métaphysique » et n'est plus intériorisée aussi facilement.

L'écriture, les mots, la littérature occupent bien une place privilégiée au sein des *gender*.

Le philosophe Jacques Derrida fut, avec Michel Foucault, l'auteur le plus fréquemment cité par les théoriciens et théoriciennes du genre. Il employait le terme d'« indécidabilité » pour montrer le caractère nécessairement construit – et non pas naturel – de la différence des sexes. À ses yeux, le langage est l'outil principal de cette construction. Il est souvent performatif : l'énonciation suffit à faire naître l'existant. Judith Butler, qui reprend sur ce point Foucault plutôt que Derrida, insiste sur la nécessité d'élargir le périmètre de cette prétendue vérité produite par les mots, afin de desserrer l'étreinte des normes (Foucault parle des « conditions d'acceptabilité ») dont elle est l'instrument. Butler appelle cela la « resignification radicale ». Il faut savoir percer le cocon des mots sous peine d'y rester emprisonné. « Prendre son propre horizon linguistique pour l'horizon ultime, écrit-elle, engendre un esprit de clocher extrême, et nous empêche de nous ouvrir à la différence radicale[9]. » L'effort de *resignification* consiste à transformer le sens d'un mot de façon à pouvoir le retourner contre ceux qui en faisait une arme. Le réemploi du mot *queer* en est un exemple ; la valorisation du mot *nègre via* le thème de la négritude l'est aussi. Cette inversion délibérée ne peut se faire qu'avec prudence. Elle n'aboutit pas toujours à un résultat positif. Le réemploi du terme *démocratie* par le système communiste servit à légitimer le totalitarisme, tout comme celui de *socialisme* par les hitlériens. Cela signifie que la *resignification* elle-même doit toujours être questionnée.

Un autre thème porté par la *French theory*, celui du réseau, rencontrera un vif succès outre-Atlantique. On le doit à Gilles

9. Judith Butler, « Changer de sujet : la resignification radicale », entretien avec Gary A. Olson et Lynn Worsham, repris dans *Humain, inhumain. Le travail critique des normes*, *op. cit.*, p. 145.

Deleuze et Félix Guattari, qui rejettent toute idée de transcendance. Ils usent pour cela de la double métaphore de « l'arbre racine » et du « rhizome ». L'arbre racine, qui organisait l'ancienne culture patriarcale, suggère l'existence d'une forte autorité centrale qui impose un principe de hiérarchisation. Le rhizome/réseau se caractérise au contraire par l'absence de hiérarchie et de centralité et l'existence d'entrées multiples, de lignes de fuite, d'indétermination et de mobilité [10]. Les *gender* obéissent indiscutablement à cette figure du réseau.

Reste à contextualiser l'apparition, puis le succès, des études de genre aux États-Unis. Si leur premier surgissement outre-Atlantique date des années 1970, cela ne résulte pas uniquement du succès d'un colloque subversif tenu à Baltimore en 1966. Le contexte politique américain a joué un rôle décisif dans l'émergence de cette démarche protestataire. La fin des années 1960 et le début des années 1970 correspondent à la guerre du Vietnam dans laquelle s'enlise l'Amérique depuis le milieu des années 1960. Cette période est profondément imprégnée – comme le sera, trente ans plus tard, l'après-11 septembre 2001 – par ce que l'on nomme parfois « l'idéologie militaire masculine », laquelle invite à se soumettre au pouvoir viril. « La société américaine et, avec elle, l'ensemble du monde occidental plongent [alors] dans une atmosphère de guerre des étoiles, marquée par une rhétorique anticommuniste féroce et l'anxiété permanente de l'holocauste nucléaire. Cette atmosphère est alimentée par l'univers de la science-fiction – romans et films – qui travaille à l'envi le thème d'un contrôle militaire global, la figure d'une intelligence informatique et militaire [11]. »

La démarche critique des *gender* procède d'une réaction contre le machisme ambiant, machisme qu'un universitaire de San Diego (Californie) nomme *culture d'intimidation*. Pour cet auteur, l'exaltation du *masculin* fait périodiquement retour dans la société américaine. Elle était virulente dans les années 1970, elle l'est à nouveau aujourd'hui. Le langage et les pratiques machistes pénètrent ainsi le monde de l'entreprise comme celui des médias,

10. Gilles Deleuze et Félix Guattari, *Mille plateaux*, Les Éditions de Minuit, 1980.

11. Delphine Gardey, « Au cœur à corps avec le *Manifeste cyborg* de Donna Haraway », *Esprit*, mars-avril 2009, p. 211.

et finit par gouverner l'air du temps. Dans le monde du travail, l'ostentation virile se manifeste par la brutalité sans complexe des licenciements. Celui à qui l'on annonce qu'il est « viré » (*You're fired !*) se voit instantanément prié de rendre ses passes, connexions ou téléphones portables, parfois sous le contrôle de vigiles armés. Il doit quitter les lieux séance tenante, comme s'il s'agissait d'un délinquant.

À la radio ou à la télévision, la même culture d'intimidation s'exprime dans les nouveaux talk-shows qu'animent des personnalités médiatiques au langage agressif. On y célèbre la normalité blanche, masculine et hétérosexuelle. « [Lesdits animateurs] suscitent et exploitent la rage de leur public largement masculin qui s'en prend aux suspects habituels : les femmes, les Noirs, les libéraux, les gens de gauche, les gays et les immigrés. Leurs émissions font voler en éclats les derniers vestiges du langage respectueux et poli qui subsistait encore sur les plateaux [12]. »

Voilà dans quel climat d'ensemble les *gender* sont apparues et ont prospéré.

La double figure du cyborg

Le lien ambigu – opposition et imprégnation – avec l'idéologie militaire, techniciste et masculine va se révéler par un autre biais. C'est au vocabulaire technoscientifique qu'une figure de proue des *gender*, l'historienne Donna Haraway, empruntera un mot appelé à faire date. En 1991, elle publie un court texte intitulé *Manifeste cyborg* (titre original : *A Cyborg Manifesto: Science, Technology, and Socialist-Feminism in the Late Twentieth Century*). Ce manifeste sera traduit, copié, diffusé un peu partout dans le monde. Il deviendra *le* texte phare des *gender studies*. Son influence ira même bien au-delà. Il sera lu et relu par les passionnés d'informatique et de science-fiction, les cybernautes et les hackers. Pourquoi une telle fortune ?

12. Roddey Reid, « La culture d'intimidation aux États-Unis », *Esprit*, août-septembre 2009, p. 58.

Le néologisme *cyborg* (contraction de *cybernetic organism*) fut inventé par deux chercheurs des années 1960 engagés dans l'aventure spatiale, Manfred Klynes et Nathan Kline. Désignant une complémentarité entre l'organisme vivant et la technologie, il évoquait le lien étroit et vital unissant nécessairement un astronaute aux outils techniques embarqués avec lui lors d'un vol spatial de longue durée. Seule la machinerie de bord permettrait à l'organisme humain de survivre, à condition qu'il demeure « branché », au point que la machine et le corps ne fassent plus qu'un. Par extension, et après réemploi par les auteurs de science-fiction et les artistes ou amateurs de manga, le mot cyborg sera compris comme le nom d'un être hybride, mi-homme, mi-machine.

Dans son manifeste savant, d'abord publié dans la *Socialist Review* (en 1985), Donna Haraway fait un usage ironique et provocateur du néologisme cyborg. Elle revendique même le caractère joyeusement blasphématoire de son texte. La référence au blasphème prend tout son sens sous la plume d'une intellectuelle irlandaise d'origine catholique qui reconnaît avoir beaucoup lu Thomas d'Aquin dans sa jeunesse. Haraway voit surtout dans l'hybridation homme/machine concrétisée par le cyborg le moyen de dynamiter les catégories, sexuelles mais aussi humaines et *naturelles*. La figure du cyborg évoque une multiplicité d'identités possibles, lesquelles peuvent être reconfigurées à l'infini. Elle offre un champ immense à la volonté constructiviste sur laquelle tablent les *gender*. L'être hybride, en effet, se trouve placé métaphoriquement au-delà des sexes, des corps, des catégories humaines dites naturelles. Il prend place dans un bestiaire hétéroclite, à côté des souris de laboratoire et des animaux transgéniques. « Les cyborgs qui peuplent la science-fiction féministe, écrit Haraway, rendent très problématiques les statuts de l'homme ou de la femme, de l'humain, de l'objet fabriqué, du membre d'une race, de l'entité individuelle, ou du corps. »

Nous sommes tous des chimères

« À la fin du XXe siècle, notre époque, une époque mythique, nous sommes tous des chimères, des hybrides de machines et d'organismes pensés et fabriqués. En un mot, nous sommes des cyborgs. Le cyborg est notre ontologie, il nous donne notre politique. Le cyborg est une image condensée de l'imagination et de la réalité matérielle, les deux centres reliés l'un à l'autre qui structurent toute possibilité de transformation historique. Dans les traditions scientifiques et politiques occidentales (la tradition du capitalisme raciste et à dominante « mâle », la tradition du progrès, la tradition de l'appropriation de la nature comme ressource pour les productions de culture ; la tradition de la reproduction du moi qui provient des images reflétées par l'autre), la relation entre l'organisme et la machine est devenue une guerre de frontière. Dans cette guerre de frontière les jalons utilisés ont été les territoires de production, de reproduction et d'imagination. Cet essai s'efforce de contribuer à la culture et à la théorie socialiste-féministe dans une mode postmoderniste et antinaturaliste, et dans une tradition utopique qui consiste à imaginer un monde excluant le genre, ce qui est sans doute un monde sans genèse, mais aussi certainement un monde sans fin. L'incarnation cyborg est en dehors de l'histoire du salut. »

Donna Haraway, *Le Manifeste cyborg : la science , la technologie et le féminisme-socialiste vers la fin du XXe siècle*. trad. Anne Djoshkoukian. (http://multitudes.samizdat.net/Le manifeste cyborg)

Au-delà de sa tonalité ironique et visionnaire, le *Manifeste cyborg* est un texte d'autant plus troublant qu'il est extraordinairement composite. L'obscurité de certains passages rend d'ailleurs leur lecture difficile. Donna Haraway y examine aussi bien l'apport de la pensée cybernétique que les possibilités offertes par la biotechnologie et la microélectronique. Elle dénonce ce qu'elle appelle « l'informatique de domination », mais elle traite à la même page de l'oppression des « groupes colonisés » comme les femmes de couleur, ou encore des ambiguïtés du mode de gestion en réseau. Se présentant comme une féministe d'extrême gauche, elle n'en critique pas moins, abruptement, certaines thèses féministes « socialomarxistes », comme celles de Catherine McKinnon, thèses jugées abusivement totalisantes. En revanche, elle rend hommage aux féministes françaises comme Luce Irigaray ou Monique Wittig, qui se sont surtout attachées, elles, à une réflexion sur le langage.

Les expressions novatrices que propose le manifeste contribueront à son succès. « Dans le monde des cyborgs, explique Haraway, les créatures sont devenues "frontières" (*boundary creatures*). On ne peut donc les définir autrement qu'en examinant les liens sociaux et politiques qui unissent des figures aussi différentes que les humains, les machines ou les animaux de laboratoire, le tout dans une "réalité élargie" ». L'humain lui-même n'est plus rattaché à une quelconque essence. Il est au nœud d'un réseau, au croisement d'une multitude de messages informationnels. D'où l'importance des idées de *connexion* et d'*information* dans une société nouvelle qui ne se résume plus à la seule « société des hommes ». On reconnaît ici l'influence directe de la pensée cybernétique, telle qu'elle s'est élaborée au lendemain de la Seconde Guerre mondiale [13].

Dans cette perspective communicationnelle, l'attribution à un être d'une identité précise devient une tâche difficile. Au lieu et à la place de la notion d'*identité*, Haraway propose celle, plus large, d'*affinité*. Un tel élargissement suppose évidemment de rompre avec la culture européenne fondée – comme l'ont montré les auteurs de la *French theory* – sur des oppositions entre le corps et l'âme, la matière et l'esprit, l'émotion et la raison, la nature et l'artifice. « C'est [...] afin d'échapper aux dualismes et aux hiérarchies qu'elle propose comme solution le recours au concept de cyborg, celui-ci pouvant contribuer, pour elle, à l'effondrement du "réseau symbolique structurant le Moi occidental" [14]. » La visée subversive du *Manifeste*, on le voit, n'est pas modeste.

13. Voir sur ce point précis l'ouvrage de la sociologue québécoise Céline Lafontaine, *L'Empire cybernétique. Des machines à penser à la pensée machine*, Seuil, 2004. Ce livre est la version très résumée d'une thèse de doctorat de philosophie, soutenue à Paris et à Montréal en mars 2001, et intitulée *Cybernétique et sciences humaines : aux origines d'une représentation informationnelle du sujet*.

14. Michela Marzano, « Vers l'indifférenciation sexuelle ? », *Études*, juillet-août 2009, p. 44.

La pensée *queer* sera la bénéficiaire directe des thèses développées par Donna Haraway, y compris dans son opposition au féminisme à l'ancienne. Le lien est évident. Comme Haraway, les théoricien(ne)s du *queer* rejettent le féminisme hétérocentré d'autrefois. Ils tiennent la catégorie « femme » pour obsolète car figée, immobile, close. Le vieux terme de *sororité* n'est plus pertinent dans une réalité mouvante, hybride, incertaine. Haraway préfère lui substituer l'expression de *sister outsider*, c'est-à-dire la femme d'ailleurs, par référence à la femme noire américaine qui symboliserait l'identité mutante. Haraway va jusqu'à annoncer la « mort de la déesse », c'est-à-dire de la figure féminine traditionnelle. L'annonce fait directement écho à une phrase de Monique Wittig, devenue célébrissime dans la mouvance *queer* : « Les lesbiennes ne sont pas des femmes. » L'affirmation provocante concluait une conférence donnée en 1978 et intitulée « La pensée *straight*[15] ». À l'époque, la réflexion avait fait scandale.

Depuis lors, elle a fait son chemin.

Le corps est-il un simple « texte » ?

Les critiques adressées à certains courants féministes, le radicalisme de la pensée *queer* montrent bien que, dès l'origine, des dissensions se font jour au sein des *gender studies*. Loin de s'atténuer, ces désaccords iront en s'approfondissant. Leur permanence mérite la plus grande attention car elle touche au cœur même de la démarche. Au risque de simplifier, essayons d'en faire une brève typologie.

Certaines dissensions au sein de la mouvance lesbienne ou *queer* participent de ce qu'on pourrait appeler un extrémisme cyberpunk. Dans cette catégorie, on peut ranger la féministe Valerie Solanas (1936-1988), auteur d'un violent *SCUM Manifesto. Association pour tailler les hommes en pièces*, dans lequel elle appelait

15. Épisode rapporté par Marie-Hélène Bourcier, « Wittig la politique », *in* Monique Wittig, *La Pensée Straight*, Éditions Amsterdam, 2007, p. 24.

à l'élimination physique ou à l'émasculation des hommes [16]. Responsable d'une tentative d'assassinat contre Andy Warhol en juin 1968, elle sera condamnée à trois ans d'emprisonnement (Warhol ayant refusé de témoigner contre elle). À sa sortie de prison, elle sera présentée par plusieurs responsables de l'organisation NOW (National Organization for Women) comme une martyre de la cause féministe. Le romancier français Michel Houellebeq la considère encore comme une théoricienne clairvoyante, et vante la profondeur de ses intuitions biologiques. À la fin de sa vie, après une longue psychothérapie et plusieurs séjours dans des hôpitaux psychiatriques, Valerie Solanas reniera cependant le *SCUM Manifesto* qui l'avait rendue fugitivement célèbre.

Citons également la féministe espagnole Beatriz Preciado, élève de Jacques Derrida, chercheuse à Princeton et enseignante à l'université Paris-VIII. Dans son *Manifeste contra-sexuel*, et surtout dans son deuxième livre, *Testo Junkie. Sexe, drogue et biopolitique*, elle se fait l'avocate du mouvement *queer* en France et affirme vouloir déconstruire la différence des genres. L'éloge de l'anus («organe sexuel universel») et du godemiché (qui parachève la «disparition du pénis comme source de différence sexuelle») lui permet d'annoncer la «fin de l'hétérosexualité comme nature [17]». Pour y contribuer, elle fait usage sur elle-même d'injections cutanées de testostérone (hormone masculine), ce qui lui permet d'arborer une élégante moustache. Populaire dans les milieux radicaux et *queer*, elle a fini par devenir une icône du mouvement. Aux États-Unis, nombre d'auteur(e)s des *gender studies* font preuve d'un extrémisme comparable et parfois ostentatoire. Il demeure malgré tout assez marginal, pour ne pas dire folklorique, au regard des divergences théoriques de fond qui se manifestent au sein de la nébuleuse.

Pour l'essentiel, les grandes lignes de partage sont les suivantes.

La première, déjà évoquée, touche à *la question – primordiale – de l'essentialisme*, c'est-à-dire des rapports avec le corps vivant.

16. Le livre est publié en français : Valerie Solanas, *SCUM Manifesto. Association pour tailler les hommes en pièces*, trad. d'Emmanuelle de Lesseps, Mille et Une Nuits/Fayard, 1998, rééd. en 2005 avec une postface louangeuse de Michel Houellebecq.

17. Beatriz Preciado *Testo Junkie. Sexe, drogue et biopolitique*, Grasset-Fasquelle, 2008. Le *Manifeste contra-sexuel*, trad. Marie-Hélène Bourcier, a été réédité en 2010 au Diable Vauvert.

La réalité anatomique de la différence homme/femme participe-t-elle d'une essence ? Pour certains auteurs, dont Judith Butler à ses débuts, la question est incongrue. Le corps lui-même n'est qu'un texte, produit arbitrairement par une culture déterminée. Il peut être déconstruit et remplacé par un autre texte, cela afin d'échapper à la domination culturelle particulière, imputable à une époque ou à une culture. Cela revient à récuser tout point de vue essentialiste et toute référence à une quelconque « naturalité des sexes ». D'autres auteur(e)s estiment qu'il faut prendre en compte, malgré tout, la matérialité du corps. Ce point de vue est par exemple celui de la philosophe américaine Susan Bordo, qui enseigne à l'université du Kentucky. Spécialiste de Descartes, elle propose une interprétation féministe du cartésianisme. Pour elle, le corps n'est pas un simple texte sans matérialité, mais plutôt une « page » sur laquelle s'écrit le texte. Cela veut dire qu'on ne peut éliminer, au départ, l'existence de cette matérialité biologique.

Le débat entre essentialisme et anti-essentialisme structure une bonne part des réflexions sur le genre. Entre les deux positions extrêmes existe une graduation continue. La position du curseur permet d'opérer un premier classement entre les auteur(e)s selon l'importance accordée au biologique. Une évolution s'est d'ailleurs produite à ce sujet. Aux théories strictement anti-essentialistes des premiers temps ont succédé, à partir du milieu des années 1990, des thèses plus nuancées, marquées par une meilleure – et prudente – prise en compte du corps physique. Judith Butler elle-même, on le verra, reconnaît avoir pris ses distances avec les analyses contenues dans son premier livre, notamment sur la « phobie du corps » (selon sa propre expression) qui s'y exprimait [18].

La deuxième ligne de partage touche à *la question du langage*, question dont on a déjà souligné l'importance. La Française Monique Wittig, lesbienne militante, avait des positions tranchées sur le sujet. « Nous sommes à ce point des êtres sociaux, écrit-elle, que même notre physique est transformé (ou plutôt formé) par le discours – par *la somme des mots qui s'accumulent en nous*. » Pour

18. Judith Butler, « Le genre comme performance », entretien publié dans *Radical Philosophy*, n° 67, été 1994, repris dans *Humain, inhumain. Le travail critique des normes*, *op. cit.*, p. 15.

elle, le monde lui-même est un « grand registre » où viennent s'inscrire les langages les plus divers. Or, poursuit-elle, « l'ensemble de ces discours effectue un brouillage – du bruit et de la confusion – pour les opprimés, qui leur fait perdre de vue la cause matérielle de leur oppression et les plonge dans une sorte de vacuum a-historique [19]. »

Monique Wittig et « l'étoile jaune » des femmes

« La catégorie de sexe est le produit de la société hétérosexuelle dans laquelle les hommes s'approprient pour eux-mêmes la reproduction et la production des femmes ainsi que leurs personnes physiques au moyen d'un contrat qui s'appelle un contrat de mariage. Comparez ce contrat avec le contrat qui lie un travailleur à son employeur. Le contrat qui lie une femme à un homme est en principe un contrat à vie, que seule la loi peut briser (le divorce). [...] Où qu'elles soient, quoi qu'elles fassent (y compris lorsqu'elles travaillent dans le secteur public), elles sont vues (et rendues) sexuellement disponibles pour les hommes et elles, seins, fesses, vêtements doivent être visibles. Elles doivent arborer leur étoile jaune, leur éternel sourire jour et nuit. On peut dire que toutes les femmes, mariées ou non, doivent effectuer un service sexuel forcé, un service sexuel qui peut être comparé au service militaire et qui peut durer, c'est selon, un jour, un an, vingt-cinq ans ou plus. Quelques lesbiennes et quelques religieuses y échappent, mais elles sont très peu nombreuses, bien que leur nombre augmente. »

Monique Wittig, « La catégorie des sexes » (1976)
in *La Pensée Straight*, *op. cit.*, p. 40.

Pour cette raison, Wittig accordait une grande importance au front du langage (au sens stratégique du terme). À ses yeux, « l'expression fait le sexe ». Elle jugeait nécessaire, par exemple, de ne plus faire usage des termes « femmes » et « hommes », et même de renoncer à appeler « garçon » ou « fille » un nouveau-né. Wittig

19. Monique Wittig, *La Pensée Straight*, *op. cit.*, p. 54.

refusait jusqu'au vocabulaire anatomique ordinaire, qui conduit les femmes à reconnaître qu'elles ont un « vagin ». La rigueur de ces positions aboutit à promouvoir un politiquement correct plus pointilleux encore que celui qui prévaut sur les campus américains. Au sein des *gender*, les positions de Wittig correspondent à celles des lesbiennes radicales, dites « séparatistes ».

Très en pointe dans les années 1980, elles furent contestées et critiquées. Elles le sont d'autant plus aujourd'hui que, de l'aveu même d'une lesbienne militante, « le lesbianisme séparatiste n'a pas approfondi l'analyse, il a plutôt développé *dans une visée essentialiste* (c'est moi qui souligne) des valeurs spécifiquement lesbiennes [20] ». Cela veut dire qu'en exaltant des qualités qui seraient propres aux lesbiennes (que Monique Wittig assimilait à des « esclaves marrons ») on ressuscitait imprudemment l'essentialisme, pourtant qualifié d'ennemi principal. Si le lesbianisme participe d'une « essence », alors comment fera-t-on pour chasser cet insecte théorique du bocal des *gender* ?

Apogée ou fin du féminisme ?

Le troisième type de désaccords est sans doute le plus profond. Il vise directement la pensée *queer*, et les risques qu'elle ferait courir à la résistance féministe. Les féministes doivent-elles *se queeriser*, comme le leur demande Marie-Hélène Bourcier ? En acceptant le principe *queer* d'indifférenciation entre hommes et femmes, ne courent-elles pas le risque d'être « leurs propres fossoyeuses » et de s'exposer davantage à l'intimidation masculine ? Le péril n'est pas imaginaire. L'effacement de toutes différences au nom de l'indétermination *queer* se veut libérateur. Dans les faits, il peut fortifier au contraire certaines dominations en désarmant les luttes et résistances catégorielles, aussi bien celles des femmes que des homosexuels.

20. Louise Turcotte [membre du collectif fondateur d'*Amazones d'hier. Lesbiennes d'aujourd'hui.*], « La Révolution d'un point de vue », *in* Monique Wittig, *La Pensée Straight*, *op. cit.*, p. 18.

La question fut notamment posée dès 1993 par Sonia Kuks, spécialiste de Simone de Beauvoir et enseignante à l'Oberlin College (Ohio). Elle le fut également par la philosophe américaine Martha Nussbaum, professeure de droit et d'éthique à la faculté de droit de l'université de Chicago. Plusieurs de ses livres ont été traduits en français[21]. Résolument féministe, mais très hostile à Judith Butler, elle a publié en février 1999 dans *The New Republic Onligne* un article au vitriol. « La grande tragédie de cette nouvelle théorie féministe, écrit-elle, c'est la perte du sens de l'engagement public… Les femmes affamées n'en seront pas nourries, les femmes battues n'y trouveront pas refuge, les femmes violées n'y trouveront pas justice, et les homosexuels n'y obtiendront pas de protection légale[22]. »

Toutefois, la charge la mieux articulée contre le *queer* reste sans doute celle de la lesbienne australienne Sheila Jeffreys. Le simple titre du livre qu'elle a publié en 2002, *Unpacking Queer Politics: A Lesbian Feminist Perspective* (*Débander la politique queer*) résume à lui seul son propos. Pour elle, la pensée *queer* est faussement libératrice. Elle reconduit les rapports de domination sexuelle et sert ingénument le système néolibéral. Judith Butler, elle aussi, dans l'une de ses diatribes contre Catherine MacKinnon, exprime maintenant une certaine défiance à l'endroit du *queer*. « Il me semble, reconnaît-elle, qu'il y a dans la théorie *queer* un certain antiféminisme[23]. »

Dans cette brève énumération des débats et controverses qui traversent les *gender studies*, il faut mentionner celles qui tournent inlassablement autour de l'*identité*, laquelle est présentée tantôt comme nécessaire, tantôt comme impossible. L'objectif des études de genre, on l'a dit, est d'ouvrir les portes de la *reconnaissance* sociale à des minorités sexuelles ou à des catégories (transsexuels,

21. Voir notamment : Martha C. Nussbaum, *Femmes et développement humain. L'approche des capabilités*, éditions Des Femmes, 2008.

22. J'emprunte cette citation à Nelly Las, historienne de l'université hébraïque de Jérusalem, « La disparition de la catégorie des sexes : apogée ou fin du féminisme ? », *Controverses*, *op. cit.*, p. 30.

23. Judith Butler, « Le genre comme performance », entretien publié dans *Radical Philosophy*, n° 67, été 1994, repris dans *Humain, inhumain. Le travail critique des normes*, *op. cit.*, p. 14.

par exemple) qui en étaient exclues. Chacune d'entre elles doit pouvoir affirmer, en toute liberté, l'identité qui lui est propre. La revendication identitaire est bien au cœur de la démarche. Elle ne va pas sans inconvénients. Judith Butler s'inquiète aujourd'hui de voir les principales organisations gays obéir à une logique identitaire. Elle se dit réservée sur la pratique systématique du *coming out* (l'aveu public de son orientation sexuelle) qui revient à obéir à une assignation.

Ce n'est pas tout. À la longue, ces affirmations identitaires s'institutionnalisent, à telle enseigne que l'appareil judiciaire en fait un usage tatillon. Pour réclamer la réparation d'un dommage, il devient nécessaire d'exciper d'une identité à la fois précise et avouée. (Michel Foucault pointait ce risque dès les années 1980 et mettait en garde contre l'obsession de l'aveu.) En écho à cet avertissement, Butler invite chacun à se poser la question suivante : « Que se passe-t-il quand la politique identitaire s'institutionnalise dans le droit et devient une structure si rigide que la possibilite de revendiquer ou d'obtenir réparation pour un tort est dans les faits dictée par des termes identitaires très étroits[24] ? » En posant la question, elle fait référence au juridisme américain, qui prend parfois un tour comique. Pour réclamer justice après avoir été victime d'une discrimination dommageable, le plaignant devra préciser s'il le fait en tant que gay, trans, lesbienne, bi... L'identité devient ainsi, par elle-même, une prison de mots.

Reste à mesurer les inconvénients de la compétition identitaire sans frein ni limites qui en découle, et qui favorise immanquablement les plus forts, les lobbies les mieux organisés, les groupes le plus efficacement médiatisés, etc. La perte de toute référence institutionnelle peut aboutir à un émiettement compétitif où le plus faible sera broyé. Évoquer ce risque revient à se demander si l'affirmation de soi-même peut, à elle seule, tenir lieu de politique. Autrement dit, doit-on obéir au préjugé américain qui place au tout premier plan la reconnaissance publique, le prestige social et la respectabilité ? S'en tenir là conduit à reléguer au second plan l'engagement politique et collectif, façon indirecte de légitimer

24. *Ibid.*, p. 129.

l'ordre existant pour peu qu'il vous reconnaisse une (petite) place.

Consentir *de facto* à l'ordre établi : le désengagement social est souvent reproché aux théoriciennes les plus extrémistes des études de genre. La critique n'émane pas seulement des militantes d'obédience marxiste. On fait observer qu'une défense acharnée des minorités sexuelles effectivement persécutées (homos, trans, lesbiennes…) peut conduire à se désintéresser du plus grand nombre et, de proche en proche, des luttes sociales classiques. Lesdites minorités, en effet, pour légitimes que soient leurs revendications, ne représentent qu'une part infinitésimale de la population. Cette part d'humanité mérite, certes, d'être défendue bec et ongles. Il n'empêche ! Au regard des hommes et des femmes qui subissent quotidiennement la domination économique ou sociale, les jeux de langage de Monique Wittig ou la déconstruction derridienne paraissent très éloignés de la vie vivante. Rapportés à la rude trivialité du quotidien – celui des usines, des campagnes, des bureaux, de la rue – ils renvoient plutôt à l'univers ouaté des campus. Autant dire à un autre monde.

On bute ainsi sur la contradiction classique qui oppose gauche morale et gauche sociale, la première travaillant en toute bonne foi à désarmer la seconde au prétexte qu'elle défend des opprimés dont la vision du monde est restée (naïvement ?) *straight*. De fait, force est de reconnaître que la déconstruction savante des catégories sexuelles ne contrarie en rien, dans la vie ordinaire, l'existence d'un pouvoir socialement dominateur. Certaines contestations se condamnent à camper ainsi dans le ciel des idées. Sans vraie prise sur la réalité, elles permettent aux dominants qui s'en occupent *pour de bon* de vaquer à leurs affaires. Le même reproche avait été fait aux contestataires américains des années 1960. On les avait accusés d'avoir étourdiment ouvert les portes de la « révolution conservatrice », celle qui a porté Ronald Reagan au pouvoir en janvier 1981. Leur engagement exclusif sur le front des mœurs les avaient détournés des autres luttes.

La permanence – et la violence – de cette critique explique l'insistance mise par les théoricien(ne)s des *gender* à convoquer aujourd'hui dans leurs analyses tous les perdant(e)s et les exclu(e)s du système. Il s'agit de rappeler sans relâche qu'on ne se désolidarise nullement des luttes sociales concrètes, fussent-elles imparfaites sur le plan théorique. La solennité de ces promesses relève d'un rite conjuratoire. Il fait songer aux tentatives répétées – et largement vaines – des étudiants contestataires du Mai 1968 français pour rallier la classe ouvrière à leur combat.

Les plus nombreux et les plus pauvres seraient-ils à nouveau oubliés ? Une femme rabbin regrette aujourd'hui que les *gender studies* n'aient pas grand-chose à offrir à l'écrasante majorité de ceux et celles qui « considèrent que les vues traditionnelles (religieuses et féministes) sur la division sociale entre hommes et femmes demeurent pertinentes et significatives pour la plupart des gens [et] qu'une société digne de ce nom suppose la meilleure coopération possible entre les deux sexes, que ce soit dans le mariage, dans la parentalité, dans la vie en commun ou dans le domaine professionnel[25] ».

L'objection va plus loin qu'on ne le croit. Elle met le doigt sur une contradiction embarrassante que l'on peut résumer de la façon suivante : les *gender* affichent leur volonté de reconnaître l'éventail des *diversités* en proclamant l'égale respectabilité de chacune d'entre elles. Or, en bonne logique, elles devraient convenir que la pensée *straight* elle-même est une diversité. Que cette option majoritaire serve souvent d'instrument théorique à la domination patriarcale n'empêche pas qu'un très grand nombre d'hommes et de femmes y adhère en toute liberté. Comment respecter la dignité de ce choix-là ? Acceptera-t-on que les hétérosexuels soient simplement qualifiés d'« hétéro ploucs » ? Poser ces questions, c'est souligner toute l'ambiguïté du politiquement correct américain. Au nom du respect sourcilleux de toutes les différences, et avec les meilleures intentions du monde, il finit par imposer la tyrannie uniforme d'une pensée politique *correcte*. L'adjectif lui-même est singulièrement dominateur. L'opposition dialectique entre le désir d'unité et le respect de la diversité mériterait une approche moins brutale.

25. Einat Ramon [doyenne de l'École rabbinique Schlechter de Jérusalem], *Controverses*, *op. cit.*, p. 85.

L'ambivalence des normes

En réponse à ce type de critique, certains textes récents de Judith Butler ont le mérite d'affronter sans détour la question de la transformation sociale, c'est-à-dire d'ouvrir la réflexion des *gender* à des revendications moins étroitement catégorielles. L'objectif ultime, explique désormais Butler, est d'élargir la signification du mot « humain ». Lorsque ce mot est brandi par ceux qui s'érigent en défenseurs des droits de l'homme, c'est presque toujours dans une acception restrictive. Nombre de créatures en sont socialement exclues : hier les femmes asservies, aujourd'hui les homosexuels, les lesbiennes, les trans... La vie de ceux-là, autant qu'une autre, est pourtant digne d'être vécue. Elle mérite d'être défendue, protégée, reconnue (et le cas échéant « pleurée »).

Or elle ne peut vraiment l'être que si la définition de l'humain est repensée afin d'accueillir ceux qui sont encore exilés dans les marges. Pour Butler, l'entreprise revient à empêcher une clôture discriminatoire – et injuste – de l'universel. On comprend bien le propos. La notion d'universalité, comme celle de l'humain, est construite par opposition à son symétrique : le particulier. Elle se pose en excluant. De la même façon, l'humain n'a de sens que par rapport à son contraire : l'inhumain. Si l'on veut enrichir le concept d'humanité, son périmètre exige d'être inlassablement agrandi et redessiné. Intégrer des exclus au sein d'une commune humanité constitue le mouvement même de l'Histoire. Jadis les Indiens du Nouveau Monde, dont on se demandait s'ils avaient une âme ; avant-hier les « barbares » qu'Aristote excluait de l'humanité propre aux citoyens ; hier les esclaves dont l'intégration exigeait un affranchissement préalable ; plus récemment les « indigènes » de l'empire colonial, longtemps tenus en lisière de la civilisation, etc.

L'élargissement de l'humain au profit des minorités encore marginalisées – élargissement auquel travaille la pensée du genre – participerait en définitive du mouvement même de la grande Histoire. Et du progrès.

Reconstruire l'humain

« Les termes par lesquels nous sommes reconnus en tant qu'humains sont élaborés socialement et varient : parfois les termes mêmes qui privent d'autres personnes de la possibilité de bénéficier de ce statut, différenciant de la sorte l'humain et le moins qu'humain. Ces normes ont des conséquences très importantes pour notre compréhension de l'humain comme étant pourvu de droits ou inclus dans la sphère participative de la délibération politique. L'humain est compris différemment selon sa race ; la lisibilité de cette race, sa morphologie, le caractère reconnaissable ou non de cette morphologie, son sexe, la possibilité d'une vérification perceptuelle de ce sexe, son ethnicité et les catégories qui nous permettent de saisir cette ethnicité.

[...]

La tâche des politiques gays et lesbiennes n'est en fait rien de moins que la reconstruction de la réalité, la reconstitution de l'humain et la renégociation de la question de ce qui est et n'est pas viable. »

Judith Butler, *Défaire le genre*, trad. de Maxime Cervulle, Paris, Éditions Amsterdam, 2006, p. 14 et 44.

La principale difficulté vient du fait qu'on ne saurait élargir l'humain sans s'interroger sur les normes et la normativité qui fondent le concept. Sur ce dernier point, comme sur d'autres, on mesure le chemin parcouru par Judith Butler depuis son livre, *Gender Trouble: Feminism and the Subversion of Identity*, publié en 1990. On peut saluer au passage l'ironie sans complaisance dont elle fait preuve quand elle critique rétrospectivement la raideur de ses anciennes positions. Elle se moque volontiers de l'extrémisme anti-essentialiste qui l'animait alors ; elle évoque en plaisantant certains de ses premiers textes « trop vite écrits » ; elle s'amuse de son intérêt quasi obsessionnel d'alors pour la figure du drag-queen. (« Vous devez savoir qu'aux États-Unis, dans ma jeunesse, écrit-elle, j'étais une gouine de bar qui passait ses journées à lire Hegel et ses soirées dans un bar gay et lesbien qui devenait parfois un bar *drag*[26]. »)

Une chose est claire : la question de la norme est plus complexe que ne le pensent certains tenants résolus de la déconstruction. La

26. Judith Butler, « La question de la transformation sociale », in *Défaire le genre*, *op. cit.*, p. 242.

raison en est assez facile à comprendre : toute qualification de ce qui est humain exige de recourir à certaines normes fondatrices. L'humanité de l'homme, après tout, résulte elle aussi d'une *construction* théorique. Elle est le fruit d'un « montage normatif » (au sens de Pierre Legendre) qui devra être *institué par le droit* pour produire ses effets. Il nous faut donc nécessairement accepter une normativité minimale. Le problème, on l'a dit, est que toute norme porte en elle un principe d'exclusion et de domination. Elle est à la fois instituante et oppressive. Qu'elle soit sexuelle ou pas, sa nature est ambivalente : à la fois condition d'existence et instrument de sujétion. Ajoutons que la normativité *est conservatrice par nature*. Fondement d'un « ordre », elle travaille silencieusement à la permanence de celui-ci ; comme toute chose, pour reprendre la formule de Spinoza, *elle tend à persévérer dans son être*.

Cela explique pourquoi nous balançons sans cesse entre deux tentations contraires, symétriquement excessives : soit nous soumettre trop docilement à la norme majoritaire, fût-elle injuste ; soit rejeter la nécessité même d'une norme en faisant de la transgression mythifiée l'unique principe organisateur. La dernière attitude correspond au choix d'un absolu libertaire. Il relève d'une vieille utopie : celle d'une société anomique (sans normes). Pour séduisant qu'il soit, le songe ne résiste pas à l'épreuve du réel. Dans les faits, l'absence de toutes normes réintroduit mécaniquement la violence au sein du groupe, *et avec elle la domination du plus fort*. Le rejet de tout principe normatif confine à l'enfantillage pur et simple. Comme un joueur agacé renverse la table de jeu d'un revers de main, celui qui y cède supprime d'un coup la complexité des rapports entre la norme et la transgression, complexité que les cultures humaines s'efforcent infatigablement d'accommoder. Le libertaire installe, lui, la transgression au centre. Il la présente implicitement comme la « loi » du groupe. Faisant cela, comme le remarquait Daniel Sibony, il en viendra à *réclamer comiquement d'être approuvé par la loi qu'il transgresse*[27].

27. J'ai consacré un chapitre entier à cette complémentarité nécessaire entre loi et transgression dans *Le Goût de l'avenir*, Seuil, 2003 et « Points Essais », 2006.

On sait gré à Judith Butler d'avoir intériorisé le caractère ambivalent de la norme, et de le souligner au sein d'un mouvement où la défiance instinctive à l'endroit de toute normativité demeure la règle. À sa façon, et dans son langage, Butler définit ainsi la double signification de la norme : « D'un côté, écrit-elle, [la norme] se réfère aux objectifs et aux aspirations qui nous guident, aux prétextes par lesquels nous sommes obligés d'agir ou de nous parler, aux présuppositions communément acceptées qui nous orientent et qui donnent une direction à nos actions. De l'autre, la normativité se réfère aux processus de normalisation, à la façon dont certaines normes, certaines idées ou certains idéaux dominent la vie faite corps, fournissant des critères coercitifs quant à ce que sont les "hommes" et les "femmes" normaux [28]. »

Pour cette raison, l'entreprise libératrice ne consiste pas à récuser toute idée de norme mais à redéfinir obstinément le contenu et la formulation de la normativité en vigueur. Pour ce faire, on ne peut mesurer celle-ci à l'étiage de son seul « épanouissement personnel ». L'élargissement de l'humain ne peut se réduire à un projet narcissique. Il est d'abord *social*, et donc *politique*. Même les rapports que j'entretiens avec mon propre corps sont socialement construits. Ils ne peuvent être déconstruits et reconfigurés que socialement [29].

Mais le corps existe…

Au total, on peut se demander s'il n'arrive pas aux *gender studies* ce qui est arrivé au *Postcolonial studies* : elles sont découvertes sur le vieux continent au moment où elles arrivent au terme de leur parcours. La question paraîtra sacrilège. Elle mérite cependant d'être posée. D'innovation en innovation, de débat en débat, de dissension en dissension, la réflexion sur le genre a ouvert une voie. Elle a permis de constituer tout un corpus théorique qui ne

28. Judith Butler, « La question de la transformation sociale », in *Défaire le genre*, *op. cit.*, p. 234.

29. Voir sur cette question le petit livre clair et érudit de Christine Detrez, *La Construction sociale du corps*, Seuil, « Points Essais », 2002.

peut plus être ignoré, et encore moins évacué. Reste que quarante ans après son apparition, elle continue de buter sur quelques apories tenaces.

La première d'entre elles tient au fait qu'au-delà de ses caractéristiques socialement construites *le corps existe* pour de bon, de même que les différences corporelles de sexuation. Françoise Héritier appelle cela des « butoirs de la pensée », et elle ajoute que ces « considérations anatomiques et physiologiques concernent toutes le corps [30] ». On veut parler du corps empirique, incarné ; celui qui demeure « enfoncé dans l'être de la vie », pour reprendre la formule de Hegel. La philosophe française Catherine Malabou, à laquelle nous empruntons cette citation, rappelle cette évidence : nous devons être capables de nous détacher du corps, mais nous ne pouvons oublier ce qui nous lie à ce dernier. Le corps, en d'autres termes, ne peut jamais être déconstruit. La remarque s'adresse à Judith Butler, avec laquelle la philosophe poursuit un débat sur la domination [31]. À partir d'une relecture du texte de Hegel sur la dialectique de la domination et de la servitude (inclus dans *La Phénoménologie de l'esprit*), Malabou tente de sortir la réflexion sur le genre d'une ornière fatale : la querelle jamais achevée entre essentialisme et anti-essentialisme, nature et culture, sexe et genre.

Elle le fait en proposant d'utiliser le concept de *plasticité*. Le corps humain est doué d'une capacité autotransformatrice. Il est plastique. Il sera donc impossible, ajoute-t-elle, de « déterminer par avance comment un corps répondra aux règles qui le contrôlent ». Il existera toujours un écart, une marge, un lieu de résistance. Cette plasticité permet de ne plus rêver inutilement à une déconstruction du corps, dont on sait qu'elle est impossible.

Les remarques de Catherine Malabou amènent à reconnaître les limites du constructivisme mis en œuvre par les théoriciens du genre. En privilégiant le *construit* sur le *donné*, les *gender studies* entendaient, on l'a dit, s'affranchir des pesanteurs charnelles

30. *Le Nouvel Observateur*, 8-14 octobre 2009.

31. Judith Butler et Catherine Malabou, *Sois mon corps. Une lecture contemporaine de la domination et de la servitude chez Hegel*, *op. cit.* Voir aussi : Catherine Malabou, *Changer de différence. Le Féminin et la question philosophique*, Galilée, 2010.

ou naturelles, au prétexte qu'elles servaient presque toujours de paravent à la domination. La démarche conduit à une impasse. Elle revient à négliger, voire à mépriser, le vécu de l'incarnation, c'est-à-dire l'expérience subjective du corps, celle de la vie vivante. Cela revient, en somme, à tomber de l'autre côté du cheval en remplaçant l'erreur naturaliste par son image inversée. La vérité du corps comporte, étroitement imbriquées, les deux dimensions. Entre nature et culture, elle occupe une position intermédiaire.

C'est ce que résume très bien la philosophe italienne Michela Marzano (chercheuse au CNRS) quand elle écrit : « D'une part, les corps vivent, meurent, dorment, mangent et éprouvent de la douleur et du plaisir indépendamment de leur construction sociale ; d'autre part, ils sont inscrits dans un milieu social et culturel, et leurs mouvements sont aussi le fruit de l'éducation et de la culture. Les problèmes naissent à chaque fois qu'on refuse l'articulation du naturel et du culturel et que l'on se focalise soit sur le corps biologique génétiquement déterminé, soit sur le corps social culturellement construit[32]. »

*

* *

Pour savoir si les *gender*, après avoir beaucoup apporté à la pensée contemporaine, n'arrivaient pas au terme de leur parcours, il faut diriger son regard bien au-delà des apories et des blocages théoriques mentionnés ci-dessus. La raison en est qu'entre-temps un projet théorique beaucoup plus « totalisant » a fait son apparition : le transhumanisme ou posthumanisme. Son lien avec les *gender* est manifeste : le néologisme cyborg réemployé par Donna Haraway dans une perspective féministe appartient en réalité à un autre territoire. En s'y référant de manière pas toujours très claire, Donna Haraway (influencée par les *science studies* des années 1970) laissait percer une technophilie insolite dont le posthumanisme est

32. Michela Marzano, « Que reste-t-il de la différence des sexes ? », *Controverses*, *op. cit.*, p. 14.

aujourd'hui l'aboutissement. La vision de l'avenir et de l'homme qui s'y déploie fait rétrospectivement apparaître la provocation des *gender* comme extrêmement modérée. C'est ce qu'on voudrait examiner dans le chapitre qui suit.

Là où l'on se proposait d'élargir le concept d'humain, on affirme vouloir s'en passer ; là où on tentait de tenir à distance le corps biologique, on projette de s'en défaire purement et simplement ; là où les catégories étaient remises en cause, elles se voient effacées du paysage. À subversion, subversion et demie.

Nous y sommes.

Chapitre 4

Posthumanité : le grand détricotage

> « La question de savoir si la machine est humaine ou pas est évidemment toute tranchée – elle ne l'est pas. Seulement, il s'agit aussi de savoir si l'humain, dans le sens où vous l'entendez, est si humain que ça. »
>
> Jacques Lacan [1]

Un quart de siècle s'est écoulé depuis la première publication du *Manifeste cyborg* de Donna Haraway en 1985. Entre-temps, l'hybridation entre l'humain et la machine s'est accélérée à un rythme que la féministe n'imaginait pas. Pour reprendre un terme de Jacques Derrida, cher aux auteurs des *gender studies*, l'imaginaire de la *déconstruction* est allé bon train : c'est désormais l'humain qui est visé. Rien n'est plus logique : s'il est possible de déconstruire les différences sexuelles, celles du *genre* que l'on définit comme un échafaudage social et politique, alors le même raisonnement *s'applique à l'homme dans son entier*. L'humanité de ce dernier, y compris dans son corps, n'est pas une simple réalité biologique, un état de nature fixé une fois pour toutes : elle est aussi le fruit d'une construction anthropologique, un acquis. Pour dire cela, l'essayiste Marie Balmary usait d'une belle formule : « L'humanité n'est pas héréditaire. »

De fait, les conquêtes de la science et de la technologie, associées aux découvertes de certaines disciplines comme l'éthologie ou la neurologie, ouvrent des perspectives troublantes : le périmètre

1. *Le Séminaire*, T. 2. *Le moi dans la théorie de Freud et dans la technique de la psychanalyse*, Seuil, « Points Essais », 2000.

de la catégorie «homme» devient plus difficile à circonscrire[2]. L'interprétation cybernétique de cette dernière – l'humain étant vu comme un faisceau d'informations, de codages et de dynamiques interactives – ouvre la voie à toutes les déconstructions possibles. Au sens le plus fort du terme, l'humain devient *problématique*. Le chercheur québécois Ollivier Dyens, déjà cité dans l'introduction de ce livre, pose la question : «Dans quel monde vivons-nous si nous ne pouvons plus distinguer entre les phénomènes, les êtres et les espèces, si l'un comme l'autre sont des formes éphémères qui s'amalgament au gré des besoins et des dynamiques de l'environnement? Comment pouvons-nous suggérer la présence même d'un humain si rien ne nous confirme qu'un tel humain existe[3]?»

Dans son manifeste, Haraway disait vouloir user avec ironie de la figure – encore abstraite – du cyborg, afin de remettre en cause les catégorisations sexuelles dominantes. En s'appropriant un tel artefact technologique, elle laissait transparaître à l'endroit de la science une position incertaine. D'un côté, elle assurait que la «détermination technologique» n'était jamais qu'un «espace idéologique», et elle critiquait du même coup la domination technoscientifique, pourvoyeuse d'injustices nouvelles; d'un autre côté, elle se réjouissait que la «machinerie moderne» fût devenue un «dieu irrévérencieux», et refusait fermement (à la fin de son texte) toute diabolisation de la technique.

Vingt-cinq années plus tard, un courant de pensée plus dérangeant est apparu et a gagné du terrain. Il est ouvertement technophile et se propose de «dépasser» le vieil humanisme, accusé d'entraver l'humain dans son projet de recréation de lui-même. Pour les défenseurs du *transhumanisme* (ou *posthumanisme*), il est clair que les avancées de la science ont effacé les frontières qui différenciaient l'humain de la machine, de l'animal et même de la matière inerte. Ces avancées du savoir scientifique nous enseignent que l'homme n'est jamais qu'une concrétion éphémère – et

2. C'est ce que j'avais essayé de montrer dans *Le Principe d'humanité*, Seuil, 2001 et «Points Essais», livre auquel je renverrai parfois.
3. Ollivier Dyens, *La Condition inhumaine*, *op. cit.*, p. 94.

manipulable à loisir – de gènes et de cellules partout présentes dans la réalité organique. Elles nous assurent que les sentiments et les pensées qui nous habitent – peur, dépression, affection – résultent d'une combinaison changeante de substances comme la sérotonine ou l'ovocytine. Elles nous disent encore que ce que nous appelions jusqu'alors la « conscience », l'« esprit » ou l'« âme » ne sont rien de plus qu'une émergence aléatoire et mouvante, produite par un réseau de connexions neuronales.

Pour certains scientifiques américains, parmi lesquels Neil Gershenfeld, directeur du Center for Bits and Atoms du prestigieux Massachusetts Institute of Technology (MIT), l'organisation de la vie, sous toutes ses formes, résulte ainsi de la seule *connectivité*, laquelle provoque l'apparition des cellules, des organes, des familles puis des communautés vivantes[4], les premières aboutissant aux dernières par une série d'emboîtements successifs. La conception du monde qu'il propose est celle d'une réalité systémique et enchevêtrée. Initiateurs des *fab labs*, Gershenfeld a créé au MIT un cours dont l'intitulé est significatif : « Comment fabriquer à peu près n'importe quoi ? » Devenu impossible à cerner, de l'aveu même de ce chercheur, le concept d'homme s'évaporerait de lui-même. Dans ces conditions, l'humanisme traditionnel est interprété comme une vision étroite, obsolète de notre destinée, sauf à s'en remettre à une transcendance fondatrice, d'ordre religieux ou métaphysique, transcendance que rejettent évidemment les scientifiques. « Le transhumanisme, observe le philosophe et polytechnicien Jean-Pierre Dupuy, est typiquement l'idéologie d'un monde sans Dieu[5]. »

4. Il a collaboré à un livre collectif publié en France sous la direction de Réda Benkirane, *La Complexité, vertiges et promesses : 18 histoires de sciences*, Le Pommier, 2002.
5. Jean-Pierre Dupuy, *La Marque du sacré*, Carnets Nord, 2009, p. 109.

La déclaration transhumaniste

Les 4 mars et 1er décembre 2002, vingt-quatre adhérents de la World Transhumanist Association ont signé une déclaration solennelle en sept articles. Voici les cinq premiers, qui valent engagement.

« L'avenir de l'humanité va être radicalement transformé par la technologie. Nous envisageons la possibilité que l'être humain puisse subir des modifications, telles que son rajeunissement, l'accroissement de son intelligence par des moyens biologiques ou artificiels, la capacité de moduler son propre état psychologique, l'abolition de la souffrance et l'exploration de l'univers. On devrait mener des recherches méthodiques pour comprendre ces futurs changements ainsi que leurs conséquences à long terme. Les transhumanistes croient que, en étant généralement ouverts à l'égard des nouvelles technologies, et en les adoptant, nous favoriserions leur utilisation à bon escient au lieu d'essayer de les interdire. Les transhumanistes prônent le droit moral de ceux qui le désirent de se servir de la technologie pour accroître leurs capacités physiques, mentales ou reproductives, et d'être davantage maîtres de leur propre vie. Nous souhaitons nous épanouir en transcendant nos limites biologiques actuelles. Pour planifier l'avenir, il est impératif de tenir compte de l'éventualité de ces progrès spectaculaires en matière de technologie. Il serait catastrophique que ces avantages potentiels ne se matérialisent pas à cause de la technophobie ou de prohibitions inutiles. Par ailleurs, il serait tout aussi tragique que la vie intelligente disparaisse à la suite d'une catastrophe ou d'une guerre faisant appel à des technologies de pointe. »

Accessible en langue française (traduction Richard Gauthier, 2003), sur le site de l'association : http://www.transhumanism.org/index.php/WTA/more/148/)

L'idée nouvelle qu'on se fait de l'homme n'étant plus contraignante, alors « la voie serait ouverte pour son au-delà[6] ». Quel au-delà ? Telle est la vraie question. Pour qualifier le projet transhumain, le biologiste français Jean-Didier Vincent, passablement

6. J'emprunte cette formule à Jean-Michel Besnier, *Demain les posthumains. Le futur a-t-il encore besoin de nous ?*, Hachette Littératures, 2009, p. 128.

séduit, assure qu'il n'est «qu'une étape intermédiaire vers la création d'une nouvelle espèce humaine». Dans le même article, il interprète ainsi ce qu'il appelle un retournement fondamental : «Nous ne sommes plus dans le cadre de la *natura naturans* de Descartes, mais dans celui du *per artem artefact*, c'est-à-dire une nature qui serait le produit de la créature elle-même, l'homme cessant d'être créature pour devenir créateur[7].»

En Europe, les philosophes classiques ont tendance à hausser les épaules quand on évoque ce courant transhumaniste. Aux yeux d'une majorité d'entre eux, tout cela relèverait de la science-fiction et non d'une réflexion sérieuse. Ils poursuivent donc leur travail traditionnel et glosent savamment sur les grands textes grecs ou latins sans s'intéresser vraiment au sujet. C'est à tort. On est en droit de déplorer leur inattention, et même leur imprudence. En réalité, le *projet transhumaniste* – il se qualifie ainsi – ne relève plus du futurisme ni du délire. Non seulement il a produit un corpus de textes presque aussi abondant que celui des *gender studies*, mais il inspire dorénavant des programmes de recherche, la création d'universités spécialisées et d'une multitude de groupes militants. Il influence une frange non négligeable de l'administration fédérale américaine et, donc, le processus de décision politique. Voilà près de dix ans que ledit projet, pour ce qui le concerne, n'est plus cantonné dans le ciel des idées. Il génère l'apparition de lobbies puissants. Les hypothèses qu'il propose ne cessent d'essaimer dans les différentes disciplines du savoir universitaire.

De la convergence *à la* singularité

Pour donner un premier aperçu de cet impétueux programme, il faut évoquer deux idées fondatrices : la *convergence* technologique et la *singularité*.

La première est déjà plus qu'une simple théorie. Elle a fait l'objet outre-Atlantique, en juin 2002, d'un rapport commandité

7. Jean-Didier Vincent, «Hypothèses sur l'avenir de l'homme», *La Pensée de midi*, mai 2010, p. 45.

par la National Science Foundation (NSF) et le Department of Commerce (DOF). L'objectif de ce rapport était explicite : améliorer les performances humaines (*Improving Human Performance*). L'établissement de ce rapport a mobilisé une cinquantaine de chercheurs. Ils entendaient faire le point sur l'avancée des quatre technologies les plus prometteuses : nanotechnologies, biotechnologies, informatique et sciences cognitives. Pour cette raison, leur texte de quatre cents pages est entré dans l'histoire sous l'appellation de NBIC, sigle reprenant la première lettre de chaque technologie concernée.

Le thème central est celui d'une irrésistible – et souhaitable – *convergence entre ces diverses technologies*. Sur certains points, celle-ci est déjà avérée : l'informatique a grandement favorisé l'avancée des biotechnologies, de même que les nanotechnologies (l'infiniment petit) permettront de faire faire à l'informatique un saut qualitatif considérable en matière de stockage ou d'efficacité des microprocesseurs. Les biotechnologies seront elles aussi révolutionnées, tout comme la médecine, grâce à l'intervention réparatrice de « nanorobots » cheminant à l'intérieur du corps humain. L'objectif est bien l'abolition générale et systématique des frontières : non seulement entre les technologies, mais aussi – et surtout – entre les différentes formes de réalité. On parle alors de « réalité augmentée ».

À terme, estiment les auteurs du rapport, la convergence technologique modifie jusqu'à l'idée qu'on se fait de la science et de la recherche. Une telle mutation épistémologique est cruciale pour l'avenir de l'espèce humaine. Elle ouvre des horizons insoupçonnés : augmentation des capacités cognitives du cerveau, allongement considérable de la durée de vie, interconnexion des intelligences, abolition des frontières linguistiques par le biais de la traduction simultanée, conduite directe des machines par la pensée, etc. Emportés par leur enthousiasme, les chercheurs n'hésitent pas à prédire l'avènement d'une nouvelle Renaissance. Plusieurs politiciens américains ont cédé à ce lyrisme prospectif, parmi lesquels Newt Gingrich, ancien speaker républicain (très à droite) de la Chambre des représentants et corédacteur du rapport NBIC. Devenu le chantre des nanotechnologies, Gingrich avait adhéré l'année précédente (2001) à un puissant groupe de pression les concernant : la Nanobusiness Alliance [8].

On notera au passage que toute considération sociale, morale ou éthique est absente du rapport, sauf une très vague allusion au « respect du bien-être et de la dignité humaine ». On remarquera également le lien déjà bien établi entre ces projets et le business le plus conquérant.

La deuxième idée qui renforce le projet transhumaniste est la *singularité*, terme censé désigner le basculement de l'humanité dans une autre ère. Parmi les groupes – très divers – qui s'intéressent aux quatre technologies de pointe examinées dans le rapport NBIC, le mot revient constamment. Venu de l'astronomie, il fut d'abord proposé en 1993 par un mathématicien de l'université de San Diego – et auteur de science-fiction –, Vernor Vinge, lors d'un symposium, intervention reprise ensuite sous forme d'article de la *Whole Earth Review*. On doit néanmoins son extraordinaire popularité à un personnage emblématique dont il faut dire quelques mots : Ray Kurzweil. Né à New York en 1948, il est à la fois ingénieur, essayiste, futurologue et entrepreneur. Capable, on le verra, de tenir des propos effrayants, ce n'est pas n'importe qui. Inventeur au milieu des années 1970 du logiciel capable de lire les livres, il a été honoré par la plupart des présidents américains, de Lyndon Johnson à Bill Clinton. Bill Gates, l'ancien patron de Microsoft, a vanté sa clairvoyance prospective exceptionnelle et sa parfaite connaissance des promesses de l'intelligence artificielle (IA). Un film documentaire a été réalisé qui raconte son parcours, et un long-métrage était, fin 2010, sur le point d'être achevé.

Autour du thème de la *singularité*, Kurzweil a constitué un vaste réseau fait de groupes de chercheurs et d'universitaires. Il dirige le Singularity Institute for Artificial Intelligence et préside la X-Prize Foundation, destinée à récompenser l'innovation technologique. Kurzweil enseigne également à la toute nouvelle Singularity University, créée en 2009, en Californie, avec l'appui de Google et de la NASA. Il est même l'administrateur de cette université,

8. *Le Monde*, 17 juin 2002.

qu'on présente comme le MIT du futur[9]. À l'origine, le terme *singularité* avait été proposé par Kurzweil dans deux ouvrages publiés en 1999 et 2005 et aussitôt commentés un peu partout dans le monde : *The Age of Spirituals Machines* (1999) et *The Singularity Is Near. When Humans Transcend Biology* (2005).

Que faut-il entendre par *singularité* ? Pour Kurzweil, nous sommes à la veille d'un « saut » technologique tellement décisif – et définitif – que nul ne peut encore le décrire. Tel est le vrai sens du mot. Emprunté au vocabulaire de l'astronomie, le terme de *singularité* nous invite à imaginer un *horizon* au-delà duquel – du fait de la rétention due à la « singularité gravitationnelle » qui emprisonne la lumière – le futur s'apparente à un trou noir inobservable. Son avènement résultera de la convergence et surtout l'accélération des nouvelles technologies, *mais aussi et surtout des progrès de l'intelligence*. Kurzweil ajoute que si les avancées obéissaient jusqu'alors à un rythme exponentiel, ce sera *leur accélération elle-même qui deviendra exponentielle*. On emploie à ce sujet une expression empruntée à Buckminster Fuller : *l'accélération accélérante*. Cela signifie que le nombre des innovations ira se multipliant, tandis que l'intervalle entre chacune d'entre elles se raccourcira sans cesse. À ce jeu, les transformations de l'humanité au cours du seul XXIe siècle devraient être équivalentes *à toutes celles qu'elle a connues au cours des vingt mille années précédentes*, et peut-être plus considérables encore.

La rapidité de leur enchaînement *les rend imprévisibles*. On peut seulement dégager quelques-uns des bouleversements attendus : dématérialisation et amplification conséquente de la réalité, multiplication des machines intelligentes capables de se reproduire elles-mêmes, prédominance universelle du concept d'information, enchevêtrement généralisé de l'organique et du machinique, etc. La dernière étape du processus devrait être, selon Kurzweil, celle d'un « éveil » de l'univers entier à la conscience. Dans tous les cas, l'espèce humaine telle que nous la connaissons disparaîtra. À ce stade, les règles ordinaires de la prospective ne s'appliquent

9. Voir l'article de Mike Hodgkinson, publié à Londres dans *The Independent* et repris par *Courrier international* daté 17-23 juin 2010.

évidemment plus. On est dans le registre du *prophétisme*, ce qui vaut à Kurzweil d'être présenté comme un technoprophète. En définitive, il n'est pas loin de faire siennes les hypothèses du jésuite et paléontologue français Pierre Teilhard de Chardin (1881-1955), inventeur du concept de *noosphère*, du *point oméga* et du *Christ cosmique* – réflexions qui lui valurent les foudres du Vatican dans les années 1950 et 1960. On a d'ailleurs oublié que dans son livre *L'Énergie humaine*, Teilhard s'était déclaré favorable à une amélioration de l'homme par lui-même, jusqu'à l'apparition possible d'un « type humain supérieur ». Il nous faut « aider Dieu », ajoutait-il, « comme si notre salut ne dépendait que de notre industrie ». (Page 159 de l'édition « Points Sagesse » de 2002.)

Dans ses écrits et ses déclarations, Kurzweil revendique pour l'homme la liberté de remodeler sa propre espèce. Six siècles après la Renaissance italienne, il prend au pied de la lettre le discours historique du philosophe et théologien italien Giovanni Pic de la Mirandole (1463-1494), lequel proclamait dans son *Oraison sur la dignité humaine* : « À l'homme il est permis d'être ce qu'il choisit d'être. » Kurzweil rejette ainsi toute espèce de freins, limites et interdictions qui, au nom de la prudence ou de l'éthique, empêcheraient l'homme d'aller « plus loin ». Son dernier livre contient une profession de foi enflammée, qui coïncide avec celle du mouvement transhumaniste. « Nous voulons, proclame-t-il, devenir l'origine du futur, changer la vie au sens propre et non plus au sens figuré, créer des espèces nouvelles, adopter des clones humains, sélectionner nos gamètes, sculpter notre corps et nos esprits, apprivoiser nos gènes, dévorer des festins transgéniques, faire don de nos cellules souches, voir les infrarouges, écouter les ultrasons, sentir les phéromones, cultiver nos gènes, remplacer nos neurones, faire l'amour dans l'espace, débattre avec des robots, pratiquer des clonages divers à l'infini, ajouter de nouveaux sens, vivre vingt ans ou deux siècles, habiter la Lune, tutoyer les galaxies [10]. »

Le concept de singularité, ainsi élargi et vulgarisé par Kurzweil a fait l'objet de nombreuses critiques venues de scientifiques

10. Ray Kurzweil, *The Singularity Is Near. When Humans Transcend Biology*, Viking Press, 2005 et Penguin, 2006. J'emprunte la citation – et sa traduction – à Jean-Didier Vincent, *La Pensée de midi*, *op. cit.*, p. 47.

comme Theodore Modis, Ted Gordon ou Drew McDermott qui l'ont comparé à une «parascience» peu rigoureuse, voire à une illusion. Cela n'a empêché ni son succès ni son influence. Ce n'est pas sans raison.

Une utopie de substitution ?

L'optimisme débridé et l'audace joyeuse des perspectives ainsi célébrées expliquent la séduction exercée, au premier examen, par les textes et les entreprises de Kurzweil. On verra pourtant qu'une réflexion plus approfondie inspire, au-delà de la séduction, quelques inquiétudes. Derrière la joyeuseté affichée se profilent des figures inédites – et plutôt glaçantes – de la domination. Une fois encore, on retombe dans la même problématique. Le Français Jean-Michel Besnier, l'un des rares philosophes ayant pris à bras-le-corps ces nouveaux paradigmes, confesse être lui-même ballotté entre l'intérêt et la crainte. Cela explique la tournure prudemment interrogative de ses analyses.

Restons-en, pour l'instant, à la séduction.

Sa force s'explique d'autant mieux que les Occidentaux sont désabusés par l'exténuation du vieil humanisme. Après Auschwitz, Hiroshima et les horreurs qui ont ensanglanté le XXe siècle, il est devenu difficile de concevoir encore un avenir à visage humain. L'humanisme ne nous paraît plus vraiment digne de monopoliser la conscience du monde. Rappelons que la pensée cybernétique est précisément née, juste après la Seconde Guerre mondiale, d'un désabusement général. La *défiance à l'endroit des entreprises «humaines» et le projet de s'en remettre plutôt à la technique* caractérisaient l'atmosphère des fameuses conférences Macy tenues entre 1946 et 1953 à l'hôtel Beekman de New York, et à l'hôtel Nassau Inn de Princeton, dans le New Jersey, conférences où furent posés les premier jalons de la cybernétique[11]. Cette dernière part du principe que la pensée est équivalente à une forme de calcul, celui que permet une classe particulière d'instruments

11. J'en ai traité plus en détail dans *Le Principe d'humanité*, *op. cit.*

mathématiques dont le nom technique est *algorithmes*. De ce fait, la pensée cybernétique relève de l'ordre du mécanique. Elle devrait permettre de réconcilier le monde du sens et celui des lois physiques.

Le mot de désabusement est un peu faible. La modernité occidentale tout entière demeure hantée par une *mésestime de soi*, pour reprendre la formule de Besnier, qui nous détourne de ce que le philosophe marxiste allemand Ernst Bloch (1885-1977) appelait le *principe espérance*. Le progrès humain tel que l'envisageait l'humanisme classique ne suscite plus guère l'adhésion. Il est devenu suspect, exténué, illisible. Notre représentation de l'avenir, quant à elle, est à ce point dégradée que nous versons volontiers dans un scepticisme renfrogné. Les idées neuves nous font défaut. Le « projet homme » est à l'agonie. Les héros sont fatigués. Ils renoncent à la *maîtrise* politique de leur destin et acceptent à l'avance de se laisser surprendre par le « jamais vu ». Le « peuple » des Occidentaux est tenté de se conduire comme l'imaginait Tocqueville dans la quatrième partie de *La Démocratie en Amérique* : « fatigué de ses représentants et de lui-même », il est prêt « à s'étendre aux pieds d'un seul maître », en l'occurrence la technique.

Comme la pensée cybernétique, le technoprophétisme, même dévoyé, tombe à pic pour remédier à cette fatigue collective. Il apparaît comme une utopie de substitution. « La technique devient salvatrice, partie d'un plan salvateur (une sotériologie) que l'on peut certes refuser mais auquel on peut aussi croire en totalité. [Elle] propose un mythe, celui du surhumain immortel, une rédemption par la technique, des rites, des croyances, un sens, une cohérence d'ensemble [12]. » Le transhumanisme, en somme, vient combler le décalage existant entre les réalisations techniques dont l'homme s'est montré capable au cours de l'Histoire et l'infirmité meurtrière de son cheminement éthique, moral et politique.

L'idée du *décalage* est explicite dans l'œuvre d'un auteur, Gunther Anders (1902-1992), dont on redécouvre aujourd'hui la pensée, ce qui n'est pas dû au hasard. Juif allemand né à Wroclaw

12. Raphaël Lioger, « La vie rêvée de l'homme », *La Pensée de midi*, *op. cit.*, p. 24 et 27.

en Pologne, ville qui était alors allemande sous le nom de Breslau, Anders (de son vrai nom Stern) a été l'élève de Martin Heidegger et le premier époux de Hannah Arendt. D'abord exilé en France en 1933, il s'est installé aux États-Unis en 1936. Toute son œuvre est une méditation sur la technique et la dévastation de l'humanité qu'elle pourrait entraîner. Son maître livre, constamment réédité et largement commenté aujourd'hui, porte un titre prémonitoire : *L'Obsolescence de l'homme* (*Die antikiertheit des menshen*), avec en sous-titre nostalgique : *Sur l'âme à l'époque de la deuxième révolution industrielle.*

Hanté par la Shoah et Hiroshima, Anders y évoque ce décalage entre les inventions technologiques et l'échec avéré de l'humanisme, notamment après ce qu'il appelle la deuxième révolution industrielle. Il propose une formule qui sera souvent reprise : *honte prométhéenne.* Elle habite l'homme contemporain, qui, après avoir dérobé comme Prométhée le feu du ciel et le savoir des dieux, s'estime dépassé aujourd'hui par ses propres innovations techniques. La sidération qui l'étreint vient du fait que l'homme sait qu'il ne tire pas son origine de son propre génie mais qu'il est le résultat très imparfait d'un « processus » échappant à sa volonté. On retrouve chez Anders l'ambivalence de sentiment devant les succès de la rationalité technicienne : un mélange de honte et d'envie. « [L'homme], écrit-il, a honte d'être devenu plutôt que d'avoir été fabriqué. [Il] a honte de devoir son existence – à la différence des produits qui, eux, sont irréprochables parce qu'ils ont été calculés dans les moindres détails – au processus aveugle, non calculé et ancestral de la procréation et de la naissance [13]. »

Anders avoue redouter une *troisième révolution industrielle* qui éliminerait jusqu'aux dernières traces, résiduelles, d'humanité non technique. Elle parachèverait l'absorption de l'humain par cette dernière. L'auteur s'interroge, sans trop y croire, sur les possibilités d'interrompre ce mécanisme de cannibalisation. Quand on songe que la première édition allemande de ce livre (à Munich) date de 1956, on doit saluer l'extraordinaire clairvoyance de son

13. Gunther Anders, *L'Obsolescence de l'homme*, Encyclopédie des nuisances, 2002, p. 38.

auteur. Notons à ce propos que cette publication, à deux années près, est concomitante de celle de *La Technique ou l'Enjeu du siècle*, le livre majeur de Jacques Ellul, dont la pensée d'Anders est parfois très proche. À l'époque, c'est-à-dire en pleine guerre froide, toute l'attention des intellectuels était captée par la rivalité entre capitalisme et communisme, rivalité qui partageait le monde et structurait la plupart des débats. Peu nombreux furent alors les auteurs (en pleine révolte de la Hongrie !) qui aperçurent derrière cet affrontement le surgissement d'un autre, bien plus décisif : celui qui soumettait le système technicien à la pensée critique.

Le projet transhumaniste redonne une actualité saisissante aux analyses de Gunther Anders.

Une relecture dérangeante des sixties

Le transhumanisme poursuit des objectifs qui dépassent ceux du Titan Prométhée : accession à l'immortalité, à la puissance absolue, à l'autonomie, à la jouissance parfaite. Même si ses adeptes s'en défendent, il se présente bien comme une eschatologie (du grec *eskhatos*, « dernier » et *logos*, « discours »), c'est-à-dire une annonce des fins dernières de l'homme et du monde. Rejetant les idéologies mortifères du XXe siècle, il indique un autre chemin pour parvenir à des *lendemains qui chantent*. Une préoccupation, en revanche, lui est étrangère : l'éthique. Il apparaît plutôt, comme le souligne Raphaël Liogier, « comme une anti-éthique ». C'est à peine s'il concède la propension des créatures vivantes (et pas seulement de l'homme) à adopter des *comportements collaboratifs*, ceux que programment leurs gènes.

L'incroyable rudesse de certaines annonces faites par les tenants du transhumanisme, la tonalité souvent inquiétante de leurs propos ne devraient pas, répète-t-on, nous arrêter. L'effroi qu'elles font naître en nous prendrait source dans le vieil humanisme qui gouverne encore notre esprit paresseux, celui auquel nous sommes sommés de renoncer. Afin de mieux comprendre la nature des transgressions anti-éthiques et des dominations qu'annoncent les transhumanistes, un bref retour en arrière s'impose. Dans cette affaire, tout ne vient pas en droite ligne de la pensée cybernétique et des conférences Macy. Pour se constituer comme projet, il a fallu que le transhumanisme rencontre préalablement un moment utopique particulier : celui des années 1960.

Cela peut faire sursauter. Dans notre mémoire, la contre-culture des sixties américaines est spontanément associée à la libération sexuelle, aux chansons de Joan Baez, à la douceur pacifiste des hippies, aux enfants fleurs, à l'effervescence libertaire des campus, au culte hédoniste de la nature, etc. Elles furent effectivement cela. Mais elles comportèrent une autre dimension, presque jamais évoquée : l'engouement pour la technique et l'apparition de gourous aux propos divinatoires. Une relecture de cette période, à la lumière de ce que nous savons maintenant du transhumanisme, réserve quelques surprises. La plupart des technoprophètes contemporains participèrent au rêve californien des années 1960 ou en sont les héritiers. Ni les dominations nouvelles ni le fétichisme technicien que laissent entrevoir leurs propos ne contredisent la vision portée par les grandes figures de l'époque. Or cette vision n'était pas véritablement « de gauche ». On prendra quelques exemples.

Timothy Leary (1920-1996) est présenté, à juste titre, comme le pape du mouvement hippie. Psychologue à l'université Harvard, il s'était fait renvoyer pour avoir encouragé ses étudiants à expérimenter le LSD, substance hallucinogène dont il était un ardent prosélyte. Emprisonné à plusieurs reprises pour détention de drogue, il devint la figure emblématique de la contre-culture des sixties et de la sensibilité psychédélique. Son slogan favori ne pouvait que combler les attentes de la jeunesse américaine : *Turn on, tune in, drop out* (S'allumer et déserter). Personnalité aussi flamboyante qu'insaisissable, passionné par la mécanique quantique, Leary fut aussi – à partir des années 1980 et l'apparition de la cyberculture – un technophile convaincu et un capitaliste libertarien décomplexé. La généralisation de la micro-informatique et l'apparition de l'Internet parachevèrent sa conversion politique. En se ralliant au néolibéralisme, il s'éloignait des mouvements d'extrême gauche qui l'avaient aidé à s'évader de prison en 1970.

Dans son livre *Chaos and Cyberculture*, publié en 1994, il se réjouira même à l'idée que le gouvernement fédéral des États-

Unis serait sans doute remplacé par des multinationales toutes-puissantes. Séduit par l'informatique, défenseur enthousiaste du Web, de la réalité virtuelle et de l'aventure spatiale (et, donc, du cyborg), Leary estimait que l'homme peut se «refaire» en fonction de ses désirs. Il proposait une «théorie des huit circuits de la conscience» pour décrire le processus de remodelage de l'humain. Dans un livre précédent, *Exo-Psychologie*, publié en 1977, il annonçait l'apparition prochaine d'une race de mutants. Lui-même semblait convaincu par la quasi-immortalité que promettait la *cryogénie*, c'est-à-dire la conservation des corps à très basse température. C'est ainsi que «l'homme le plus sulfureux des années 1960 devint le porte-drapeau respecté de la génération Silicon Valley[14]».

Une autre personnalité emblématique des sixties, William Burroughs (1914-1997), a connu un parcours comparable. Proche de Jacques Kerouac et d'Allen Ginsberg, très lié à la Beat generation, il fut d'abord l'auteur proscrit du *Festin nu*, roman publié en 1959 et jugé «obscène» (dans un premier temps) par la Cour du Massachusetts. Ce roman sera transposé au cinéma en 1992 par David Cronenberg et mis en scène par Chris Rodley sous le titre *Naked Making Lunch*. Les thèmes que Burroughs évoque alors en romancier – et qui correspondent aux expériences qu'il vit lui-même – sont la marginalité, la drogue, l'errance ou l'homosexualité. Méfiant à l'égard du langage – ce «virus venu d'outre-espace» –, il sera tenté par la Scientologie et placera bientôt tous ses espoirs dans l'exploration spatiale. Il sera également un ardent défenseur du clonage humain, dans lequel il voyait un moyen d'accès à l'immortalité. Burroughs est présenté avec raison comme l'un des écrivains les plus importants du XXe siècle. Avec Leary, il deviendra aussi un des principaux inspirateurs du mouvement cyberpunk, radicalement technophile. À ce titre, il est bien l'un des précurseurs du *transhumanisme*.

À partir des années 1980, deux revues prolongeront la sensibilité des sixties et offriront à la cyberculture un espace d'expression

14. Rémi Sussan, *Les Utopies posthumaines. Contre-culture, cyberculture, culture du chaos*, Omniscience, 2005, p. 92. Plusieurs notations sur cette période des sixties sont empruntées à ce livre très informé.

et de débats : *Mondo 2000* puis *Wired*. Elles feront l'objet d'un engouement indistinct et sont depuis lors entrées dans la légende. Or les options politiques et techniques qu'elles défendent n'ont plus beaucoup de rapports avec le pacifisme bucolique et la frugalité volontaire des hippies. Il est vrai qu'entre-temps on est passé de la contre-culture à la technologie branchée et à l'éloge de l'entreprise rentable. Dans un article très critique à l'égard de la revue *Wired*, Keith White ironisera sur ce « recentrage » idéologique : « Faire partie d'une grosse compagnie n'est plus stupide et conformiste. C'est rock [15] ! » La revue incarne en effet l'ivresse du nouveau « capitalisme de l'accès » dont parle Jeremy Rifkin. Notons qu'à peu près à la même époque on reprocha au quotidien français *Libération* de présenter avantageusement comme des rock stars les chefs d'entreprise du CAC 40.

Il faut dire que les initiateurs de *Mondo 2000* et de *Wired* n'étaient pas toujours issus des milieux défavorisés. Une des créatrices et égérie de *Mondo*, Queen Mu (de son vrai nom Alison Bailey Kennedy) avait grandi dans une vaste demeure du quartier résidentiel de Palo Alto, séjourné dans un très chic pensionnat suisse et recueilli l'héritage confortable de ses parents. Quant au siège de la revue cyberpunk, il était installé dans une immense résidence de Berkeley Hills, qui n'est pas un quartier plébéien.

À ces deux grandes figures des sixties évoquées pour l'exemple, on pourrait en ajouter quelques autres. On en choisira une. Aldous Huxley, l'auteur du célèbre *Meilleur des mondes*, souvent cité par ceux qui redoutent la toute-puissance du scientisme, a publié en 1962 – un an avant sa mort – un autre ouvrage beaucoup moins connu, *L'Île*, qui prenait le contre-pied du premier. L'île imaginée par Huxley s'appelle Pala. Ses habitants y vivent paisiblement en harmonie avec la nature ; ils pratiquent le yoga, consomment une drogue, le *moskha*, présentée comme un dérivé de la mescaline, et pratiquent l'eugénisme ou les manipulations génétiques afin d'améliorer la qualité de leur progéniture. La découverte d'un gisement de pétrole suscite la convoitise des voisins de l'île. La vision mercantile du progrès qui motivent ces envahisseurs

15. *Ibid.*, p. 143.

obligera les habitants de Pala à se disperser. Le roman est encombré de longues digressions théoriques dans lesquelles l'auteur paraît réconcilié avec le projet scientifique [16].

Ce roman influencera la sensibilité New Age, prédominante en Californie à la fin des années 1970. Un bon connaisseur de cette période est fondé à conclure : « Les analyses de la contre-culture qui la définissent par son rejet total de la technologie négligent les thèmes "cyberdéliques" qui faisaient pendant au primitivisme du retour à la terre : les psychédéliques comme technique de libération, les médias électroniques [...] élargissant la conscience, les terminaux d'ordinateur en accès libre comme instrument d'émancipation [17]. »

Le temps des technoprophètes

Soyons clair, le terme technoprophète ne relève pas exclusivement de l'ironie. Il renvoie le plus souvent à des réflexions dont on aurait tort de sous-estimer la cohérence. Elles émanent d'esprits brillants, de savants reconnus, d'intellectuels diplômés. Par-delà les compétences particulières de chacun, quelques préoccupations communes les rassemblent : *construire une vision positive de l'avenir*, examiner les opportunités – et les promesses – qu'offrent les technologies avancées, refuser le déni peureux et le désespoir chic. À cette sensibilité s'ajoute une commune incrédulité envers la politique et le social, survivances inutiles de la pensée humaniste. Le préfixe « techno » souligne le fait que les prophètes en question s'en remettent à la technique – et souvent à elle seule – pour remédier aux malheurs du monde et tempérer la désespérance des hommes.

On connaît quelques-unes des promesses – parfois délirantes – qu'autorise ce type de raisonnement : les organismes génétiquement modifiés (OGM) régleront le problème de la faim dans le monde ; un remodelage neurologique permettra de guérir les

16. Depuis mars 2010, le livre de Huxley est à nouveau disponible en français dans un format poche, aux éditions Pocket.

17. Mark Dery, *Vitesse virtuelle. La cyberculture aujourd'hui*, trad. de l'anglais par Georges Charreau, éditions Abbeville, 1997, p. 41.

hommes de la violence qui les habite ; la vidéosurveillance fera disparaître la délinquance urbaine ; la banalisation de l'utérus artificiel parachèvera la libération des femmes ; le clonage rendra superflues les astreintes de la procréation sexuée, etc. La technique, en somme, est vue comme une « réponse » beaucoup plus efficiente que n'importe quel volontarisme politique ou même que le patient effort éducatif pour civiliser les mœurs. Une conviction de cette nature conduit naturellement à se détourner de la politique et, à plus forte raison, du droit social.

En dépit de leur diversité, ces prophéties ont ainsi fini par constituer un bloc de pensée, qui s'est construit, « à côté » de la culture humaniste classique, à la manière d'un gros iceberg détaché de la banquise. Grâce aux interconnexions infinies rendues possibles par le Web, les habitants (ou passagers) de cet iceberg échangent sans relâche, partagent leur foi commune, s'inventent une langue et des références, établissent des règles et des codes qui ont peu de chance d'être compris au-dehors. On y discute à longueur de blog des textes et auteurs fondateurs, avec la même rigueur maniaque que les marxistes d'autrefois se jetaient à la tête de pieuses citations de Marx, Lénine, Feuerbach ou Engels.

Entre le vieux monde et le nouveau, les contacts sont peu nombreux, pour ne pas dire inexistants. Ils sont surtout marqués par l'hostilité réciproque, la moquerie croisée ou l'ignorance volontaire. Pour cette raison, le transhumanisme, en ses différents avatars, n'est jamais sérieusement questionné. Il mérite assurément de l'être de façon attentive, comme mérite d'être décrit l'enchevêtrement incertain de ses « prophéties ». Ce n'est pas souvent le cas. On en reste au stade polémique. Entre l'effroi indigné et l'adhésion dévote, l'espace de la délibération raisonnable qu'appelle de ses vœux le philosophe des sciences Dominique Lecourt, plutôt bienveillant à l'endroit du posthumanisme, est chichement mesuré [18]. On baigne plutôt dans une religiosité gnostique, ce qui est un comble quand il s'agit de science et de technique. La tonalité prophétique de certains textes, discours, annonces ou théories, brandis contre la « vieille pensée » résulte, pour une bonne part, de

18. Dominique Lecourt, *Humain. Posthumain. La technique et la vie*, PUF, 2003.

cette incommunicabilité réciproque. La prédication et le goût de la discorde prennent le relais. Un prophète parle toujours doctement depuis un ailleurs. Ses paroles tombent des hauteurs d'un lieu inaccessible au commun des mortels.

Les religions gnostiques, rappelons-le ici, insistent toutes sur la profondeur du fossé qui sépare les initiés des simples profanes. Elles usent d'un langage qui doit être interprété par leurs prêtres. Le vocabulaire de la cyberculture dans son ensemble est lui aussi truffé de métaphores, monstres mythologiques et symboles qui participent – consciemment ou pas – d'une religiosité archaïque. L'ordinateur incarne par exemple une divinité intimidante, dont les techniciens de l'informatique seraient les chapelains. Certains auteurs ont pris au pied de la lettre cette divinisation spontanée des machineries informatiques.

Christopher Evans (1931-1979), informaticien britannique très favorable au programme d'intelligence artificielle (à ne pas confondre avec l'acteur américain du même nom), note benoîtement dans son livre *The Micro Millenium*, publié en 1979, l'année même de sa mort : « Il reste tout à fait envisageable que les ordinateurs soient un jour vénérés comme des dieux, et, s'ils deviennent des machines ultra-intelligentes, cette croyance ne sera pas tout à fait erronée. » L'éloge des idoles dénoncé par Evans dès le début des années 1970 (dans un autre livre, *Cults of Unreason*) n'est pas le moindre des paradoxes pour une cyberculture qui revendique un strict athéisme et se vit comme l'expression même de la modernité. On verra dans le chapitre suivant que, sur certains points, le cousinage entre le transhumanisme et la Gnose religieuse des premiers siècles de notre ère est encore plus évident.

Voilà en tout cas ce qui donne sa vraie portée au qualificatif de « technoprophète ». Un constat s'impose : avec la généralisation de cette eschatologie d'un nouveau genre ; avec le surgissement de courants organisés comme ceux des extropiens ou des adeptes de la *théorie du chaos*, un pas supplémentaire a bel et bien été franchi en direction du transhumanisme. Reste à montrer avec un peu plus de précisions qui sont ces prophètes de la technique. Ray Kurzweil, l'inventeur de la *singularité* cité plus haut en est un, assurément, de même que Hans Moravec, dont il sera question plus loin dans ce livre. Mais les autres ? Bien que cette catégorie s'enrichisse sans cesse de nouveaux prophètes (*grands* ou *petits*, comme dans la Thora), on peut citer quelques personnalités marquantes. Souvent inconnues du grand public et même des intellectuels européens, elles répondent bien à l'appellation de technoprophètes. Réunis dans une très sommaire nomenclature, voici les noms de ceux qui comptèrent – ou comptent encore – parmi les plus influents. On les a classés, du plus ancien au plus jeune – d'après leur date de naissance. Nombre d'entre eux ont joué un rôle majeur dans la contre-culture des sixties.

L'architecte et écrivain Richard Buckminster Fuller (1895-1983) est l'inventeur du « dôme géodésique », présenté comme une forme architecturale parfaite car capable de prendre le minimum de surface tout en offrant le plus d'espace. Résolument technophile, hostile à la politique en général et à l'existence de l'État en particulier, il a popularisé le concept de *synergie*. Il fut adulé par les courants hippies les plus favorables à la technologie. Timothy Leary reconnaissait avoir été lui-même influencé par la pensée de ce précurseur. Il fut l'un des premiers à récuser le principe même de l'engagement politique.

L'anthropologue et épistémologue américain Gregory Bateson (1904-1980) est surtout connu – notamment en France – pour les travaux sur la communication, la schizophrénie, et le fameux *double bind* (injonction paradoxale) – travaux effectués par l'école dite de Palo Alto (fondée par lui). On oublie ordinairement qu'il avait participé, avec Margaret Mead, son épouse d'alors, aux conférences Macy organisées par Norbert Wiener, conférences d'où sont sortis, on l'a montré, la pensée cybernétique et l'informatique, puis de façon plus indirecte les biotechnologies. Durant les années 1960, Bateson participera activement, sur la côte californienne, aux étranges séminaires du groupe Esalen, tenus à Big Sur, lieu qu'avait déjà rendu mythique le romancier Henry Miller, auteur de *Tropique du Capricorne*. C'est au sein de ces groupes baroques et au milieu des vapeurs d'encens qu'est née l'utopie mystico-naturaliste du New Age. Avec la nette séparation qu'il propose entre le *pleroma* (le monde des lois physiques) et la *creatura* (celui de l'esprit), Bateson contribuera à une réinterprétation à la fois complexe et communicationnelle de l'humain. Par ce biais, il joua un rôle majeur dans l'apparition de la cyberculture.

L'écrivain et nouvelliste américain William Gibson (né en 1948) fut quant à lui un auteur de science-fiction, puis un objecteur de conscience au moment de la guerre du Vietnam (il se réfugia en 1968 au Canada). Découvrant la contre-culture, toujours plus méfiant à l'égard du capitalisme et du complexe militaro-industriel américain, il deviendra néanmoins un théoricien – et adepte – du mouvement cyberpunk. Il fut, entre bien d'autres choses, le vulgarisateur du concept de «transcendance technologique». Un de ses romans de science-fiction, *Neuromancien*, qui met en scène un pirate informatique – un hacker – le rendra célèbre. C'est à Gibson que l'on devrait l'invention du mot *cyberespace*. Plusieurs de ses textes ou fragments ont été adaptés ou transposés au cinéma, notamment dans le film *Alien*. «Toute technologie émergente, disait-il, échappe spontanément au contrôle et ses répercussions sont par nature imprévisibles.»

L'ingénieur américain Kim Eric Drexler (né en 1955) fera connaître à travers le monde le mot *nanotechnologie*, inventé au milieu des années 1970 – à d'autres fins – par un savant japonais du nom de Norio Taniguchi. C'est Drexler qui, le premier, construira le «projet nanotechnologique», à travers sa seconde thèse de doctorat, laquelle sera déclarée meilleure publication scientifique de l'année 1992. Son intention – jamais réalisée – était de construire un assembleur moléculaire qui permettrait aux nanomachines de se reproduire sans le secours des humains. Avec sa femme Christine Peterson (dont il divorcera), il fondera en 1986 le déjà célèbre Foresight Institute, chargé d'explorer et d'encadrer les technologies émergentes et les nanotechnologies en particulier. Les analyses de Drexler inspireront grandement la littérature de science-fiction contemporaine, notamment les romanciers Neal Stephenson et Michael Crichton. Un roman de ce dernier, *La Proie*, met explicitement en scène, sur un mode apocalyptique, les risques entraînés par les nanotechnologies, avec ses nanorobots devenus incontrôlables.

À ces quelques noms, on peut ajouter celui du philosophe et romancier belge Gilbert Hottois (né en 1946). D'abord influencé par les critiques radicales du système technicien (Jacques Ellul préfacera l'un de ses livres), Hottois changera vite d'orientation et témoignera d'un intérêt marqué pour l'imaginaire technoscientifique. Dans un de ses livres, il s'explique sur ce changement de point de vue. Il insiste sur le fait que la technoscience est porteuse du projet – à ses yeux positif – de remodelage de la nature humaine. « Les technosciences, écrit-il, ouvrent sur une transcendance *opératoire* de l'espèce : elles permettent de dépasser effectivement des limites naturelles associées à la condition humaine [19]. » Le projet transhumaniste est contenu tout entier dans ces lignes.

Une indifférence glaçante

On voudrait accorder une attention particulière à un autre technoprophète, plus jeune celui-là, le philosophe anglais Max More, né en 1964 (de son vrai nom Max T. O'Connor). Diplômé d'Oxford et de l'université américaine de Caroline du Sud, il est le créateur d'un groupe spécifique de transhumanistes : les *extropiens*. Max More a fondé en 1991 l'Extropy Institute, qui diffuse une revue et dispose d'un site sur le Web (www.extropy.org). Pourquoi avoir choisi ce terme étrange ? Pour récuser ostensiblement le concept d'*entropie* (du grec *entropè*, « retour »). Ce dernier correspond au second principe de thermodynamique. Il désigne l'inéluctable processus de dégradation qui conduit tout corps physique vers un désordre toujours croissant, et toute énergie vers sa dégradation, l'entropie maximale correspondant à la mort. L'entropie postule ainsi l'idée de *limite*, traditionnellement défendue par les physiciens. En choisissant le mot *extropie*, Max More entendait récuser toute hypothèse de limitation, comme le fait d'ailleurs Eric Drexler, chantre des nanotechnologies.

Les extropiens représentent la frange la plus extrême du transhumanisme. Ils se réclament de Nietzsche, mais interprètent à leur façon le thème nietzschéen du surhomme. Dans leur revue, ils décrivent ce dernier comme un « potentiel en attente de réalisation ». À leurs yeux, les avancées de la technologie ne peuvent connaître ni terme ni arrêt. On doit donc s'abstenir de leur opposer le moindre

19. Gilbert Hottois, *Essais de philosophie bioéthique et biopolitique*, Vrin, 1999.

frein, qu'il soit d'ordre juridique, politique ou moral. En 1993, Max More a rédigé sous le titre «Principes extropiens» un long manifeste. Il a fait l'objet, au fil des années, de nombreux ajouts, modifications et réécritures. Dès les premières lignes de la version datée de 2003, il est annoncé : «Les principes *extropiens* définissent une version ou "marque" particulière de la pensée transhumaniste.»

Le premier des principes énumérés dans ce texte est sans équivoque sur la question des limites et, en filigrane, de l'action politique elle-même : «Viser plus d'intelligence, de sagesse, d'efficacité, une durée de vie indéfinie, la suppression des limites politiques, culturelles, biologiques et psychologiques à la réalisation de soi. Dépasser sans cesse ce qui contraint notre progrès et nos possibilités. S'étendre dans l'univers et avancer sans fin[20].» Dans le corps du manifeste on trouve des appels courtois au débat, au libre examen et même à «l'amélioration des conditions sociales». L'éloge de la bienveillance occupe même un paragraphe entier qui fait l'apologie de la politesse, de la patience et de l'honnêteté. La précaution est surtout diplomatique. Dans ce même texte les extropiens réaffirment leur refus vigoureux de tout «contrôle centralisé autoritaire, qui étouffe les choix et l'organisation spontanée des personnes autonomes». Assurant qu'ils ne sont pas des cyniques, ils n'en récusent pas moins toute «protection paternaliste de l'individu». Ils affichent leur volonté de n'obéir à aucune vérité établie. «Nous n'acceptons, est-il écrit, aucune autorité intellectuelle finale. Aucun individu, aucune institution, aucun livre, aucun principe unique ne peut servir de source ou de référence pour la vérité.»

L'interprétation extrême du transhumanisme qui transparaît déjà dans ce manifeste prosélyte est encore plus accusée dans certains textes de la revue *Extropy* ou dans des interviews de Max More. S'y trouvent confirmées l'adhésion au laisser-faire capitaliste intégral et une parfaite indifférence à l'égard du «social». «Prêchant la charité zéro, le transhumanisme extropien ne laisse aucune place aux défavorisés de l'économie, aux marginaux de la

20. Une version française de ce texte est accessible sur le Web à l'adresse suivante : http://editions-hache.com/essais/more/more1.html

société, aux "psychologiquement faibles"[21]. » On retrouve ici les modes de raisonnements et les convictions des capitalistes libertariens évoqués dans le premier chapitre de ce livre. Les adeptes de l'extropie partagent une même approche de l'individu. Il est conçu comme une entité autonome, détachée de tout lien et de toute appartenance collective, une monade auto-créée. Dans le texte précité de Max More, le préfixe « auto » est d'ailleurs employé de manière si fréquente que l'effet produit en devient comique. On y parle d'auto-orientation, d'auto-discipline, d'auto-transformation, ou encore d'auto-expérimentation. Cette redondance vise à rejeter par avance toute espèce de sujétion ou d'encadrement social.

De la démocratie à la « plurarchie »

« La structure politique qui se développe sur le Net est fondamentalement différente de celle de la démocratie capitaliste. L'habileté légendaire qu'ont les nétocrates pour quitter l'environnement où ils se trouvent et aller de l'avant si le contexte ne leur convient plus crée les préalables de l'avènement d'un système politique entièrement nouveau et extrêmement complexe : la plurarchie. La plurarchie peut se définir, dans sa forme la plus pure, comme un système où chaque individu décide en fonction de lui-même, mais n'a ni la capacité, ni l'occasion de décider en fonction des autres. La notion fondamentale de la démocratie, où une majorité décide pour une minorité en cas de divergences d'opinions, est désormais impossible à maintenir.
Sur le Net, chacun est son propre maître ou sa propre maîtresse, pour le meilleur et pour le pire. Cela signifie que tous les intérêts collectifs, à commencer par le maintien de la loi et de l'ordre, vont subir d'intenses pressions. Une pure plurarchie sape les conditions d'existence d'un État judiciaire. La différence entre la légalité et la criminalité n'existe plus. Il est désormais presque impossible d'avoir une vue d'ensemble sur la société dans laquelle toute décision politique d'importance serait prise à l'intérieur de groupes fermés et sélectifs, sans ouverture possible. »

Alexandre Bard et Jean Söderqvist,
Les Netocrates, traduit de l'anglais
par Peggy Sastre, Leo Scheer, 2008, p. 84.

21. Mark Dery, *Vitesse virtuelle. La cyberculture aujourd'hui*, *op. cit.*, p. 317. L'auteur se réfère à un article de Max More, publié dans le n° 8 (été 1990) de la revue *Extropy*.

Une interprétation si étroite de la réalité humaine – plus étroite encore que celle des libertariens qui réduit l'homme à l'*Homo œconomicus* – vaut régulièrement aux extropiens des critiques cinglantes, et même des moqueries. Elles émanent de journalistes, d'anthropologues, de philosophes ou de sociologues de tous bords. L'homme, rappellent ces derniers, n'est pas une île. On sait depuis Aristote et son *zoon politikon* (« l'homme est un animal politique ») que le propre de l'humain gît au contraire dans la relation, dans ses liens avec le groupe. En rejetant le lien pour congédier toute idée de devoir, on raisonne comme Gribouille. Ou pire, peut-être. Même le théoricien du capitalisme intégral, l'économiste autrichien Friedrich von Hayek (1899-1992), qui obtint le prix Nobel en 1974, n'était pas allé aussi loin dans le consentement aux inégalités et aux dominations.

Le monde décrit et souhaité par les extropiens, celui que mettent en scène les romans d'inspiration cyberpunk, « est un univers technologique déshumanisé, dans un paysage de désolation, où de grandes compagnies se livrent une lutte sans merci pour la possession de l'information, tandis que les rues sont hantées par une population à la limite de la survie et hors du réseau. Une aristocratie informatique fait la loi[22]. » À ce constat du sociologue et historien français David Le Breton, répond l'effarement de Rémi Sussan : « Au sein des groupes transhumanistes et extropiens qui constituent la frange la plus futuriste de la cyberculture, une minorité professe une indifférence des plus glaçantes vis-à-vis de l'humanité souffrante[23]... »

L'homme : une expérience ratée ?

À ceux qui trouveraient excessive cette frayeur, ou injuste l'emploi de l'adjectif « glaçante », il faut rappeler une réponse que fit à ce propos le technoprophète Hans Moravec. L'essayiste américain Mark Dery, spécialiste de la cyberculture, l'interrogeait en 1993 sur les inégalités qu'entraînerait une « amélioration » de

22. David Le Breton, *L'Adieu au corps*, Métailié, 1999, p. 158.
23. Rémi Sussan, *Les Utopies posthumaines. op. cit.*, p. 119.

l'espèce, laquelle ferait naître deux types d'humains : ceux qui auraient été « améliorés » (une minorité) et les autres. Comment ne pas être alarmé, objectait Dery, par les implications socio-économiques de la robotique appliquée et du transhumanisme ? Ne se trouverait-on pas confrontés à l'existence d'une catégorie de surhommes face à des centaines de millions de sous-hommes ? En effet, tout laisse penser que les procédés d'« amélioration » de l'humain, *via* le clonage, la robotique ou la manipulation génétique, seraient réservés – et pour longtemps – à une minorité fortunée, tandis que les habitants de la planète, pas seulement les damnés de la terre, devraient se contenter d'être des humains « à l'ancienne mode ».

Moravec articula paisiblement la réponse suivante : « Peu importe ce que font les gens, ils seront laissés derrière comme le deuxième étage d'une fusée. [...] Cela vous gêne-t-il beaucoup aujourd'hui que la branche des tyrannosaures se soit éteinte ? Le destin des humains sera sans intérêt pour les robots super intelligents du futur. Les humains seront considérés comme une expérience ratée. » Un peu plus loin, Moravec enfonça le clou en ajoutant : « Je pense qu'on peut céder à la compassion et faire ainsi capoter les choses les plus importantes[24]. » Disant cela, Moravec émettait-il un avis strictement personnel ou bien reprenait-il une argumentation assez répandue chez les transhumanistes ? Pour s'en assurer, on a examiné de près le point de vue exprimé par le Suédois Nick Bostrom, qui préside justement la World Transhumanist Association (laquelle s'appelle désormais plus sobrement Human+). Mieux vaut s'adresser à Dieu qu'à ses saints.

Dans une longue intervention, faite en 2004 à l'université de Stanford, Bostrom entendait répondre aux critiques de Francis Fukuyama, pour qui le transhumanisme est « l'idée la plus dangereuse du monde ». Dans ce texte, publié par la suite dans la revue *Foreign Policy*, l'orateur ne peut éviter la question de l'inégalité subséquente – et éthiquement tragique – entre les posthumains « améliorés » et les milliards d'autres, demeurés à l'état « naturel ».

24. Rapporté dans l'ouvrage dirigé par Roberto Barbanti et Claire Fagnart, *L'Art au XXe siècle et l'utopie : réflexions et expériences*, L'Harmattan, 2000, p. 138.

De manière significative, Bostrom répond à cette objection *en analysant le problème en termes de risques*. Faudrait-il craindre que des violences opposent les deux catégories d'humain ? Cela risquerait-il d'alimenter un terrorisme d'un nouveau genre ? Posée ainsi, la question est évidemment banalisée, pour ne pas dire édulcorée. La réponse consiste à renvoyer l'objecteur à une réflexion classique sur le gouvernement des hommes : pertinence des lois, efficacité des contrôles, etc. À aucun moment la vraie nature du problème – philosophique et éthique – n'est abordée [25].

Une réponse aussi carrée que celle de Moravec et une argumentation aussi courte que celle de Bostrom rendent légitimes, à elles deux, quelques-unes des angoisses manifestées par André Gorz durant les dernières années de sa vie. Il redoutait que les remodelages de l'humain rendus possibles par l'ingénierie génétique – et dont les transhumanistes se félicitent – ne transforment ladite ingénierie en une machine de sélection et de hiérarchisation sociale. Le prétexte invoqué, selon lequel nul ne doit s'opposer aux avancées technologiques, conduit à accepter par avance l'apparition de formes nouvelles d'esclavage ou l'instauration d'un système de castes. La domination la plus dure deviendrait légitime, tandis que serait abandonné une fois pour toutes le « vieux » principe inscrit dans toutes nos Déclarations depuis les Lumières : « Les hommes naissent libres et égaux en droits. »

Cet aboutissement ne serait d'ailleurs pas le fruit d'une volonté, mais au contraire d'un abandon, d'un renoncement. Pour comprendre cela, il faut dire un mot d'une idée qui rôde et revient sans cesse dans la plupart des textes et débats sur la toute-puissance des technologies convergentes. Il s'agit du *principe d'immaîtrise* que l'on rapproche parfois du concept taoïste de *Wu Weil* (« Lâcher prise »), du moins à l'interprétation simpliste qu'on en fait en Occident. En convoquant de cette façon le taoïsme, on veut souligner l'obligation qui nous serait faite de renoncer au « volontarisme » d'autrefois, c'est-à-dire à la maîtrise de notre destin.

25. On peut consulter ce texte (en anglais) sur le site personnel de Nick Bostrom : www.nickbostrom.com

Pour les transhumanistes, cette volonté relève désormais de la candeur « humaniste ». Si nous ne maîtrisons plus l'accélération exponentielle de la technologie, ce n'est pas sous l'effet d'une défaillance ni parce que nous nous conduirions comme des « apprentis sorciers ». La véritable raison tient au fonctionnement de la technoscience elle-même. Jean-Pierre Dupuy, bon spécialiste des nanotechnologies et des sciences cognitives, donne une explication convaincante de cette nouvelle logique scientifique. En matière de RDTS (Recherche développement technique et scientifique), il ne s'agit plus de poursuivre un objectif en se donnant les moyens d'y parvenir. L'injonction cartésienne de se « rendre maître et possesseur de la nature » n'est plus de mise. La démarche n'est plus descendante mais ascendante (*bottom-up*). Cela signifie que l'*on part de l'existence de structures ou organisations complexes du réel et que l'on cherche à savoir ce qu'elles sont capables de « produire »*.

On s'emploie, en somme, à les expérimenter, à explorer le champ du possible nouvellement offert. La récompense du chercheur ne consistera plus à atteindre un but mais à se trouver lui-même surpris par les émergences provoquées. La vie artificielle, les algorithmes génétiques, la robotique, l'intelligence artificielle et, *a fortiori*, les nanotechnologies correspondent d'ores et déjà à ce fonctionnement procédural. Pour Dupuy, l'ingénieur de demain se conduira comme un explorateur et un expérimentateur[26]. Cela veut dire que le renoncement au volontarisme agissant n'est pas seulement le produit d'une désillusion, après les fourvoiements historiques de l'humanisme, ni d'une « fatigue d'être libre ». Il est constitutif des sciences nouvelles. Pour reprendre la formule de Jean-Michel Besnier au sujet des utopies posthumaines, la sagesse ne se mesurera plus à l'aune d'un projet, mais à notre capacité de nous laisser surprendre par ce qui nous débordera. Cela est d'autant plus tentant que les technologies nouvelles font sans cesse *émerger* des résultats qui n'avaient pas été anticipés ni voulus. Comme le disait le théoricien des médias américains Neil Postman (1931-2003), devenu très

26. Je m'inspire ici d'un article publié par Jean-Pierre Dupuy dans *Le Débat*, n° 129, mars-avril 2004.

critique à l'égard de l'*imperium* de la technologie, cette dernière «joue ses propres cartes».

Avec l'effacement programmé de l'individu et sa mise en réseau, des notions comme la volonté, le but, l'objectif, le projet, le dessein sont renvoyées au néant du vieux monde. À quoi bon le volontarisme s'il n'y a plus de but mais seulement des «boucles rétroactives» sans fin? Au demeurant, que signifie la volonté humaine dans un univers où prévalent la fluidité et l'incertitude, et où l'homme n'est plus que le résultat toujours provisoire, toujours fluctuant, d'interactions génétiques et de *stimuli* informationnels? C'est dorénavant la «situation» qui déciderait à notre place. «L'histoire est en train de perdre sa direction prédéterminée, l'utopie disparaît. La marche en avant n'est plus la seule manière d'avancer; pour chaque point de départ, il existe une infinité de possibilités prenant la forme de chemins vierges de tout pas. La totalité, le rationalisme et le collectivisme organisé sont en train de s'effondrer sous la pression de la diversité du monde virtuel[27].»

De l'utopie aux affaires...

Le transhumanisme tel qu'on l'a (trop) brièvement évoqué suscite des réactions assez étranges. On songe à l'engouement de certains groupes ou courants de pensée plutôt situés à gauche, et qui semblent ne pas apercevoir les dominations et les logiques inégalitaires dont cette utopie est porteuse. Ils sont d'abord séduits par l'optimisme, la nouveauté et le côté transgressif de la théorie. Si, des deux côtés de l'Atlantique, quelques intellectuels manifestent leur crainte, force est de reconnaître qu'ils ne sont pas les plus nombreux. On a cité les philosophes français Jean-Michel Besnier et Jean-Pierre Dupuy. On pourrait mentionner les noms du journaliste Jean-Michel Truong ou celui du philosophe de l'université de Reims, Michel Terestchenko, qui voit dans tout cela quelque chose de «politiquement funeste». Mentionnons aussi le cas de l'universitaire et essayiste américain Andrew Ross, qui fut un des

27. Alexandre Bard et Jean Söderqvist, *Les Netocrates*, *op. cit.*, p. 136.

premiers à s'alarmer de cet égoïsme technocratique indifférent à toute préoccupation sociale. On peut comprendre la déception de Rémi Sussan, qui forme – sans trop y croire – ce vœu pourtant modeste : « Que les penseurs d'une gauche future se plongent dans les algorithmes de la vie artificielle pour en déduire de façon sérieuse sa portée et ses limites en matière sociale. »

À ce sujet, le temps presse. La raison en est simple.

Le transhumanisme, on l'a dit, n'est plus une nébuleuse de théories plus ou moins sensées, plus ou moins cyniques. Ses liens avec la haute administration et – surtout – le monde des affaires le constituent déjà comme un *défi politique*. Il avait ses chercheurs, ses prophètes, ses scénaristes et ses romanciers, il a maintenant ses lobbyistes et ses affairistes. Sur le front de la génétique, un innovateur impétueux comme le biologiste et homme d'affaires Craig Venter incarne assez bien la nouvelle puissance du privé et du business. Décrypteur innovant du génome, cet ancien du Vietnam (il est né en 1946) s'est juré de devenir le Bill Gates de la génétique. Dans cette logique d'exploitation commerciale, il est devenu un champion du brevetage de la moindre découverte, ce qui lui vaut les foudres de la communauté scientifique. Certains essayistes se disent effarés par son mercantilisme [28].

Venter fondera plusieurs sociétés : d'abord Celera Genomics (qu'il quittera en 2002), puis, sous une appellation plus noble, le J. Craig Venter Institute. Coutumier des effets d'annonce médiatique, il revendiquera à plusieurs reprises – parfois avec quelque raison – avoir progressé vers la création de la vie artificielle. Ce sera le cas le 21 mai 2010 quand il publiera dans la revue *Science* un article décrivant la première cellule à génome synthétique, créée à partir d'une bactérie. L'annonce fera d'abord grand bruit dans les médias du monde entier, avant d'être minimisée par certains chercheurs. Venter, qui avait investi quarante millions de dollars dans cette recherche, s'est dépêché de déposer une série de brevets afin de protéger le concept utilisé, celui de Mycoplasma laboratorium. L'équipe de Venter regroupe de talentueux chercheurs, mais

28. Voir notamment le livre de Frédéric Dardel et Renaud Leblond, *Main basse sur le génome*, Anne Carrière, 2008.

qui sont surtout soucieux de découvertes lucratives. Ainsi Craig Venter a-t-il engagé une recherche pour le compte de la société pétrolière et gazière Exxon Mobil afin de créer des algues qui pourraient absorber le dioxyde de carbone de l'atmosphère et le convertir en combustible.

Venter est un bon exemple de *l'imbrication de plus en plus étroite entre la recherche scientifique et la course au profit.* L'utopie transhumaniste n'échappe pas à ce très discutable arraisonnement d'une logique de connaissance par une logique de profit ou de domination. Un personnage mérite d'être cité à ce propos : William Sims Bainbridge. Le nom de ce citoyen américain n'est pas encore aussi connu que celui de Craig Venter. Il est vrai que ses objectifs sont un peu différents : plutôt le lobbysme que la course immédiate aux bénéfices. Ce sociologue né en 1940, diplômé de Harvard, s'est longtemps intéressé aux groupes religieux et aux sectes, avant de se passionner pour les technologies émergentes. Aujourd'hui directeur de la National Science Foundation américaine, il a publié plusieurs ouvrages sur les nanotechnologies et l'intelligence artificielle, et se présente comme un militant désintéressé de la cause transhumaniste. À ses yeux, celle-ci est foncièrement « progressiste », ce qui explique les oppositions « conservatrices » qu'elle rencontre et rencontrera. Dans une intervention faite en juillet 2003 devant la World Transhumanist Association, il invitait les « progressistes de tous les pays » à se rallier au projet, y compris en constituant des sociétés secrètes si cela se révélait nécessaire pour résister aux obscurantismes.

Côté face, William Bainbridge est un septuagénaire courtois, capable d'évoquer paisiblement le transhumanisme devant un collègue étranger. Il s'agissait en l'occurrence du biologiste français Jean-Didier Vincent, venu aux États-Unis se renseigner sur ce courant de pensée. Dans le récit de sa rencontre avec Bainbridge, il se montre impressionné et même séduit[29]. Côté pile, le même Bainbridge apparaît comme un lobbyiste influent, très introduit dans la haute administration américaine, y compris au

29. Jean-Didier Vincent, « Hypothèses sur l'avenir de l'homme », *La Pensée de midi*, *op. cit.*, p. 49.

Pentagone. Jean-Pierre Dupuy confesse que ses propres travaux sur la convergence des technologies ont pris parfois, à cause de cela, « l'allure d'une enquête policière ». Il apparaît que William Bainbridge a beaucoup œuvré en coulisse pour que l'élaboration du rapport NBIC (cité plus haut) bénéficie de subsides fédéraux considérables, y compris de la part des centres militaires. Dupuy a découvert également que Bainbridge avait été, avec l'économiste Robin Hanson, l'initiateur d'un projet ahurissant promu par la DARPA, l'organisme de recherche du Pentagone. Il s'agissait « d'organiser un marché spéculatif où s'échangeraient des paris – en termes techniques des *futures* –, portant sur des événements du type instabilité politique, attentat terroriste, crise internationale majeure, voire assassinat de tel leader du Proche-Orient ».

En d'autres termes, cela consistait à soumettre à l'arbitrage du marché spéculatif la géopolitique elle-même, avec ses risques de guerre et ses chances de paix, ses opportunités stratégiques, etc. Cette sinistre apothéose de la gouvernance par les nombres, pour reprendre l'expression d'Alain Supiot, a suscité tant de réactions indignées que le projet fut abandonné. Les choses sont claires : William Bainbridge, rédacteur en chef adjoint de la World Transhumanist Association, n'est déjà plus – mais plus du tout ! – un humaniste.

Chapitre 5

Haine du corps et nouveaux pudibonds

> « Il se passe quelque chose ici
> Mais vous ne savez pas quoi
> N'est-ce pas, Monsieur Jones ? »
>
> Bob Dylan [1]

Comme un orage qui rôde, un court-circuit imprévu menace la *surmodernité* (pour reprendre l'expression de Georges Balandier) et la cyberculture en particulier. Il pose une question si embarrassante qu'on évite d'en faire état. Les informaticiens parleraient d'un « bug » sur lequel achoppent aussi bien les *gender studies* que l'utopie du transhumanisme, du moins dans sa version extrême. On dira que deux électrodes sont approchées l'une de l'autre, jusqu'à être conjointes, alors même que les courants qu'elles transportent n'ont ni le même voltage ni la même polarité. Ils sont rivaux.

Le premier courant, celui qui meut la cyberculture et les *gender*, est d'inspiration libertaire et permissive. Il cherche à desserrer l'étreinte des normes bourgeoises et sexuelles de l'ancien monde ; il veut faire toute sa place au plaisir, à l'*amor fati* (amour du réel) nietzschéen ; à la libre disposition de soi-même. Il prône volontiers l'abandon aux jouissances et l'exultation du corps physique. En cela, il est l'héritier légitime des sixties américaines et du Mai 1968 français. Défaire les catégories, reconnaître les sexualités minoritaires, combattre le vieil ordre masculin et patriarcal, répudier les hypocrisies « humanistes » ; promouvoir l'individu contre l'enfermement du groupe : tout cela correspond au même objectif libérateur. *Let the sunshine in* (Laissons entrer le soleil !),

1. *Ballad of a Thin Man* (1965).

chantait-on en octobre 1967, au Biltmore Theater de Broadway, pour la première représentation de *Hair*, la comédie musicale dont les acteurs se produisaient nus, comédie qui enflammera de plaisir le monde entier.

Le deuxième courant conduit vers des rivages bien différents. L'utopie de l'immatériel répond au souci de se détacher peu à peu des contraintes du réel et de la matière. La cyberculture tout entière est marquée par une exaltation du virtuel grâce auquel nous devenons vaporeux, nous sommes libérés de la gravitation terrestre, capables d'accéder à l'ubiquité et de naviguer – sur le Web – à la vitesse d'un influx électronique. Quant aux rêves plus précis de remodelage de la matière (nanotechnologie) et d'immortalité (transhumanisme), ils rétrogradent la *matérialité* périssable au rang d'une vieillerie encombrante. Au premier rang de cette réalité matérielle, il y a le corps humain lui-même, la chair, les organes biologiques, avec leur poids de sang et d'humeurs.

Entre les deux courants, celui de la sexualité joyeuse et celui de la dématérialisation, la contradiction est plus irréductible que celle qui opposait (parfois faussement) le libertaire au néolibéral. Le court-circuit est inévitable entre une célébration heureuse de la *chair* et le culte désincarné de l'*immatériel*, lequel renoue curieusement, on l'a dit, avec les pensées gnostiques et les dualismes (platoniciens ou chrétiens) des premiers siècles. Le corps redevient *ipso facto* ce « tombeau de l'âme » dont parlait Platon. Dans la course effrénée vers le point oméga de Teilhard de Chardin, avec cette grande transhumance vers l'horizon de la *singularité*, le corps humain devient un fardeau. Imparfait, fragile, il incarne la *finitude*, au sens ancien du terme. Même amélioré ou « augmenté », même truffé d'implants technologiques qui rehausseront ses performances, il n'en demeure pas moins un handicap, un infirme à traîner avec soi. Tombeau de l'esprit, en effet…

Ainsi est apparue, d'année en année, une vraie défiance à l'endroit du corps biologique. Le corps, voilà l'ennemi ! Dans la littérature cyberpunk, ou sous la plume de certains chercheurs passionnés par la robotique ou l'intelligence artificielle, on bute régulièrement sur des propos qui désignent la chair comme une servitude dont il convient de se débarrasser. Elle n'est plus que de la viande (*meat*). Les entrailles humaines sont jugées moins hygiéniques qu'une éprouvette, moins fiables qu'une disquette informatique, moins clean qu'un incubateur. Le corps devient le maillon faible de l'utopie immatérielle.

On n'accepte plus les inconvénients et les trivialités dont il est porteur et qui sont peu compatibles avec le grand dessein virtuel. Il faut le nourrir, le soigner, le laver, l'ausculter et lui accorder un temps de repos quotidien. Dans la temporalité du cybermonde, le sommeil est du temps perdu. Rivés à leurs ordinateurs, les *geecks* insomniaques connaissent bien ce genre de tracas et pestent contre de telles astreintes. Ce n'est pas tout : le corps a le désavantage d'avoir un sexe anatomique, une identité caractérisée par des organes et des substances endocriniennes. Il est même porteur de différences imposées : un visage plus ou moins avenant, un âge, un look. Il n'est pas aussi docile que les algorithmes du cybermonde, qui permettent à chacun de se choisir une identité, de se fabriquer des *avatars* séduisants, de pratiquer une cybersexualité sur mesure (et sans risque), de choisir son âge. Bref, le corps charnel ne fait plus le poids face à l'*hypercorps* (la formule est de Pierre Lévy) de la cyberculture. Le monde merveilleux qu'annonce cette dernière – l'univers foisonnant des mutants et des cyborgs – est, par hypothèse, un monde où le corps n'a plus sa place. Il est devenu un membre surnuméraire, un passager en trop, qu'il est urgent de débarquer. « Les mondes virtuels sont des non-lieux, mais nos corps ne peuvent jamais être des non-corps[2]. »

Une vision négative de la chair s'est donc imposée subrepticement par la seule conjugaison des avancées technologiques et des visions qu'elles faisaient naître. « Le corps humain, écrit le philosophe et juriste français Bernard Edelman, est entré, à pas de loup, dans l'ère du soupçon. Jusqu'alors nous cohabitions paisiblement, nous étions indivisibles : il était “moi” et j'étais “lui”. Mais ce vieux compagnon de tous les jours est devenu un autre, un quasi-étranger. Il n'est plus cette “enveloppe charnelle” que nous traitions familièrement sans même y penser, mais un gisement de

2. Philippe Quéau, *Le Virtuel. Vertus et vertiges*, *op. cit.*, p. 85.

valeur, composé d'organes et de cellules qu'on peut vendre, louer, breveter, une machine plus ou moins performante qu'on peut améliorer, une "monnaie vivante" pour tout dire[3]. »

La dépréciation du corps, de fil en aiguille, peut conduire jusqu'à la *diffamation* pure et simple de celui-ci. On emploie le mot à dessein. Dans *Le Crépuscule des idoles*, Nietzsche reprochait aux chrétiens de diffamer le monde. Quelques-uns des techno-prophètes contemporains usent de formules et d'images dépréciatives qu'aucune tradition rigoriste et religieuse du passé n'aurait osé employer. Le mouvement vient de loin. Le déni du corps, au nom de la supériorité technologique, a commencé – significativement – dans les années 1960 avec les progrès de la cybernétique. David Aurel, un des premiers auteurs français à s'intéresser à cette forme de pensée, prévoyait dans un livre publié en 1965 que le corps humain deviendrait le point faible d'une usine automatisée. Il ajoutait qu'un perfectionnement harmonieux et illimité des machines ne pourrait être obtenu que si l'on chassait le dernier homme de l'usine[4].

Depuis lors, bien des étapes ont été franchies. Entre-temps, une représentation du corps comme un simple agrégat d'interactions moléculaires ou comme un faisceau d'informations s'est imposée. Elle a encouragé la rétrogradation, puis la diffamation de la chair vivante. Un homme comme le chercheur Marvin Minsky (né en 1927), l'un des promoteurs du concept d'intelligence artificielle, a toujours manifesté le « dégoût » que lui inspirait cette *meat machine* (machine de viande). Il témoignait de la même condescendance à l'égard du cerveau humain, cette *bloody mess* (saleté sanguinolente). Joseph Fletcher, un prêtre défroqué de l'Église épiscopale américaine, disparu en 2005, et qui fut professeur d'éthique biomédicale à Harvard, partageait ce dédain. Grand défenseur du clonage et de l'utérus artificiel, il opposait la sécurité hygiénique d'une super-couveuse à « l'endroit obscur et dangereux » que constitue l'utérus féminin. Cette vision semble assez largement partagée dans les milieux biomédicaux si l'on en croit le journaliste

3. Bernard Edelman, *Ni chose ni personne. Le corps humain en question*, Hermann, 2009, p. 4.

4. David Aurel, *La Cybernétique et l'Humain*, Gallimard, « Idées », 1965, p. 85.

scientifique britannique Gerald Leach. Dans une enquête publiée en 1970, Leach désigne l'utérus maternel comme «le milieu le plus dangereux dans lequel un être puisse être appelé à vivre[5]». Il ajoute qu'une majorité de ses collègues adhère à ce point de vue.

Le pape des sixties, Timothy Leary, dans son livre *Chaos et Cyberculture*, annonçait que nous sortirions un jour de notre «enveloppe charnelle», comme les poissons préhistoriques sont sortis de l'eau pour accéder à un stade supérieur de l'évolution. Il se réjouissait à l'idée que le cyberespace délivrait enfin l'homme de «l'esclavage du corps». L'artiste australien Sterlarc (de son vrai nom Stelios Arcadiou), figure majeure du *body art* qu'il expérimente sur lui-même, répète que le corps humain est une matérialité dépassée si on la compare au cyborg. Il est grand temps de nous demander, ajoute-t-il, si «un bipède, avec un corps respirant, battant, avec une vision binoculaire et un cerveau de 1400 centimètres cubes est encore une forme biologique adéquate[6]». L'universitaire de Georgetown, O. B. Hardison, spécialiste de Shakespeare et physicien amateur, use du même langage. Il a publié en 1989 un livre sur les technologies du XXe siècle (*Disappearing Through the Skylight: Culture and Technology in the Twentieth Century*, Penguin). Il y affirme que le moment est sans doute venu de nous embarquer, dématérialisés, sur des sondes spatiales afin de réaliser «le vieux rêve mystique : sortir de la prison de chair pour contempler une lumière si forte qu'elle nous paraît obscure».

Quelques-uns vont beaucoup plus loin. On cite le cas de David Skal, historien de la culture, spécialiste – et scénariste – de films d'horreur. Il a écrit en 2001 un livre à succès sur l'histoire de ce cinéma. Dans son roman *Antibodies* (publié en 1988 et récompensé par le prix Locus du meilleur roman d'horreur), il raconte l'histoire d'une jeune femme en quête d'immortalité et de dématérialisation. Le roman a fait le bonheur des cyberpunks. L'extrait suivant donne une idée du ton employé : «Corps-âme, corps-viande corps-mort puant pantelant pissant fœtus pétant organes pendants enterré

5. Gerald Leach, *Les Biocrates, manipulateurs de la vie* (1970), trad. fr. Seuil, «Science ouverte», 1973.

6. Les principaux textes et entretiens de Sterlarc sont accessibles sur son site : http://v2.stelarc.org/

vivant dans un cercueil de sang mon Dieu pas moi faites que ce ne soit pas moi faut que je sorte du saut de tripes qui m'aspire me vomit emportez-le tremblant tournant tourbillonnant ce corps-manège, ce CORPS[7]. »

Les adeptes de la science-fiction et de la cyberculture (ce sont souvent les mêmes) connaissent également ce passage du roman de Bruce Sterling, *Crystal Express*, dans lequel un des personnages se voit reprocher sa misérable forme humaine. Si le savoir c'est le pouvoir, t'imagines-tu, lui est-il faussement demandé, « que ta petite forme fragile – tes jambes rudimentaires, tes bras et tes mains ridicules, ton cerveau minuscule et fripé – peut *contenir* tout ce pouvoir ? Bien sûr que non[8] ! » En familier de la cyberculture, Mark Dery cite plusieurs remarques du même ton, y compris de la part d'auteurs dont la démarche n'est pas strictement littéraire. Il évoque l'historien des sciences Bruce Mazlish, professeur au Massachusetts Institute of Technology (MIT). Dans un texte retraçant l'évolution parallèle des humains et des machines, Mazlich note que les humains ont perdu le privilège de « discontinuité » dont ils disposaient à l'égard des machines. Ils doivent s'en accommoder, même si, dans cette optique, les moyens charnels dont ils disposent apparaissent si misérables qu'ils invitent à détester son propre corps. « Qui n'a jamais ressenti la "souillure" du corps et le désir de s'en défaire ? demande-t-il, qui n'a pas été dégoûté par les besoins les plus "bas", celui de la défécation, ou même du sexe[9] ? »

Le parallèle dont on a fait état entre ces dénigrements cyberculturels et l'horreur du physique manifestée par les gnostiques des premiers siècles n'est pas une clause de style. À deux mille ans de distance, les deux pensées se répondent parfois mot pour mot. En témoigne la polémique conduite par Tertullien contre Marcion (dans le *De Carne Christi*). Marcion, figure du Ier siècle de notre ère, interprétait le message évangélique selon une inspiration

7. David Skal, *Antibodies*, Worldwide Library, 1988, p. 25.

8. Bruce Sterling, *Crystal Express*, (1990), trad. fr. J. Bonnefoy, Denoël, 1991 p. 25.

9. Bruce Mazlish, *The Fourth Discontinuity: The Co-Evolution of Humans and Machines*, Yale University Press, 1993, p. 218. J'ai emprunté cette citation à Mark Dery, *Vitesse virtuelle. La cyberculture aujourd'hui*, *op. cit.*, p. 248. Pour le résumé du livre, j'ai repris celui qu'en donne l'éditeur de Mazlish.

gnostique et rigoriste à l'extrême, ce qui entraîna sa mise à l'écart. Hostile à la chair, il allait jusqu'à prôner le refus du mariage et de la procréation. Il n'acceptait pas l'idée qu'un dieu fait homme eût pu naître dans les «entrailles» d'une femme, à savoir Marie. La plupart des écrits de Marcion ont été perdus et, paradoxalement, nous les connaissons à travers le pamphlet de Tertullien rédigé contre lui un siècle plus tard. Pour Tertullien, premier Père de l'Église d'Occident, Marcion, dont il citait les écrits, récusait scandaleusement l'idée (chrétienne) d'un Jésus effectivement «né dans les entrailles dégoulinantes», c'est-à-dire simple «caillot de sang parmi les immondices».

Étaient-ce là de simples maladresses d'expression ?

La même question se pose à propos des néognostiques de la cyberculture, si fortement enivrés par la promesse d'un «paradis» immatériel qu'ils laissent courir leur imagination et cèdent à des artifices rhétoriques. Après tout, les excès d'écriture ou de langage ont toujours existé. En littérature, et quelle que soit l'époque, on trouve des passages où se manifeste une même révulsion de la chair. Dans *La Nausée* de Jean-Paul Sartre, le corps et les sanies qui le composent sont décrits avec une répugnance appuyée. Ce dégoût sartrien pour le corps «en soi» constitue même la vraie différence entre sa littérature et celle, contemporaine, d'Albert Camus. La sensibilité méditerranéenne de ce dernier, la dimension solaire et sensuelle de sa *pensée de midi* sont à l'opposé du néocatharisme hostile à la chair vivante qui hante l'œuvre de Sartre. Pour citer un autre auteur contemporain, les écrits d'Emil Cioran (1911-1995) – notamment *Le Mauvais Démiurge* – contiennent eux aussi des passages qui diabolisent le corps physique «périssable jusqu'à l'indécence», soulignent «l'horreur des sécrétions» venues des «entrailles», et stigmatisent la «physiologie de macchabée [10]».

On pourrait trouver mille autres extraits littéraires du même genre. Ils tendraient à prouver que la révulsion devant le corps n'est pas si nouvelle, et qu'il ne faut pas prendre au pied de la lettre ces *diffamations*. La différence est pourtant claire : les dénigrements

10. Je dois l'idée d'aller relire Cioran – et d'autres remarques contenues dans ce chapitre – à David Le Breton et à son livre *L'Adieu au corps*, *op. cit.*, qui m'a été d'un précieux secours.

postmodernes qu'on a cités plus haut ne procèdent pas seulement de la littérature ; ils s'articulent sur des *théories* construites et correspondent à de véritables programmes technoscientifiques. Pour le dire autrement, ils participent d'une vision technologique du monde assumée et nourrissent des « projets » bien réels.

L'intelligence artificielle : forte et faible

Le premier touche au vaste domaine de l'intelligence artificielle (IA). Dès le départ et comme pour l'Internet et son ancêtre ARPA, de l'armée américaine, les implications militaires de ce concept contribuèrent à l'accélération des recherches à son propos. À la fin des années 1950, il s'agissait simplement de créer un dispositif technologique, puis un centre idoine dans l'extrême nord du continent américain, afin de décoder les informations fournies par les radars de surveillance. L'objectif de ce programme baptisé Semi-Automatic Ground Environment (SAGE) était naturellement – en pleine guerre froide – de connaître l'approche d'avions et de missiles ennemis, soviétiques en l'occurrence. Par la suite, les avions de chasse américains furent dotés de moyens de détection si performants que la quantité – et la vitesse – des informations obtenues outrepassaient les capacités d'un cerveau humain. Pour traiter et gérer une telle masse de données, les pilotes devaient être nécessairement connectés à de puissants ordinateurs. Ils devaient fonctionner en symbiose avec eux. C'est encore plus vrai avec les nouveaux chasseurs F-22 et F-35, qui sont tous pilotés aujourd'hui grâce au secours de l'intelligence artificielle.

Avec cette nécessaire symbiose entre le pilote et sa machine, on retrouve le cas de figure originel du cyborg dans le contexte de l'aventure spatiale. Dans le cas du programme SAGE, il s'agit de l'industrie militaire, mais la logique est la même. Quant au rapprochement avec le cyborg, il est révélateur, car la défiance à l'égard du corps n'est pas loin. Dans le *Manifeste cyborg* de Donna Haraway, on l'a vu, la mise à distance du corporel, le reproche qui lui est fait d'être un instrument d'injustice et de domination affleurent un peu partout. Pour Haraway, à l'évidence, le corps biologique n'est pas seulement obsolète, il mérite notre méfiance. Il en ira de même pour les réactions suscitées par les recherches complexes et approfondies sur l'intelligence artificielle. À mesure que celles-ci progressaient, la limite des capacités corporelles (cérébrales notamment) paraissait plus évidente. Le thème de l'*infirmité constitutive du corps biologique* s'en trouva grandement renforcé.

Inspirées des travaux des grands précurseurs que furent Alain Turing, von Neuman et Norbert Wiener – lesquels furent les inventeurs de l'ordinateur –, les recherches sur l'IA ont débuté à l'été 1956, après une célèbre conférence au Darmounth College. Elles furent conduites par une poignée de scientifiques dont les noms appartiennent déjà à l'histoire des sciences : John McCarthy, Marvin Minsky, Herbert Simon et, en France, Jacques Pitrat. Le but de ce programme neuroscientifique était de savoir si une machine cybernétique pouvait être capable de «raisonner» un jour, voire d'éprouver des sentiments à l'instar d'une créature humaine. Les six décennies qui suivirent 1956 furent jalonnées d'innombrables controverses sur la faisabilité technique d'une telle intelligence. Les uns, qualifiés de «vitalistes», pensaient que la conscience et les sentiments étaient le propre de l'être vivant et que l'IA intégrale était irréalisable; les autres, qualifiés de «matérialistes», répliquaient que les processus cognitifs et réflexifs pouvaient très bien être intégrés à un ordinateur. La révolution théorique induite par la mécanique quantique semblait ouvrir la voie à cette hypothétique re-création, et donner raison aux seconds.

De ces âpres débats émergèrent deux conceptions différentes de l'IA : l'une «faible», l'autre «forte», chacune d'elles débouchant sur des applications et des programmes informatiques distincts. Les uns comme les autres permirent en tout cas, à partir des années 1970, la production de machines spécifiques : les jeux vidéo, les procédés de traduction automatique, les drones militaires, etc. L'interrogation centrale (elle concerne surtout l'IA «forte») a donné matière à une abondante littérature de science-fiction et à autant de films produits à Hollywood. Ladite interrogation se formule en peu de mots : les machines intelligentes pourraient-elles devenir, un jour, *plus intelligentes que les humains, au point d'asservir ces derniers*? La question est toujours ouverte. Elle est débattue dans quantité de conférences contradictoires, comme celle qui fut organisée en juillet 2009, en Californie, par l'Association for the Avancement of Artificial Intelligence (AAAI).

Par hypothèse, les défenseurs de l'IA « forte » sont les plus enclins à juger sévèrement le corps biologique. À leurs yeux, les frontières entre l'humain et la machine, le biologique et la cybernétique se brouillent et même s'effacent. L'attachement à la concrétude du cerveau humain devient donc plus incertain, plus « obscurantiste ». « L'intelligence est perçue comme une forme éthérée flottant à l'entour du corps sans lui être reliée, une sorte d'âme accidentellement enracinée dans les neurones dont on pourrait isoler le principe non seulement hors du corps, mais hors du sujet lui-même [11]. » Pour Alain Turing, le corps vivant est carrément « superflu ». Sa seule utilité est de « fournir à l'esprit de quoi s'occuper ».

L'être humain sur une disquette

Une étape sera franchie vers le déni du biologique avec le deuxième projet, celui de téléchargement du cerveau (*uploading*) que certains technoprophètes, comme Hans Moravec ou Marvin Minsky, tiennent pour parfaitement réalisable. Si le lien direct entre les capacités cognitives de la fonction cérébrale et la réalité physiologique du cerveau humain n'est plus certain, alors il doit être possible de télécharger les informations emmagasinées par les neurones pour les transférer sur un support informatique. Se trouveraient ainsi « copiés » et conservés, non seulement les connaissances d'un être humain, mais aussi sa mémoire, ses sensations, en un mot son esprit. L'immortalité serait du même coup à notre portée. L'homme tout entier serait « sauvegardé » et « stocké », comme le sont les données informatiques (écriture, sons, images) les plus complexes. Il pourrait être dupliqué, transféré et réimplanté.

Hans Moravec, en fervent matérialiste, estime que tout dépend des quantités d'information (calculées en octets) que l'on est capable de manipuler. Il faudrait pouvoir traiter dix mille milliards

11. David Le Breton, *L'Adieu au corps*, *op. cit.*, p. 184.

d'opérations par seconde. D'après Moravec, une dizaine de téraoctets devrait suffire en capacité de stockage, puisqu'un téraoctet équivaut à mille « gigas », soit mille milliards d'octets. Pas de problème de stockage, donc. Quant à la capacité de traiter une telle masse d'informations *en une seconde*, c'est une tout autre affaire. Les moyens dont nous disposons ne le permettent pas. Les « puces » au Pentium les plus performantes de la société Intel peuvent traiter cent à deux cents millions d'instructions par seconde. On est encore loin des mille milliards. Il est vrai que les progrès accomplis au cours des trente dernières années au sujet des microprocesseurs ont été fulgurants (ils obéissaient à la fameuse loi Gordon Moore et doublaient tous les dix-huit mois). Rien n'interdit de penser qu'ils s'accéléreront encore, grâce notamment aux nanotechnologies.

Tous les informaticiens ne partagent pas cet optimisme. Certains prévoient au contraire un ralentissement inéluctable des progrès concernant les microprocesseurs. De même, nombre de spécialistes considèrent l'*uploading* cérébral comme une prophétie délirante. Le physicien Erich Harth, ancien professeur à l'université de Syracuse, estime par exemple que, pour télécharger les connaissances et la mémoire d'une vie entière, il faudrait des instruments que nous sommes loin de posséder, et même d'imaginer. Les informations en question sont étroitement dépendantes de l'organisation spécifique (et évolutive) de chaque cerveau humain [12]. D'autres auteurs objectent que les fonctions cognitives du cerveau mobilisent l'ensemble de l'organisme vivant. Comme toujours, pourtant, les rêves résistent aux démentis. Tout cela ne détourne pas quelques rationalistes invétérés, dont Hans Moravec, de leur conviction : l'*uploading* de la conscience humaine est réalisable à moyenne échéance. Le même point de vue est partagé par Ray Kurzweil, chantre de la *singularité* : pour lui, le téléchargement du cerveau devrait être réalisable dans les trente années qui viennent.

Les créatifs et les rêveurs, de leur côté, n'ont pas attendu l'issue de ces disputes scientifiques. Une abondante littérature prophétique, nombre de films et jusqu'à des jeux électroniques vendus

12. Erich Harth, *The Creative Loop: How the Brain Makes a Mind,* Perseus Books, 1995. On peut lire une synthèse des objections de Harth au téléchargement sur le site suivant : http://www.2think.org/harth.shtml

dans le commerce ou utilisables en ligne ont été élaborés à partir de cette croyance. Ils ont enrichi l'imaginaire de la cyberculture et ont renforcé le rejet pudibond du corps naturel, avec son sang, ses organes humides et sa déplorable finitude. L'*uploading* est le thème central de *La Cité des permutants*, roman d'un jeune auteur australien, Greg Egan [13]. Il est aussi présent dans le roman *Accelerando*, de l'écrivain britannique Charles Stross, spécialisé dans l'horreur et la science-fiction.

De nombreux films exploitent cette même thématique de la manipulation, de l'effacement ou du transfert des informations (la mémoire) emmagasinées dans le cerveau. Citons le film *Eternal Sunshine of the Spotless Mind*, réalisé en 2004 par Michel Gondry, avec Kate Winslet et Jim Carrey, ou encore la trilogie des *Matrix* réalisée par les frères Wachowski. Plus récemment, *Avatar*, le long-métrage à succès de James Cameron, avec Sam Worthington et Sigourney Weaver (2010), procède du même imaginaire. Dans tous ces films, les «performances» du corps vivant paraissent horriblement limitées.

Une grossesse protégée des «entrailles»

La troisième de ces utopies a déjà fait l'objet de rudes polémiques. Elle vise à la création d'un utérus artificiel capable d'abriter l'embryon et d'assurer son développement en toute sécurité, épargnant ainsi à la génitrice le fardeau de la grossesse. Le projet est plus ancien qu'on ne le croit. Son apparition est bien antérieure à celle de la cyberculture. Le mot qui le désigne, *ectogenèse*, fut utilisé pour la première fois en 1923 par le généticien britannique John B. S. Haldane (1892-1954). Le premier livre de celui-ci, *Deadalus, or Science and the Future*, publié en 1924, imaginait la conception puis la naissance d'un enfant en dehors du corps maternel. Il eut un grand retentissement et fut réédité à plusieurs reprises. Il faut dire que les années 1920 coïncidaient avec l'apogée du credo eugéniste, alors approuvé par l'ensemble de la communauté

13. Disponible en français aux éditions Robert Laffont et au Livre de Poche, 1999.

scientifique, aussi bien aux États-Unis qu'en Europe. Le vote des premières lois eugénistes dans l'Indiana remonte à 1907[14]. Or l'auteur de *Deadalus* est considéré comme l'un des fondateurs de la génétique des populations. Connaissant son sujet, il trouve son public. L'idée sera reprise huit ans plus tard (1932), par le plus proche ami d'Aldane qui n'est autre qu'Aldous Huxley, l'auteur du *Meilleur des mondes*.

Depuis lors, la technoprophétie a poursuivi son chemin. Elle a bénéficié, à partir des années 1980, des progrès foudroyants de la procréation médicalement assistée (PMA). Certaines expériences récentes, menées au Japon et aux États-Unis, tendraient à montrer que le projet est réalisable, même si nous en sommes encore loin. On cite les recherches appliquées du professeur Yoshinori Kuwabata, de l'université de Juntendon, réalisées en 1992. D'autres sont plus récentes. « En 2002, écrit l'essayiste Peggy Sastre, le Dr Helen Hung-Ching Liu, de l'université de Cornell, a réussi à inséminer des embryons dans un tissu utérin créé *in vitro*. La paroi de cet utérus, un copolymère de chondroïtine et de collagène, a été tapissée de cellules des glandes et du stroma (tissu conjonctif), prélevées dans l'utérus d'une femme puis cultivées *in vitro*. L'embryon s'y est développé normalement pendant une semaine en s'attachant progressivement à l'épithélium[15]. »

Comme pour les deux précédents, ce projet médiatisé à l'envi a eu des retombées culturelles importantes. Les féministes américaines s'en sont emparées. Plusieurs auteurs des *gender studies* y voient un pas supplémentaire vers une libération complète et tangible des femmes, toujours pénalisées – y compris dans le monde du travail – par les contraintes de la maternité.

Cet enthousiasme n'est pas partagé par tout le monde. Nombre de pédopsychiatres et de psychanalystes se disent épouvantés par l'exogenèse. Elle briserait d'après eux les liens étroits et vitaux qui unissent *in utero* un embryon à sa mère. Ces liens non verbalisés et ces échanges endocriniens contribuent, dès avant l'accouchement, à la construction de l'embryon en tant que personne. De quelle construction bénéficierait un fœtus mené à terme dans une

14. J'ai esquissé une histoire de l'eugénisme dans *Le Principe d'humanité*, *op. cit.*
15. Peggy Sastre, *Ex utero. Pour en finir avec le féminisme*, La Musardine, 2008, p. 135.

éprouvette ? En France, un auteur comme Catherine Dolto, spécialiste de l'haptonomie (science de l'affectivité), s'insurge contre la technique au nom de ce manque. Nous reviendrons sur ses analyses.

Certaines féministes françaises se sont déclarées plutôt favorables à l'ectogenèse, mais sans toujours partager l'impétuosité des Américaines. Marcela Iacub, par exemple, y voit un moyen d'échapper à ce qu'elle appelle la « naissance sacrificielle ». La formule – provocante – servait de titre à une tribune publiée le 29 mars 2005 dans le quotidien *Libération*. En réalité, l'article est surtout une réflexion sur l'ouvrage publié la même année par Henri Atlan [16]. Le biologiste et philosophe franco-israélien s'y montre plutôt favorable au projet d'utérus artificiel, tout en notant qu'il ne sera pas réalisable avant plusieurs dizaines d'années. En outre, ajoute Atlan, nos sociétés ne sont pas assez mûres – anthropologiquement et moralement – pour en faire un usage raisonnable. Marcela Iacub prend prétexte des remarques d'Atlan pour insister sur le poids des représentations sociales qui ont fait de la grossesse une sujétion – hétérosexuelle et normée – visant les femmes. Elle en tire argument pour défendre les mères porteuses ou l'homoparentalité, ses thèmes de prédilection. « Si l'on a assigné aux femmes un tel rôle dans la reproduction, écrit-elle, ce n'est pas à cause de la grossesse mais des décisions politiques précises qui ont façonné notre modernité familiale. »

En revanche, c'est de manière significative, même si c'est sur le ton de l'ironie, qu'elle ajoute en passant : « Après tout, si entretemps nous découvrons un procédé pour nous rendre immortels, la question de la reproduction ne se posera plus dans les mêmes termes, la planète risquant d'être terriblement surpeuplée. » La dernière remarque n'est pas fantaisiste. La perspective de l'ectogenèse, en effet, coïncide avec l'apparition d'un mouvement d'opinion qui a pris une certaine ampleur ces dernières années, notamment aux États-Unis et au Canada. Né dans les années 1980 et baptisé *Childfree*, ce mouvement revendique le « droit » de ne pas faire d'enfant, et ses adeptes affichent une « stérilité heureuse ». Des livres ont été publiés aux États-Unis sur les *Childfree*, et des

16. Henri Atlan, *L'Utérus artificiel*, Seuil, 2005.

recherches universitaires leurs sont consacrées, notamment à l'université du Texas. Les slogans *Childfree* sont quelquefois ostensiblement provocateurs : « Les enfants, peut-on lire sur les blogs spécialisés, sont un substitut pathétique pour ceux qui ne peuvent pas avoir d'animaux. » D'autres adeptes vont plus loin encore et ne se contentent pas d'invoquer l'argument (classique) de la surpopulation : « Les enfants, proclament-ils, sont un nid à bactéries. Ils sont toujours malades et contaminent tout le monde [17]. » On en revient, du même coup, au déni du corps humain, voire au dégoût qu'il suscite chez les ultras de la cyberculture.

Le refus de procréer

« On estime à près de 20 % le nombre de femmes qui, dans le monde occidental, atteignent la ménopause sans s'être reproduites. Les pourcentages ont récemment atteint les 45 % pour les Allemandes diplômées de l'enseignement supérieur, 14 % pour les Italiennes et les Espagnoles, un peu plus de 10 % pour leurs voisines françaises qui restent les plus prolifiques d'Europe avec les Irlandaises. Selon un sondage de 2002 du Centre de contrôle américain des maladies (Fertility, Family Planning and Reproductive Health), le refus d'enfant devient une option de plus en plus populaire. Sur les 61,6 millions de femmes âgées entre 15 et 44 ans, 6,2 % étaient volontairement sans enfant, contre 4,9 % en 1982. Les femmes sans enfant espérant se reproduire avant leur ménopause étaient 13 % en 2002 contre 25 % en 1995. Selon le Bureau fédéral de recensement, 42,2 % des femmes américaines sont nullipares. Le nombre de couples mariés sans enfant devrait franchir la barre des 50 % d'ici à 2010. Évidemment, en France, où l'on se targue chaque année de battre des records de fécondité européenne, ce n'est pas encore gagné. »

Peggy Sastre, *Ex utero. Pour en finir avec le féminisme*, *op. cit.*, p. 60.

Une fois encore, le refus de la procréation constitue une troublante analogie entre ces mouvements nés de la *surmodernité* et les courants gnostiques des premiers siècles. L'analogie est cette

17. Cité par Peggy Sastre, *Ex utero. Pour en finir avec le féminisme*, *op. cit.*, p. 54.

fois plus précise. Pour les gnostiques, la procréation devait être stoppée afin d'interrompre le flot « cascadant des générations » et hâter ainsi la fin du monde. Certains courants chrétiens proches de la Gnose – les *encratites* – se disaient hostiles, eux aussi, à la reproduction humaine. Considérés comme hérétiques, ils devinrent nombreux et influents aux IVe et Ve siècles, à telle enseigne que l'empereur (chrétien) Théodose promulgua en 382 trois décrets d'interdiction contre eux. On y reviendra.

Avec la Gnose, la vision hérétique a favorisé l'apparition au sein du christianisme médiéval de plusieurs hérésies particulièrement pudibondes : vaudois, bogomiles et albigeois, c'est-à-dire cathares. Ces derniers partageaient le projet d'interruption de l'espèce venu des encratites. Ils ne s'opposaient pas au coït en tant que tel mais à la reproduction. Le mariage était pour eux un état de péché permanent. À cause de cela, ils furent soupçonnés – comme les Templiers – non pas d'homosexualité (le mot ne fut inventé qu'au XIXe siècle) mais de sodomie. Lors des croisades contre les albigeois, entre 1208 et 1249, ils subirent les persécutions que l'on sait. Le crime de sodomie faisait partie des accusations portées contre eux.

Les technoprophètes et les jeunes *digital natives* passionnés de cyberculture n'apprécieront sûrement pas qu'on rapproche leur appétence pour le virtuel du rigorisme sectaire de ces très lointains « ancêtres ». Ils sont persuadés d'incarner la rupture avec le vieux monde, la marche en avant, le progressisme. On imputera cela à une ruse de l'Histoire. En matière de croyance et de vision du monde, le temps n'est pas aussi linéaire que le pensait Hegel. Il connaît des sinuosités, des boucles, des cycles, des replis et des recouvrements. L'archaïsme, en un mot, n'est pas toujours ce qu'on croit.

Mon corps m'appartient

Si l'on élargit la réflexion, l'adjectif pudibond qu'on emploie ici recouvre, il est vrai, une réalité plus complexe. Les prophéties technologiques ne sont pas seules en cause. La modernité dans son ensemble a transformé les rapports que nous entretenons avec le corps. Ce faisant, elle a diversifié à l'infini les formes que peut prendre la «pudibonderie». Certaines ne sont pas vécues comme telles et méritent d'être débusquées. Elles génèrent des habitudes, des modes, des pratiques que la «pensée du flux», c'est-à-dire les médias, a tendance à célébrer, parfois étourdiment. Le grand mérite du sociologue David Le Breton est d'avoir, de livre en livre, entrepris de décrypter les mille et une façons qui manifestent ce qu'il appelle notre adieu au corps, c'est-à-dire une spiritualisation de l'humain. Il interprète certaines pratiques comme le culturisme, le jogging, le sport extrême, le piercing ou la chirurgie esthétique comme autant de tentatives visant à récupérer la sensation charnelle en perdition. Faisant cela, Le Breton tentait de résoudre une partie de l'énigme contemporaine que l'on peut formuler ainsi : comment une société moderne qui pratique continûment un éloge du corps, de la beauté, de la jeunesse, peut-elle favoriser en même temps – et sans toujours s'en rendre compte – le dénigrement de la nature physique des humains ?

Partons d'un constat élémentaire. Dans la quotidienneté, nous faisons de moins en moins usage de notre corps, du moins dans les sociétés industrialisées. Les machines nous libèrent de l'effort physique ; nos déplacements ne se font plus à pied ; nos travaux (sauf exception) ne requièrent plus le recours à la force musculaire ; les activités tertiaires, aujourd'hui prédominantes, mobilisent l'intelligence plus que les muscles. Nul ne songe à regretter la conquête qui a consisté à réduire l'effort physique et à libérer nos vies des souffrances qu'il aura infligées pendant des millénaires. Personne ne se désole que l'on ait peu à peu – surtout à partir des XVIIIe et XIXe siècles – éradiqué de nos villes et de nos habitations les effluves nauséabonds, les puanteurs et les miasmes organiques qui faisaient l'ordinaire des siècles précédents. La volonté de s'éloigner de l'animalité a conduit, parmi nos cinq sens, à atrophier l'odorat (le moins noble des sens) sous couvert de nous en protéger. Cette révolution hygiéniste a d'abord profité aux plus fortunés, laissant à l'écart le menu peuple. Puis, en se généralisant au XXe siècle, elle a été si totale que notre sensibilité olfactive s'en est trouvée collectivement changée. Certaines odeurs, hier encore jugées naturelles, nous révulsent aujourd'hui.

Cela a contribué à éloigner notre imaginaire des « répugnantes » réalités corporelles. Tout s'est passé comme si ces dernières se détachaient de nous. La relégation du corps, qui engendre aujourd'hui de nouvelles formes de pudibonderie, est l'aboutissement ultime d'un long processus culturel. Bien avant la cyberculture, de génération en génération, nous avons pris nos distances avec la chair en général. La preuve en est que nombre de pathologies contemporaines – obésité, maladies cardio-vasculaires, allergies, cancer – apparaissent comme les conséquences d'un sous-emploi du corps. Jadis abrutissant, l'effort physique est aujourd'hui trop peu pratiqué. De contrainte ancestrale liée à la survie alimentaire, l'activité physique est ainsi devenue – dans nos pays privilégiés – une prescription médicale. D'un point de vue symbolique, la permutation équivaut à un extraordinaire tête-à-queue.

Ce n'est pas tout. Il faut ajouter que la construction sociale du corps s'est métamorphosée elle aussi au cours des derniers siècles. Quand les auteurs des *gender studies* insistent sur le fait que les catégories sexuelles sont socialement construites, ils n'ont pas tort. Ils devraient ajouter que le corps lui-même était, pour une bonne part, le produit d'une construction sociale et politique. Des historiens et des sociologues ont étudié la façon dont la gestuelle, le maintien corporel et jusqu'au rythme de la respiration pouvaient varier en fonction des différentes cultures. Les écoles de langue les plus performantes en tiennent compte et enseignent à leurs élèves la gestuelle qui correspond à une langue donnée avant même de leur apprendre le vocabulaire. L'anthropologue Marcel Mauss a montré de quelle façon, dans les sociétés traditionnelles, « chaque mouvement, chaque geste, permis certes par la configuration biologique de l'homme, n'est réalisé que par la médiation, le modelage de la société auquel l'individu appartient[18] ».

Cela signifie que le corps de chacun comportait une dimension collective. Le corps nous reliait au groupe, à la communauté. La manière de l'habiter et de le mouvoir était partiellement dictée par les usages sociaux. À partir de la Renaissance, et avec la prévalence progressive de l'individualisme, ce lien collectif s'est trouvé défait.

18. Communication présentée par Marcel Mauss à la Société de psychologie le 17 mai 1934. Cité par Christine Detrez, *La Construction sociale du corps*, *op. cit.*, p. 76.

Le corps ne nous reliait plus aux autres, il nous distinguait d'eux. Le corps, en somme, devenait la pleine « propriété » de celui qu'il incarnait. Mon corps m'appartient ! Il ne viendrait à l'idée de personne de penser différemment aujourd'hui. S'il m'appartient en propre, il définit mon identité. Ce sera donc à moi seul d'en faire bon usage et d'en tirer le meilleur profit. Le corps est perçu comme un patrimoine personnel, un capital. On ne s'étonnera pas de voir le vocabulaire de l'économie utilisé dorénavant pour décrire la nouvelle relation qu'entretient chacun avec son propre corps. On parle de « capital santé », de « capital beauté », de « ressources musculaires », etc.

Cette interprétation identitaire du corps incite l'individu à des comparaisons incessantes. Puisque mon corps est le premier marqueur, la vitrine de mon intimité, alors mon obsession sera de le rendre performant par rapport aux autres. C'est à moi seul qu'il appartient de le construire à ma guise. Le corps, en d'autres termes, fait son entrée lui aussi sur le grand marché moderne, et cela pour le meilleur comme pour le pire. Disposer de son corps est une liberté parfaitement légitime, mais le souci obsédant de le rendre compétitif peut conduire à accepter toutes les instrumentalisations imaginables : vente d'organes, location d'utérus, marchandisation du sexe, etc. Que l'on songe aux interminables débats sur la prostitution volontaire, la grossesse pour autrui ou l'appropriation commerciale de fragments du génome. Jadis, le prolétaire vendait sa force de travail, c'est-à-dire une dimension unique de son corps. Aujourd'hui, on le verra plus loin, c'est *l'entièreté du même corps qui prend place sur le marché.*

Le nouveau modèle : une image digitalisée du corps

On objectera que ces considérations nous éloignent de la pudibonderie. Ce n'est pas vrai. L'appropriation individuelle et identitaire du corps, sa désignation en termes de capital ou de patrimoine incitent chacun à consentir à des sacrifices physiques, à des astreintes obsédantes, à des mortifications qui n'ont pas grand-chose à envier aux interdits puritains de jadis. En effet, le corps physique qu'adule le discours moderne n'est pas n'importe lequel : c'est un corps jeune, sans défaut, capable de prouesses, séduisant, conforme aux canons de beauté d'une époque et d'une société donnée. La construction d'une telle merveille devient « le » projet individuel le mieux partagé. Il conduit à obéir à quantité d'injonctions non plus moralisantes à la manière du passé, mais aussi sévères que l'étaient les commandements de la vieille morale. Il n'est plus convenable d'être corpulent, il est catastrophique de vieillir, odieux d'avoir des poches sous les yeux ou des rides sur le cou, humiliant de ne pas fonctionner à la perfection, notamment sur le plan amoureux [19]. Bref, si l'on parle aujourd'hui dans le monde du travail de l'« employabilité » d'un salarié au chômage, on pourrait ajouter que le corps de chacun doit satisfaire à des critères d'« acceptabilité ».

Les féministes ont été les premières à s'inquiéter de ces formes inédites de la normalisation. Elles l'ont fait avec d'autant plus d'insistance que la numérisation du monde *a beaucoup alourdi le poids de ces contraintes*, et cela d'une façon d'autant plus dangereuse qu'elle était subreptice, pour ne pas dire cachée. Quand on évoquait plus haut les canons de beauté d'une époque auxquels nous étions sommés d'obéir, on ne précisait pas la nature desdits canons. Les stéréotypes de beauté idéale que proposent les magazines à leurs lecteurs ou lectrices se réfèrent-ils à des exemples vivants ? Mettent-ils en avant telle actrice de cinéma, tel mannequin, tel séducteur starisé ? Ce n'est plus aussi simple.

La retouche systématique d'une photographie, rendue banale par les logiciels d'infographie, la construction de figures féminines idéales, qui seront ensuite offertes à la convoitise mimétique du public : tout cela conduit à une sorte de folie collective. Les modèles sociaux à imiter ne sont plus des corps véritables mais des créations digitales. Nous sommes ainsi enjoints de ressembler à ce qui n'existe pas ! Le virtuel triomphe du réel. Qu'à cela ne tienne, le recours à la chirurgie esthétique permettra d'approcher au plus près de cette imaginaire perfection ! La démarche correspond bien à la vision transhumaniste. « L'esquisse maladroite qu'est le corps n'attendait que le miracle de la science pour être enfin redressée

19. J'ai développé ce parallèle dans *La Tyrannie du plaisir*, Seuil, 1998 et « Points Essais », n° 588.

et se donner comme un idéal technique[20].» De fait, on sait maintenant que nombre de chirurgiens esthétiques prennent leurs références sur des logiciels informatiques. Le «vrai» corps est jugé trop imparfait, pas assez beau. Et l'injonction est plus pressante qu'on ne le croit. Si besoin est, elle use d'une arme aussi ancienne que l'humanité : la culpabilisation. Quiconque ne se conforme pas à ce modèle commettra une manière de péché contre lui-même. Il ne sera pas loin de gâcher bêtement sa vie.

Le corps choyé et tyrannisé

«Jamais le corps humain n'a été apparemment autant *choyé* qu'aujourd'hui. Que ce soit dans la consommation, dans les loisirs, dans le spectacle, dans la publicité, le corps est devenu un objet de traitement, de manipulation et de mise en scène. C'est sur le corps que convergent de nombreux intérêts sociaux et économiques, de même que c'est sur le corps que s'amoncelle toute une série de pratiques et de discours.

Mais finalement de quel corps s'agit-il? En réalité, l'objet "corps" des discours socioculturels contemporains est, de plus en plus, un *fétiche* et une *abstraction* : un corps qui vaut tant qu'il n'a pas d'odeur, sauf celle de quelque parfum à la mode, ni de mesures, sauf celles maîtrisées par la gymnastique et les régimes alimentaires; un corps dont on ne parle que s'il manifeste des désirs et des besoins acceptés et codifiés par la société. Un corps, enfin, qui ne coïncide pas avec notre corps réel, car il est plutôt un corps idéalisé et parfait, capable de communiquer les valeurs de la société contemporaine, de même que d'homogénéiser les goûts, les préférences et les comportements des individus.

[Certes] les normes culturelles s'inscrivent depuis toujours sur le corps, le fait nouveau tient, aujourd'hui, à l'ampleur du phénomène et au renforcement des critères esthétiques et éthiques de *contrôle* appliqués aux corps. Si toute société avance un *idéal* du corps, miroir dans lequel chacun essaie de se reconnaître, déplorant toujours de ne pas lui ressembler suffisamment, notre société se caractérise par un idéal tout à fait *aseptisé* et *abstrait*.»

Michela Marzano, *Penser le corps*, Paris, PUF, 2002, p. 13-14.

20. David Le Breton, *L'Adieu au corps*, *op.cit.*, p 126.

L'essayiste américaine Naomi Wolf, considérée comme représentante de la troisième vague du féminisme (elle est née en 1962), a étudié, depuis la fin des années 1980, les conséquences mal connues de cette nouvelle tyrannie de l'intimité. Un de ses livres, *Le Mythe de la beauté*, a connu un immense succès et l'a rendue célèbre[21]. Enquêtant en 1988 sur l'organisation du prix Miss America, elle avait découvert que cinq des candidates avaient été physiquement «reconstruites» par un seul et même chirurgien esthétique. Ainsi un objectif de beauté inatteignable (parce que fictif) est donc désigné aux femmes par le discours médiatique. Si l'on en croit la féministe canadienne Louise H. Forsyth, «nous rencontrons chaque jour dans les médias qui nous entourent *plus de trois mille images de la beauté stéréotypée*[22]». La majorité d'entre elles sont «améliorées» par des logiciels, c'est-à-dire fictives. La pression quotidienne est donc très forte. Elle condamne les femmes à éprouver en permanence un sentiment d'échec, d'imperfection. Elle les habitue à vivre dès l'enfance dans le désaveu de soi-même. L'auteur pointe aussi dans son livre l'augmentation constante du nombre de victimes de l'anorexie, tentative désespérée pour échapper à son corps en se rendant maître de ses appétits, au sens premier du terme.

Une telle frustration crée un manque auquel promet de remédier, d'une autre façon, l'industrie des cosmétiques, des crèmes amincissantes, des dispositifs de musculation, etc. Bref, le *mythe de la beauté* analysé par Naomi Wolf n'est pas seulement au service de la société masculine et patriarcale qui réclame des femmes séduisantes, hétérosexuelles et disponibles ; il est aussi l'instrument d'une domination particulière : celle des multinationales. Une bonne part de la presse féminine sert – innocemment ou pas – les intérêts de ces dernières. Ce n'est pas la beauté qui s'achète au prix fort, c'est une promesse de beauté. On verra que ce n'est pas, loin s'en faut, l'unique procédé de marchandisation du «vieux» corps humain.

21. Naomi Wolf, *The Beauty Myth. How Images of Beauty Are Used against Women*, Vintage, 1991.

22. Louise H. Forsyth, «Pour la reprise du corps des femmes et des filles», *Études féministes*, n° 3, janvier-juillet 2003.

Santé parfaite : la promesse et le péché

En premier lieu, on aurait tort d'imaginer que la sommation à se conformer à une beauté imaginaire ne s'adresse qu'aux femmes. Les hommes, eux aussi, sont soumis à cette pression diffuse. On ne fait pas seulement référence à l'extension progressive au sexe masculin des habitudes cosmétologiques, voire chirurgicales. Il est parfaitement admis aujourd'hui que les hommes – du moins ceux qui en ont les moyens – fréquentent les instituts de beauté, se fassent teindre cheveux et sourcils, ou même entreprennent une reconstruction de leur visage, quand ce n'est pas une « amélioration » de leur pénis. Ces tendances s'inscrivent dans une logique générale de l'*unisexe*, qui n'est pas forcément critiquable.

La vraie nouveauté se situe sur un autre terrain. On pense ici à la passion pour le culturisme, le body-building, ou la pratique des sports à haut risque. Dans tous les cas, il s'agit de récupérer et de remodeler son corps au nom d'un projet, pour ne pas dire d'une utopie. On espère d'abord, bien sûr, reconquérir – jusqu'à la caricature – une masculinité menacée par la féminisation générale des sociétés modernes. À ce titre, la démarche est purement réactive. Mais elle n'est pas que cela. Elle signifie que le mental affirme son contrôle sur le biologique, que l'esprit prend littéralement le corps en main afin de le façonner à son gré. Un tel volontarisme renoue avec une vision dualiste du corps et de l'âme. Il refuse de s'en tenir au corps « naturel » et consent à de durs efforts quotidiens afin d'atteindre une apparence physique méticuleusement définie et codifiée. Le corps, en permanence, doit être sous contrôle. La vie vivante est encagée.

Nombre d'auteurs, de Jean Baudrillard à Georges Vigarello en passant par l'historienne Michèle Perrot, ont analysé l'ambiguïté de cette normalisation non plus subie mais revendiquée. Leurs travaux montrent que le souci de l'apparence ne se satisfait plus des artifices vestimentaires traditionnels (les gants, le corset, le chapeau, etc.). Les contraintes doivent être intériorisées non pas au nom du corps véritable mais d'un *imaginaire* du corps. Préoccupés par l'état de notre « patrimoine physique », exposés au regard des autres, sollicités par des modèles corporels offerts par les médias, nous entretenons souvent avec notre physique des rapports anxieux, où la haine et l'amour se mêlent.

Michel Foucault, lui aussi, avait analysé cette autocontrainte diffuse, dont le premier effet était de substituer aux interdits anciens des injonctions nouvelles mais aussi impératives. On a troqué une transcendance pour une autre. Ainsi raisonne pour sa part Georges Vigarello : « La chute des transcendances politiques, morales, religieuses renforce cette importance de la conscience corporelle : mieux s'éprouver, accroître le registre des sensibilités, ne pas vieillir[23]. » Il ajoute que l'hypertechnologie intervient pour reculer toujours plus les limites de ce remodelage physique et, du même coup, des performances sportives atteignables.

L'histoire du sport moderne peut être relue à la lumière de cet impossible fantasmé. Les ouvrages traitant de la sociologie du sport évoquent l'emprise grandissante de la technologie, de la pharmacologie et des divers dopants qui aident à dépasser le biologique. Le sport est le miroir grossissant de la technicisation générale des rapports ambigus que nous entretenons désormais avec notre corps. « La technique, écrit encore Georges Vigarello, impose son univers à l'ensemble des pratiques physiques[24]. » Le sport en est l'illustration. À la limite, il impose à chacun une reconstruction pharmacologique et machinique de soi-même. De la combinaison pour les nageurs aux chaussures des coureurs de cent mètres, du régime alimentaire calculé aux vêtements en fibres spéciales, rien n'est plus technologiquement outillé que la musculation du sportif. On n'est pas si loin du cyborg.

On cite d'ailleurs volontiers comme un symbole de cet arraisonnement le cas extrême de l'athlète sud-africain Oscar Pistorius. Amputé des deux jambes au-dessus du genou, il a été doté d'un appareillage en fibres de carbone. Cela lui a permis de courir le quatre cents mètres en quarante-six secondes et trente-quatre centièmes et de remporter une médaille d'or aux Jeux paralympiques d'Athènes en 2004. Aux Jeux olympiques de Pékin, en 2008, le comité olympique a écarté sa candidature en arguant du

23. Georges Vigarello, *Le Sain et le Malsain*, Seuil, 1993, p. 104.
24. *Ibid.*, p. 61.

fait que ses prothèses l'avantageaient. En d'autres termes, on a jugé qu'il n'était plus un humain ordinaire mais un cyborg. Technicisé, obsédé par un au-delà de la performance humaine et du spectacle, le sport est du même coup intégré dans la grande compétition marchande. Il devient l'archétype du principe concurrentiel et se trouve étroitement soumis à la logique du marché. « La compétition est le point commun entre le sport et l'entreprise, si bien que les résultats humains des sportifs se doivent d'être à la hauteur de la courbe de productivité du travail[25]. »

Cependant, ni le mythe de la beauté dénoncé par Naomi Wolf ni l'impératif de performance ne sont les seules contraintes pudibondes qui tourmentent l'individu contemporain. La perfection corporelle – inaccessible – érigée en fantasme collectif va de pair avec une autre obsession : celle de la santé parfaite. Le sociologue français Lucien Sfez fut le premier – du moins en France – à dénoncer ce mythe insidieusement culpabilisateur. À lui seul, le titre de son livre, publié en 1995 au Seuil, résumait son propos : *La Santé parfaite. Critique d'une nouvelle utopie*. Il expliquait déjà au sujet du corps et de la santé que les instances normatives n'étaient plus les Églises ni les morales traditionnelles, mais les spécialistes en biotechnologies, le corps médical et les chercheurs en général. Les commandements qui émanent de ces nouvelles « religions » ont déjà bouleversé notre conception de la santé. Elle ne se définit plus comme « la vie dans le silence des organes », pour reprendre la célèbre formule du chirurgien René Leriche (1937), mais apparaît comme un idéal que chacun doit espérer atteindre, dans la crainte et le tremblement. Sfez a réactualisé une intuition plus ancienne du grand philosophe des sciences (et de la médecine) Georges Canguilhem (1904-1995). Dans sa thèse de médecine, soutenue en 1943 et intitulée *Essai sur quelques problèmes concernant le normal et le pathologique*, il notait avec une clairvoyance inquiète : « La santé, prise absolument, c'est un concept normatif définissant un type idéal de structure et de comportement organiques[26]. »

25. Bernard Andrieu, *Les Plaisirs de la chair. Une philosophie politique du corps*, Le Temps des Cerises, 1998, p. 157.

26. Une version réduite de cette thèse fut publiée sous forme de livre, constamment réédité. Georges Canguilhem, *Le Normal et le Pathologique*, PUF, 1966, p 86.

L'adjectif «normatif» est plus que jamais d'actualité. La santé est devenue – aussi – un espace politique où s'exerce la domination. En définissant de nouvelles pathologies comme le *stress*, l'*anxiété*, ou le *burn out*; en médicalisant les inconforts et souffrances de la vie (et surtout du travail), on ramène sur le terrain du médical des protestations qui dépendaient des rapports sociaux et politiques. La souffrance individuelle devient une simple pathologie. On fortifie ainsi le «biopouvoir» mis en évidence par Michel Foucault. Il marque l'avènement de ce qu'on appelle parfois l'État thérapeutique. La domination y gagne en puissance. De nouveaux interdits sont édictés d'une année sur l'autre : le tabac, le sucre, l'alcool, les aliments gras, etc. Médiatisés à l'extrême, ils finissent par générer un sentiment d'angoisse et de culpabilité, jusque dans les sociétés qui disposent de très bons systèmes de santé. Certes, ces interdits sont justifiés en termes de santé publique; il n'empêche que leur multiplication crée un climat fait de contraintes et de tourments.

Des conduites répandues comme la scarification, le piercing, le *body art*, le tatouage, l'usage des drogues ou la pratique des sports extrêmes peuvent être interprétées comme des formes inédites de protestation contre le biopouvoir en général et la normalisation en particulier. Ainsi des artistes comme la Française Gina Pane (1935-1990) se tailladent-ils les épaules; d'autres comme l'Autrichien Otto Muell, fondateur de l'*actionisme viennois*, enduisent de boue le corps de leurs modèles ou, à l'instar de la Serbe Marina Abramovic, se transpercent les doigts avec des ciseaux et font quasiment congeler leur corps. Citons encore Chris Burden, qui s'est rendu célèbre en 1971 pour s'être fait trouer le bras, devant une caméra, par une balle tirée à moins de cinq mètres par son assistant. À la crainte diffuse du moindre risque répond une recherche forcenée de celui-ci, comme les transgressions orgiaques de jadis (carnaval, sabbat, etc.) répondaient aux pesanteurs étouffantes du moralisme religieux. C'est la thèse de Patrick Baudry, qui a mené une enquête sur cette question [27]. Aujourd'hui,

27. Patrick Baudry, *Le Corps extrême. Approche sociologique des conduites à risque*, L'Harmattan, 1991.

les mortifications les plus répandues peuvent exprimer, à travers une transgression ostentatoire, une forme de solitude, voire d'abandon. (Voir l'encadré.)

Piercings, tatouages et désaffiliation

En contact permanent avec les sans domicile fixe et les exclus, le docteur Xavier Emmanuelli fait une autre interprétation, plus pessimiste, des « signaux physiques » qu'il trouve sans cesse sur son chemin.

« Parfois c'est sur le corps, à sa surface offerte aux regards, que l'être exprime son malheur intime. Les hommes anciens étaient probablement tous tatoués mais les tatouages de nos jours ont pris une autre dimension. Certains sont décoratifs, esthétiques, ésotériques comme on les voit dans les bandes dessinées, beaucoup restent d'appartenance ; mais on en repère d'autres, nouveaux, ressemblant aux figures que l'on peut rencontrer sur les murs de nos villes et des endroits en déshérence. [...]. Ce ne sont plus là des rituels d'appartenance mais, au contraire, des ornements de désaffiliation et de souffrance de groupe, et le corps, à l'instar des murailles, se fait le témoin d'une expression anomique, d'une espèce de gribouillis qui ne peut plus être langage mais abandon. »

Xavier Emmanuelli, *Au seuil de l'éternité*, Albin Michel, 2010, p. 172.

Le plus souvent, et hors ces cas d'abandon volontaire, l'antique crainte du péché est toujours là. Elle a seulement changé de nature à mesure qu'une promesse se substituait à une autre : *non plus la vie éternelle mais la santé parfaite* (l'une et l'autre étant problématiques). Le nouveau péché consiste à se détourner, fût-ce légèrement, de cette promesse eschatologique. La terreur de la faute et de la damnation se répand. Pour y répondre, la grâce disponible n'est donc plus d'ordre spirituel mais pharmaceutique. L'augmentation démesurée de la consommation de tranquillisants, neuroleptiques, psychotropes ou anxiolytiques dans les sociétés développées en est le signe. En 2003, près de quinze millions de boîtes de Stilnox (somnifère), onze millions et demi de Deroxat (antidépresseur) et plus de huit millions et demi de Temesta (anxiolytique) ont été délivrées et remboursées en France [28].

La santé, au passage, est avalée à son tour par la société marchande.

Le corps à l'encan

La captation du corps par le marché peut aller beaucoup plus loin. Céline Lafontaine, la sociologue québécoise déjà citée à propos de la cybernétique, conduit aujourd'hui à l'université de Montréal des recherches sur la marchandisation du vivant. À ses yeux, les technosciences au service de la bio-économie ont accéléré les processus en modifiant notre approche du vivant. Le corps physique n'est plus seulement dénigré, déconsidéré, mais il est ramené au rang de « chose », dont chacune des composantes peut faire l'objet d'un calcul spéculatif. S'appuyant sur les travaux les plus récents – surtout anglo-saxons – à propos de la bio-économie, elle note l'apparition de concepts comme *biovalue* ou *biocapital*, qui témoignent à eux seuls du changement de perspective.

Après le sang humain, ce sont aujourd'hui les cellules, les tissus ou les gamètes qui font l'objet d'une compétition marchande. Elle s'effectue sous le couvert d'une « économie du don », par définition incritiquable, mais si régulièrement contournée qu'elle apparaît souvent comme un simple paravent rhétorique. Les termes couramment employés disent à eux seuls la vraie nature du phénomène : pénurie d'organes, banque de sang ou de tissus, stocks disponibles, etc. En réalité, l'ensemble du processus vital est bien sur la voie d'une commercialisation systématique. Au don d'organes succédera inévitablement la vente d'organes ; au prêt d'utérus se substituera la location de celui-ci, etc. Quant au brevetage du vivant, son extension pose déjà question.

L'évolution est d'autant plus irrésistible que l'apparition d'une médecine prédictive et régénérative a rehaussé d'un cran le niveau de la « promesse » biomédicale. Celle-ci ne se borne plus à la santé

28. *Le Monde*, 6 septembre 2004.

parfaite, elle porte sur le vieillissement lui-même, la durée de la vie, voire l'immortalité. Concernant cette dernière, sa « promesse » fait déjà l'objet d'une spéculation très rentable par le truchement de la cryogénisation (congélation spécifique) du corps humain, procédé que proposent certaines entreprises. Chez Alcor, la principale d'entre elles, la cryogénisation du corps entier est facturé cent quatre-vingt mille dollars et celle de la tête seule quatre-vingt mille.

La vie, disait-on, n'a pas de prix. Elle en aura un.

Aux États-Unis, c'est déjà le cas, et depuis longtemps. Andrew Kimbrell, le directeur du Centre pour la sécurité alimentaire (Center for Food Safety), une association de défense des consommateurs, basée à Washington, et qui a notamment bataillé contre la firme Monsanto, le constatait déjà en 1992. « Les Américains, écrivait-il, se vendent eux-mêmes de plus en plus : ils vendent leur sang, leur sperme, leurs ovules et même leurs bébés. Et, de plus en plus, les chercheurs et les entreprises font le commerce de "produits" humains, d'organes, de parties et de tissus fœtaux, de groupes de cellules, de substances biochimiques, de gènes. [...] Les prix de nos biens les plus intimes ont tellement grimpé que le marché du corps humain est en train d'exploser[29]. »

Depuis lors, l'évolution décrite par Kimbrell s'est accélérée. Or il faut bien comprendre la rupture que représente cette apparition du corps marchandise. Selon une tradition juridique très ancienne, consacrée par les principes généraux du droit, le corps humain substrat du *sujet* ne pouvait devenir *objet* de droit. Il échappait – sauf dans le cas tragique de l'esclavage – à l'appropriation et au commerce. Il n'était pas vendable. Il l'est devenu. Bien des juristes sont « pétris d'effroi », pour reprendre l'expression de Bernard Edelman, qui est à la fois philosophe et avocat. Cela ne signifie pas que la question soit simple à résoudre. Chacun de nous, en effet, veut très légitimement profiter des nouvelles techniques médicales, qui vont de la greffe d'organes à la médecine régénérative permise par la greffe de tissus dermiques, musculaires ou autres. Nous

29. Andrew Kimbrell, « Body Wars: Can the Human Spirit Survive the Age of Technology? », *Utne Reader*, mai-juin 1992, p. 62.

sommes donc tous des demandeurs sur le marché biologique. Ainsi sommes-nous écartelés entre deux préoccupations opposées : le souci humaniste de ne pas autoriser la réification du corps humain et l'envie d'en bénéficier malgré tout, si besoin est, y compris en payant ce qu'il faut. Les débats bioéthiques contemporains expriment ce tiraillement.

Le droit moderne, quant à lui, tente de s'adapter au nouveau contexte et au retour du redoutable dualisme entre la chair devenue chose et l'esprit. Il rêve d'une improbable conciliation entre l'éthique et l'utilité médicale. En témoigne le libellé de certains avis du Comité consultatif national d'éthique, comme celui du 22 juin 2006, à propos de la commercialisation éventuelle des cellules souches humaines. Il en vient à souhaiter, avec beaucoup d'idéalisme, une « régulation du marché » et une « modification du comportement des concurrents commerciaux ». On peut craindre qu'il ne s'agisse que d'un vœu pieux [30].

Le plaisir saisi par la technique

On serait tenté de se rassurer en notant que le plaisir sexuel, gratuit et renouvelable, échappe pour sa part à l'emprise de la technologie et à la pudibonderie objective qui en découle. Ce n'est plus vraiment le cas. Écrivant cela, on ne songe pas à l'antique question de la prostitution, ni aux trafics inhumains qui résultent aujourd'hui des facilités de voyage et de migration. Les tragédies liées à ce commerce de la chair sont bien réelles, mais relèvent d'une autre analyse. On pense plus modestement à deux tendances qui s'affirment : la déréalisation du sexe et son appareillage technologique. Il n'est pas interdit d'y voir autre chose qu'une toute simple et très heureuse libération.

La déréalisation du sexe est inséparable de l'extension planétaire de l'Internet. Sur le Web, les diverses statistiques disponibles pour l'année 2010 révèlent que 12 % à 15 % des sites accessibles

30. Voir Bernard Edelman, *Ni chose ni personne. Le corps humain en question*, *op. cit.*, p. 65.

sont consacrés à la pornographie et qu'un bon quart des navigations sur les moteurs de recherche, soit environ soixante-huit millions par jour, ont celle-ci pour objet. La pornographie représenterait un chiffre d'affaires annuel de 4,2 milliards de dollars à travers le monde. Une chose est sûre : l'essentiel de la consommation de pornographie se fait dorénavant sur le Web. Au sujet de cette « nouveauté », les débats habituels tournent autour de l'effet produit, notamment sur les très jeunes, par cette banalisation. On s'attarde moins souvent sur l'une de ses principales caractéristiques : elle est virtuelle, dématérialisée. La chair y est à la fois exhibée et absente.

L'activité en question participe du spectacle. Solitaire, consumériste, imaginaire, masturbatoire et tarifée, elle est à la fois dans l'immatériel et dans le marché. Le *cybersexe* correspond à une sexualité sans corps. Elle est libre, sans risque et sans relation. Comme pour bien d'autres domaines de la vie sociale, « l'image a remplacé l'expérience du corps à corps. En nous montrant des corps, l'image sollicite la vue sans parvenir à nous toucher autrement que par procuration. Voir le corps de l'autre sans être touché et sans le toucher, sans être vu en train de le voir et sans être regardé : avantage des écrans [31]. »

Quant à l'appareillage du sexe, sous diverses formes, il est perçu comme un parachèvement de la libération sexuelle. Depuis la fin des années 2000, la grande presse (féminine notamment) célèbre régulièrement la banalisation des sex-toys, c'est-à-dire des instruments destinés au plaisir, lesquels n'ont cessé de se perfectionner d'un point de vue technologique. Tout s'est passé comme si une ultime barrière avait été renversée. L'utilisation et l'anglicisation du terme qui les désigne – *sex toys* plutôt que godemichés – a grandement aidé à déculpabiliser leur usage. Lesdits instruments sont aujourd'hui sortis de « l'enfer » des boutiques spécialisées. Ils sont en rayon, et leurs usagers en vantent librement les mérites.

Leur utilisation est devenue « tendance » ; elle est le signe d'un esprit moderne, pour ne pas dire branché. Les chiffres indiquent que soixante pour cent des acheteurs sont des femmes, mais la

31. Bernard Andrieu, *Les Plaisirs de la chair*, *op. cit.*, p. 179.

part des hommes et des couples est en hausse. La nouvelle industrie a entraîné la création de revues spécialisées (comme *S'toys* ou *Sensuelle*), de sites et de blogs innombrables sur le Web, et même des jeux vidéo comme *Virtually Jenna*. Il va sans dire que ces jouets particuliers évoluent au rythme des nouvelles technologies. Ces dernières permettent un usage à distance, ou une rencontre torride, simulée avec une star. Le caractère très « porteur » de ce nouveau marché laisse prévoir une nouvelle extension et l'apparition de technologies encore plus innovantes.

Dans l'euphorie générale, rares sont ceux qui, moins enthousiastes, redoutent les conséquences plus lointaines d'une telle technicisation de l'intime. Dans ce congédiement radical de la vie vivante et de la chair, il n'est pas interdit de voir une forme inédite de pudibonderie. Après tout, des électrodes ou des implants pourraient permettre, un jour, de déclencher plus efficacement encore – et à volonté – l'orage si désiré de l'orgasme.

Y aurons-nous gagné ?

Chapitre 6

Le « savant fou » : une figure trompeuse

> « Il faut que l'homme se sente d'abord limité dans ses possibilités, ses sentiments et ses projets par toutes sortes de préjugés, de traditions, d'entraves et de bornes, comme un fou par la camisole de force, pour que ce qu'il réalise puisse avoir valeur, durée et maturité. »
>
> Robert Musil [1]

L'irruption fracassante des technoprophètes sur la scène publique a réactivé un mythe qui hante notre mémoire collective depuis l'Antiquité : celui du savant fou. Remise à jour, la figure de ce dernier peuple à nouveau la littérature de science-fiction, la filmographie, la chanson, le dessin animé ou les jeux vidéo. Seule sa physionomie a changé. Il n'apparaît plus sous les traits d'un alchimiste touillant sa forge ou d'un Cosinus manipulant ses cornues, mais comme un spécialiste des nanotechnologies rêvant de reconfigurer la matière, ou un informaticien soucieux d'arracher les humains à la prison de ladite matière. Les médias usent plus que jamais de cette référence à la « folie » qui guetterait même les plus grands savants. Aux docteurs Frankenstein, Folamour, Mabuse, Tournesol, Caligari ou Moreau d'autrefois, l'imaginaire moderne substitue des personnages plus actuels, comme le docteur Totenkopf dans *Capitaine Sky et le monde de demain*, du réalisateur Kerry Conran, le biologiste aventureux Seth Brundle du film *La Mouche*, de David Cronenberg, ou le milliardaire John Hammond, mécène inconséquent du *Jurassic Park*, mis en scène par Steven Spielberg.

1. *L'Homme sans qualité*, Seuil, 1979, t. I, p. 23.

Les thèmes évoqués dans ces œuvres de fiction ne concernent plus la quête de la pierre philosophale ni la transmutation des métaux. Ils portent sur les promesses d'immortalité *via* l'ADN, la création d'avatars virtuels ou l'insurrection de robots contre leurs créateurs humains imprévoyants. La mythologie reste toutefois de même nature. Elle décrit une transgression délibérée de la *limite*, transgression commise par un savant en proie à une ivresse de toute-puissance. Il n'est pas de thème plus actuel. En octobre 2009, l'université de Bretagne occidentale de Brest a organisé un colloque international réunissant pendant trois jours des spécialistes du sujet. Titre choisi pour cette rencontre : « Le savant fou du XIXe au XXe siècle. » À elle seule, l'organisation d'un colloque sur ce sujet faisait sens. Pour son animatrice, Marie Pellen, la figure historique du savant fou (*mad scientist*) cristallise aujourd'hui « de nombreuses peurs diffuses qui peuvent être d'ordre politique, social, religieux, économique ou idéologique et qui ont trait à la possibilité même de se définir en tant qu'humain ».

De Mabuse à Tournesol

La réapparition de cette figure en ce début du XXIe siècle était prévisible. Dans l'histoire humaine, les périodes de rupture, de mutation, de « grande peur » ont toujours provoqué une réactivation de ce mythe, adapté aux craintes et aux percées technologiques du moment. Ce fut le cas au XVIIIe siècle, avec *Les Voyages de Gulliver* de Swift (1721), roman qui décrivait les habitants de l'île volante de Laputa perdant tout sens des réalités ; ou, au XIXe siècle, avec l'*Ève future* de Villiers de L'Isle-Adam, où un génie scientifique – réplication de Thomas Edison, inventeur du phonographe (1847-1931) – faisait don à lord Ewald, pour remplacer la femme aimée, d'une créature idéale mais artificielle. Ce fut aussi le cas dans les plus sombres périodes du XXe siècle : au moment de l'hitlérisme (le *Mabuse* ou *Metropolis* de Fritz Lang) ou encore au début de l'aventure nucléaire (le *Docteur Folamour* de Stanley Kubrick).

La représentation du savant fou exprime, en négatif, les peurs spécifiques d'une époque et accompagne pas à pas les différents progrès de la science. Le « fou » en question anticipe les dérives possibles de telle ou telle découverte. On s'y réfère dans le souci à demi conscient de conjurer une crainte particulière. Pour ne citer qu'un exemple, dans le roman de Herbert George Wells, *L'Île du docteur Moreau* (1896), ce sont les progrès de la chirurgie qui sont nommément redoutés, puisque le docteur en question y fabrique chirurgicalement des créatures mi-humaines, mi-animales. Il faut noter que le « savant fou » n'est pas toujours un monstre, au sens éthique du terme. Certes, il est fréquemment une créature maléfique, pressée de mettre ses découvertes au service du mal, mais il peut aussi apparaître comme un mégalomane de bonne volonté, naïvement convaincu que son savoir scientifique fera de lui l'égal de Dieu.

Les diverses façons de le portraiturer correspondent à cette dualité. Selon les cas, il revêt ainsi l'aspect repoussant d'un pur méchant, œil noir, rictus aux lèvres et cheveux en bataille, ou, au contraire, l'apparence d'un rêveur impénitent – et comique – comme le professeur Tryphon Tournesol du dessinateur Hergé, personnage inspiré du physicien Auguste Piccard (1884-1962), promoteur du premier vol stratosphérique en ballon et inventeur du bathyscaphe. Selon les époques, le savant fou peut être criminel ou utopiste, maléfique ou généreux, dominateur ou simplement distrait. Dans tous les cas, son génie est si exceptionnel qu'il suscite un mélange compliqué d'admiration et de frayeur.

De fait, on constate depuis trois décennies une prolifération de cet archétype, *via* tous les canaux d'expression artistique imaginables. Il devient difficile de trouver une seule œuvre de fiction (film, roman, BD, manga, dessin animé, etc.) que n'habite pas, fût-ce de manière indirecte, la figure du génie devenu fou ou de l'inventeur naïf, plaçant ingénument ses connaissances au service d'une domination. La réapparition en fanfare du personnage témoigne de cette fameuse « accélération accélérante » du progrès technoscientifique, source de frayeurs nouvelles. Il souligne l'intensité de la panique contemporaine. En cela, le retour du savant fou mérite d'être pris en compte. Il faut cependant se garder de tomber dans le piège que nous tend cette figure ambiguë.

Dénoncer les dérives de la technoscience en brandissant l'archétype du « fou » revient, en définitive, à folkloriser le sujet. Ainsi circonscrit, il redevient une simple affaire de psychiatrie, de déraison individuelle. Il redit seulement une évidence : il peut exister des fous parmi les scientifiques, comme il y en a chez les militaires, les économistes ou les politiciens. L'évocation rassure, car elle contribue à édulcorer le problème. Les risques induits par la technoscience se trouvent ramenés au dérèglement d'une intelligence individuelle. Le message transmis en devient simpliste : nous devons nous méfier des chercheurs psychiquement dérangés, tout comme on se garde des gouvernants autistes, des officiers va-t-en-guerre ou des économistes cyniques. Rien de nouveau, en somme, sous le soleil du progrès.

En réalité, les choses ne sont pas aussi simples. Les dévoiements périodiques de la science et de la technique obéissent à d'autres règles qui ne sont jamais sans rapport avec la politique, l'état de l'opinion et, en dernier ressort, l'anthropologie. L'histoire contemporaine nous rappelle d'ailleurs que les prophétismes scientifiques les plus terrifiants ne furent pas toujours considérés comme des « folies » lors de leur apparition. Ce n'est qu'*a posteriori* que leurs zélateurs furent désignés comme des malades ou des apprentis sorciers. À l'origine, leurs idées et leurs projets n'avaient pas fait scandale car ils coïncidaient avec la sensibilité d'une époque. Les visées déraisonnables – et toujours à craindre – de la technoscience ne relèvent donc pas de la seule mégalomanie d'un savant nommément désigné ; ils résultent de l'arraisonnement insidieux de la science et de la technologie par une pensée dominante, c'est-à-dire une *doxa*, qui est elle-même le produit d'un rapport de forces. C'est cette dernière qui, à un moment donné, rend collectivement acceptable ce qui sera plus tard considéré à juste titre comme une véritable folie.

Pour imposer leurs vues, les promoteurs de ces idées transgressives jouent habilement sur la confusion trompeuse entre les progrès de la connaissance scientifique et l'instrumentalisation de ces derniers par un *projet* qui en dénature le sens. Ce subterfuge leur permet d'éconduire les critiques au prétexte que celles-ci relèveraient d'un «obscurantisme borné». De cette manière, la noblesse indiscutable de la Connaissance sert d'alibi aux détournements de celle-ci. Par la suite, il faut attendre que le mensonge idéologique se dissipe – ce qui est toujours long – pour que ladite entreprise soit délogée de sa prétendue souveraineté académique. Rétrospectivement, des chercheurs, des savants, longtemps encouragés voire adulés par l'opinion, apparaissent alors pour ce qu'ils étaient : de redoutables illuminés.

La science et sa contrefaçon

Ce fut le cas avec la postérité de Charles Darwin et la contrefaçon de la théorie de l'évolution opérée par les tenants du darwinisme social, interprétation promue par le sociologue britannique Herbert Spencer (1820-1903). Là encore, les circonstances historiques se prêtaient à l'opération. La parution, en 1859, de *L'Origine des espèces* intervenait en pleine période de développement industriel, de capitalisme sauvage, de lutte des classes et d'expansion coloniale. Les idées de survie du plus apte et de sélection naturelle tombaient donc à pic pour justifier l'explosion des inégalités, l'exploitation de la classe ouvrière et l'asservissement voire l'éradication de populations entières.

Ainsi le darwinisme se trouva-t-il récupéré – au prix d'une dénaturation de son propos initial – par les défenseurs du capitalisme le plus sauvage, du malthusianisme et du racisme. Charles Darwin fut donc applaudi pour ce qu'il n'avait pas écrit. Si cette distorsion de sa pensée suscita l'adhésion, c'est parce qu'elle correspondait providentiellement à l'air du temps, celui de l'Angleterre victorienne dont les romans de Charles Dickens, notamment *Les Temps difficiles* (1854), montrent la dureté. Dans son livre, Darwin disait en réalité le contraire. Pour lui, le point d'aboutissement ultime de l'évolution – c'est-à-dire l'*Homo sapiens* – voyait naître en lui une éthique et un altruisme *lui permettant de désobéir aux lois de l'évolution* en secourant les plus faibles et en permettant aux moins aptes de survivre[2]. Darwin récusait donc par avance toute idée de darwinisme social. Or cet aspect essentiel de sa pensée fut littéralement effacé du paysage.

Le même aveuglement de l'opinion occidentale se produisit à propos de l'eugénisme. Considéré comme un projet enthousiasmant au début du siècle – avec le vote des premières lois eugénistes en 1907 aux États-Unis –, il bénéficia pendant plusieurs décennies de l'approbation zélée d'une communauté scientifique quasi unanime et du soutien de l'opinion. Il fallut attendre le milieu des années 1930 et l'application intégrale de l'eugénisme par le régime hitlérien pour qu'on mesure la folie criminelle du projet eugéniste dont le Britannique Francis Galton (1822-1911) avait posé les fondements[3].

Chaque époque, chaque pays, a connu des extrapolations scientifiques de cette nature qui, sur le moment, n'étaient pas perçues comme déraisonnables. On les évoque ensuite avec effroi, en oubliant qu'elles avaient d'abord été massivement approuvées. On peut citer le cas du Français Georges Vacher de Lapouge, eugéniste radical, qui envisageait à la fin du XIXe siècle l'hybridation entre des femmes et des grands singes, afin de produire des lignées de « travailleurs robustes ». On peut aussi évoquer le Prix Nobel 1913, Charles Richet, qui proposait, lui, d'éliminer les « races inférieures » et les « enfants tarés », *en s'interdisant toute pitié* (voir l'encadré). Les exemples analogues ne manquent pas. Il faut garder ces éléments en mémoire pour ne pas se laisser aller à diaboliser sottement la science ou la technique elles-mêmes. Il s'agit au contraire de questionner la science *au nom de ses propres promesses* en faisant méthodiquement la distinction entre la science proprement dite et les pensées dominatrices, ces passagères clandestines qu'il lui arrive de porter sur ses épaules.

Les progrès de la connaissance sont une chose, l'idéologie en est une autre.

2. Patrick Tort, qui dirige l'Institut Charles-Darwin international, a consacré une bonne partie de son œuvre à démasquer cette instrumentalisation inégalitariste du darwinisme. Voir notamment son dernier livre : *Darwin et le darwinisme*, PUF, 2009.

3. J'ai abordé cet aspect de la question dans *Le Principe d'humanité*, *op. cit.*

Les délires d'un Prix Nobel

Le physiologiste français Charles Richet (1850-1935) a obtenu le prix Nobel de médecine en 1913 pour sa découverte de l'anaphylaxie, ou réaction allergique sévère. Eugéniste militant, voilà ce qu'il écrivait dans son livre *La Sélection humaine*, publié en 1919 aux éditions Félix Alcan.

« Après l'élimination des races inférieures, le premier pas dans la voie de la sélection, c'est l'élimination des anormaux. Proposant résolument cette suppression des anormaux, je vais assurément heurter la sensiblerie de notre époque. On va me traiter de monstre, parce que je préfère les enfants sains aux enfants tarés, et que je ne vois aucune utilité sociale à conserver ces enfants tarés. [...] À force d'être pris de pitié, nous devenons barbares. C'est une barbarie que de forcer à vivre un sourd-muet, un idiot ou un rachitique... Il y a de la mauvaise matière vivante qui n'est digne d'aucun respect ni d'aucune compassion. Les supprimer résolument serait leur rendre service car ils ne pourront jamais que traîner une misérable existence. »

Cité par Claire Ambroselli, *L'Éthique médicale*, PUF, « Que sais-je ? », 1994, p. 43.

Quand on entreprend de réfléchir aux dérives toujours possibles de la science et à son « idéologisation », on rencontre inévitablement la grande figure de Georges Canguilhem (1904-1995). Médecin et philosophe, normalien, grand résistant, il avait succédé en 1955 à Gaston Bachelard à la Sorbonne. Il eut pour élève Michel Foucault mais aussi Gilles Deleuze, José Cabanis ou Donna Haraway. C'est à lui qu'on doit la réflexion la plus circonstanciée sur les conditions de la connaissance et sur la question centrale des normes. Pour Canguilhem, une science ne doit pas se couper du « non-scientifique », c'est-à-dire du social, de la vie. Dans cette optique, Canguilhem dénonçait l'existence d'« idéologies scientifiques ». Pour lui, l'histoire et le déploiement de la vraie science s'inscrivent nécessairement dans une réflexion philosophique sur les valeurs et ce qu'il appelle « l'expérience de la vie ». À l'âge de la *singularité* ou du posthumanisme, on comprend pourquoi cette pensée retrouve toute sa pertinence.

Pour s'en convaincre, il suffit de relire ce qu'écrivait – déjà – Canguilhem dans les années 1950, quand il dénonçait « la prétention de la science à dissoudre dans l'anonymat de l'environnement mécanique, physique et chimique ces centres d'organisation, d'adaptation et d'invention que sont les êtres vivants. [...] Un vivant ne se réduit pas à un carrefour d'influences. D'où l'insuffisance de toute biologie qui, par soumission complète à l'esprit des sciences physico-chimiques, voudrait éliminer de son domaine toute considération de sens. Un sens, du point de vue biologique, c'est une appréciation de valeurs en rapport avec un besoin [4]. » C'est bien de la « vie vivante », sujet de ce livre, qu'il parlait. Certaines études sur Canguilhem sont aujourd'hui éditées ou rééditées, preuve que son œuvre suscite un regain d'intérêt [5].

La question des rapports entre science et idéologie nous ramène également au concept de *paradigme*, mis en avant par le philosophe des sciences américain, Thomas Kuhn (1922-1996) [6]. Le mot désigne une vision du monde, un mode de pensée cohérent, une « matrice disciplinaire », qui sont l'apanage d'une époque donnée. La science, même audacieuse et critique, échappe difficilement à l'influence du paradigme en vigueur, lequel est de nature sociologique et politique. Par vocation, elle tend à s'en affranchir mais n'y parvient jamais totalement. D'où un risque constant d'instrumentalisation et de récupération. C'était vrai hier, cela reste vrai aujourd'hui. Les utopies examinées dans les chapitres précédents témoignent d'une témérité de la technoscience parfaitement conforme au paradigme dominant, lequel, on le verra, est celui du nombre, de la compétition et de la marchandise.

4. Georges Canguilhem, *La Connaissance de la vie*, Hachette, 1952, p. 193.

5. Voir notamment le livre de Pierre Macherey, *De Canguilhem à Foucault : la force des normes*, La Fabrique, 2009.

6. Publié en 1962, le livre de Thomas Kuhn, *La Structure des révolutions scientifiques*, est devenu un grand classique de l'histoire des sciences. Constamment réédité, il est disponible en format de poche, Flammarion, « Champs », 2008.

Une « transcendance noire »

On n'est plus, à l'évidence, dans la thématique simplificatrice du savant fou. Le philosophe belge Gilbert Hottois, déjà cité dans ce livre, et lui-même devenu proche du « technoprophétisme », évoquait encore dans les années 1980 la nature parfois « religieuse » de la science, laquelle s'apparente alors, écrivait-il, à une « transcendance noire [7] ». Au XVIIIe siècle, un Vacher de Lapouge cité plus haut, défenseur décomplexé du darwinisme social, tout comme le naturaliste Ernest Haeckel, dont il préfaçait le livre, suggéraient même de remplacer la religion défaillante par une « religion » nouvelle qui serait produite par la science elle-même. Cela revenait à vendre la mèche. La science outrepasse clairement sa mission quand elle se présente comme un savoir englobant, hégémonique, seul mode d'accès au réel. Une technoscience ainsi devenue religion ou « transcendance noire » se rétrograde elle-même au rang d'une *subjectivité*. Pour asseoir ses entreprises, elle en vient peu à peu à « construire son objet », c'est-à-dire à *récuser le réel*, tout comme les apôtres du transhumanisme, dans le fil de leur raisonnement, écartent aujourd'hui la matière vivante et le corps humain.

Le plus souvent, quand les technosciences construisent *de facto* leur objet, elles le font à l'insu de l'opinion commune et parfois à l'insu d'elles-mêmes. Pensons à la biométrie et aux contrôles d'identité d'un nouveau genre qu'elle rend possibles. Pour que cette technologie fasse sens, il faut préalablement entériner une approche particulière du vivant : celle qui définit le corps humain comme un ensemble de circuits informationnels, un simple agrégat de données génétiques. Dans ces conditions – et seulement comme cela – il devient logique de coupler le fonctionnement du corps avec celui de l'informatique dont on l'a rendu proche voisin. Les hommes et les femmes se voient alors imposer des contrôles biométriques ou des prélèvements d'ADN dont on pense qu'ils suffiront à « identifier » les personnes, au sens plein du terme. Pour ce faire, il a fallu écarter toutes les dimensions de l'individualité

7. Gilbert Hottois, *Le Signe et la Technique*, Aubier, 1984, p. 152.

qui échappent, par principe, à ce réductionnisme possiblement policier. Lorsqu'on se demande si la technique contemporaine n'est pas érigée en religion séculière, c'est à des exemples de cette nature qu'il faut penser[8].

Ce n'est pas tout. La témérité transgressive d'une technologie « sans limite » participe en général d'un mythe au moins aussi ancien que la figure du « savant fou » : celui de *l'homme nouveau.* Il a servi, on s'en souvient, à justifier bien des dominations. Comme le rappelle le philosophe Jacques Ricot, « les totalitarismes du XXe siècle furent des tentatives pour modeler un homme nouveau à partir de la toute-puissance de l'éducation et du néant originaire qu'est le petit homme à son commencement[9] ». En se promettant de métamorphoser l'humain ou de lui permettre de s'autoconstruire, les tenants actuels du transhumanisme reprennent à leur compte – mais en l'élargissant – cette ambition dont la nature est métaphysique.

Abolir la mort, remodeler l'humain, améliorer ses pouvoirs : pareille visée – qui renaît périodiquement de ses cendres – présuppose un *refus délibéré des limites*, qu'il s'agisse de celles fixées par la morale, la sensibilité, la sagesse, la subjectivité, ou la nature elle-même. Un livre collectif, publié en 2008, *Les Années 1930, la fabrique de l'homme nouveau*, décrit assez bien les applications concrètes de ce « projet », aussi bien en URSS que dans l'Allemagne nazie. (On y reviendra.) Dans un contexte politique totalement différent, c'est à cette même idée que se réfère aujourd'hui, dans le domaine de la cybernétique, le titre du livre publié en 1994 chez Simon & Schuster par Michael G. Zey, directeur de l'Expansionary Institute de Morristown, dans le New Jersey : *Embrasser l'avenir. Comment les révolutions de la science, de la technologie et de l'industrie vont faire reculer les frontières du potentiel humain et remodeler la planète.*

Les nouveaux apôtres de la cyberculture, comme les contributeurs de la revue *Mondo 2000*, affirment, à l'instar de Michael G. Zey, leur volonté de refuser toute idée de limite. Nombre

8. J'emprunte cet exemple à Cécile Izoard, « Biométrie : l'identification ou la révolte », in *La Tyrannie technologique*, L'Échappée, 2007, p. 191.

9. Jacques Ricot, *Étude sur l'humain et l'inhumain*, Éditions Pleins Feux, 1998, p. 77.

d'éditoriaux invitent les lecteurs à s'affranchir « des limites de la biologie, de la pesanteur et du temps ». Faisant cela, ils cèdent à cette antique déraison que les Grecs appelaient l'*hubris* (ou *hybris*). Le Larousse donne du mot la définition suivante : « Tout ce qui, dans la conduite de l'homme, est considéré par les dieux comme démesure, orgueil, et devant appeler leur vengeance. » Pour l'essayiste Jean-François Mattei, qui a consacré un essai récent à la démesure, l'*hubris* signifie « la violence injuste, l'insolence et l'outrage, c'est-à-dire la dimension passionnelle dans les paroles comme dans les actions [10] ». Or, passionné ou pas, ce refus des limites est à l'œuvre dans la plupart des dérapages technoscientifiques contemporains. Il les rend d'autant plus redoutables.

Technoscience et domination

« La connivence entre les idéologies de la domination – avouées ou non – et le technoscientisme est peut-être le trait le plus décisif de la réalité mondiale actuelle. Moribondes ou à bout de souffle, ces idéologies trouvent dans le technoscientisme un relais inespéré : voilà un énorme appel de puissance, appuyé sur des améliorations matérielles ou des gadgets fascinants, avec un imaginaire spécifique (la science-fiction, mais aussi l'industrialisme, le technicisme et leurs variantes). Question qui se posait déjà pour le nazisme : que deviendrait l'idéologie présentement dominante sans ce relais technoscientiste ? La réponse ne fait pas de doute. »

Dominique Janicaud, *La Puissance du rationnel*, Gallimard, 1985, p. 187.

Le XXe siècle, à travers ses deux grands totalitarismes, avait connu une mise en application monstrueuse de l'*hubris*, du « passage à l'acte », pour reprendre l'expression qu'emploie Alain Badiou dans son livre *Le Siècle* (Seuil, 2005). Dans un contexte historique et politique bien différent – et à leur manière –, les technoprophètes du XXIe siècle sacrifient donc, eux aussi, à la démesure dont se défiait la sagesse grecque. L'*hubris* fait un retour

10. Jean-François Mattei, *Le Sens de la démesure. Hubris et Diké*, Sulliver, 2010.

inquiétant dans la *surmodernité* du XXIe siècle. Certes, ce n'est pas de la même façon qu'au siècle précédent, mais cette résurgence est malheureusement conforme au schéma connu, celui qui conspire à brouiller le concept même de connaissance.

L'instrumentalisation de la science tire en effet parti de découvertes et de progrès scientifiques bien réels. Ceux-là, nul ne peut les méconnaître sous peine d'obscurantisme. En revanche, c'est bien une idéologie – et non une « science » – qui, partant de là, nous invite à écarter l'idée de limite pour consentir à des innovations qui sont folles d'un point de vue éthique. Or, si la connaissance scientifique doit être respectée et prise en compte, ce n'est pas forcément le cas de l'idéologie qui s'en empare. La démesure, en elle-même, est une trahison. Les vrais scientifiques en conviennent. Elle était dénoncée en ces termes, en 1933, par le grand physicien allemand Max Planck (1858-1947) : « C'est un acte dangereux que de se débarrasser d'une obligation morale en avançant que l'action humaine résulte inévitablement des lois de la nature [11]. »

Ces réflexions épistémologiques deviennent plus claires quand on les illustre avec des exemples précis. Ils ne manquent pas. Les falsifications idéologiques de la science ont été nombreuses aux XIXe et XXe siècles. On a évoqué le darwinisme social et l'eugénisme. On voudrait s'attarder sur quelques autres exemples, moins souvent cités mais riches d'enseignements. Ils aident à mieux comprendre les mécanismes par lesquels s'opèrent – plus subtilement qu'on ne le croit – la captation dominatrice ou le rejet soupçonneux d'un vrai savoir.

Lyssenko et la « science prolétarienne »

Le cas du « lyssenkisme », d'abord promu puis imposé par le régime soviétique dans l'entre-deux-guerres, est l'un des plus significatifs, ne serait-ce qu'à cause de son enjeu théorique. Il obéit au mythe de l'*homme nouveau* que le régime bolchevik se proposait de façonner en modifiant les conditions de vie, d'exploitation

11. Max Planck, *Autobiographie scientifique. Et derniers écrits*, Flammarion, 2010.

et d'éducation des prolétaires. Les historiens ont pris l'habitude d'évoquer « l'affaire Lyssenko », mais la formule est un peu lapidaire. En vérité, loin d'être un accident de parcours, l'affaire en question se prolongea durant quarante années et bénéficia, jusque dans les pays occidentaux, d'une impardonnable complaisance.

À l'origine, en 1926, on trouve les expériences menées en Azerbaïdjan, à Ganja, par un biologiste assez obscur du nom de Trofim Denissovitch Lyssenko. (Il s'associa par la suite avec un propagandiste très actif : le philosophe Prezent.) Ces expériences avaient pour but – légitime dans cette période de grave disette – d'améliorer le rendement de certaines cultures, comme celles des céréales. Lyssenko prétendait que les semis d'hiver pouvaient être effectués au printemps ou en été, à condition d'humidifier préalablement les céréales germées, tout en les soumettant à des températures relativement basses. On voulait, en d'autres termes, triompher des contraintes du climat. C'est ce que Lyssenko – après d'autres – appelait la « vernalisation » (*Yarovizatsiya*, en russe, nom qui deviendra le titre d'une revue militante, dirigée par ce dernier).

De telles expérimentations avaient une portée qui allait bien au-delà de l'agronomie. Elles s'inscrivaient au cœur de la querelle entre d'un côté les tenants du biologiste français Jean-Baptiste Lamarck (1744-1829) et, de l'autre, ceux de Darwin et des généticiens. Lyssenko défendait « l'hypothèse selon laquelle il existerait, dans l'histoire d'une plante, certaines périodes au cours desquelles le milieu ayant été "assimilé" par la plante, les caractères héréditaires de celle-ci en auraient été modifiés [12] ». C'est ce qu'était censé permettre la vernalisation. L'adjectif « héréditaire » était le cœur du problème. Pour que la technique soit durablement utile, il fallait tabler sur la transmission par les semences des modifications qu'on leur avait fait subir. Cette hypothèse exigeait donc que l'on adhère totalement aux fameuses thèses de Lamarck sur *la transmission héréditaire des caractères acquis*, thèses largement acceptées au XVIIIe siècle, mais démenties par les découvertes ultérieures concernant l'hérédité – notamment celles du moine tchèque Gregor

12. Jaurès Medvedev, *Grandeur et chute de Lyssenko*, Gallimard, 1971, p. 65.

Mendel (1822-1884) –, puis par le darwinisme et la génétique. Tout en revendiquant l'enseignement d'un agronome soviétique de renom, Ivan Vladimirovitch Mitchourine (mort en 1935), Lyssenko se proclama « lamarckiste » résolu. Ce qui signifiait qu'il rejetait non seulement la théorie évolutionniste de Darwin mais aussi le rôle des gènes dans la transmission. La « génétique bourgeoise » se trouvait dans sa ligne de mire.

Certes, nombre de savants soviétiques de l'époque récusaient depuis longtemps le lamarckisme, mais l'audience de Lyssenko se trouva confortée par les positions résolument antidarwiniennes de Friedrich Engels (1820-1895). Au nom de l'homme nouveau, Engels avait toujours affirmé qu'en modifiant les conditions sociales on pouvait introduire chez l'humain des traits de caractère neufs, progressistes, prolétariens, et transmissibles. Il insistait dans ses écrits sur l'influence exercée par le travail sur le passage du singe à l'homme [13]. Soutenu par l'un des maîtres de Marx lui-même, Lyssenko était idéologiquement armé.

Dès 1927, il connut une grande notoriété grâce à un reportage sur ses travaux publié dans la *Pravda* par un journaliste très connu de l'époque, Fedorovitch, sous le titre « Les champs en hiver ». On y clamait que la vernalisation allait peut-être sauver l'URSS de la famine. Malgré le poids des antilamarckiens au sein de l'Académie communiste, Lyssenko bénéficia aussi du soutien déclaré de nombreux physiologistes et botanistes de l'époque, et non des moindres. Le président de l'Académie des sciences en faisait partie, de même que Nikolaï Vavilov, grand maître de la biologie soviétique. Ce dernier alla jusqu'à écrire, le 6 novembre 1933, dans les *Izvestia*, que la méthode de Lyssenko était une « découverte révolutionnaire de la science soviétique ». Par la suite, Vavilov prit ses distances, regrettant même publiquement que « la biologie soviétique se soit coupée de la science mondiale ». Ce revirement lui valut d'être arrêté en 1940 dans la campagne ukrainienne. Jugé l'année suivante pour « sabotage culturel » et « liens avec des émigrés », il fut condamné à mort, peine commuée en détention à perpétuité. Il mourra en 1943 de privations et de chagrin.

13. Dans le recueil d'articles publié en 1883 sous le titre *Dialectique de la nature*, in *Œuvres complètes* de Friedrich Engels, Éditions sociales, 1975.

Le refus du réel

« Pour suivre la logique de son inspiration matérialiste, la science soviétique se refuse [en la circonstance] à accepter les éléments qui risqueraient de remettre en question ses postulats. Les idéologies condamnent le réel qui se présente comme une réfutation. Pour y parvenir, elles utilisent tous les ressorts de la pensée pour modeler la réalité à leur goût, la transformer, l'isoler ou l'amalgamer à leur convenance. Elles se révèlent en réalité comme un pur produit de l'idéalisme qu'elles combattent avec tant de virulence. C'est-à-dire que c'est l'idéologie qui commande à la science et non la science qui contribue à la formation de l'idée. La science obéit à l'idéologie. »

Jean-Philippe Delsol, *Le Péril idéologique*, Nouvelles Éditions Latines, 1982, p. 95.

Fort de ces appuis initiaux et, bientôt, des encouragements de Staline lui-même, Lyssenko partit résolument en guerre contre les adversaires de ses thèses, qu'il ne cessait d'ailleurs de durcir en les généralisant. Ainsi, « en 1935-1936, Lyssenko et Prezent formulèrent de nouveaux principes de l'hérédité qu'ils opposèrent clairement à la théorie chromosomique généralement acceptée mais dénoncée par eux comme réactionnaire, idéaliste, métaphysique et stérile [14] ».

Le combat avait cessé d'être seulement scientifique. Les luttes de pouvoir l'emportaient progressivement sur tout le reste. Les antilamarckiens furent accusés d'exprimer un « idéalisme menchevisant » (en référence à la minorité menchevik dont les bolcheviks avaient triomphé en 1917) et de céder à des « influences bourgeoises » venues de l'étranger. Au-delà de l'homme nouveau que le soviétisme projetait de créer, l'opposition entre « science bourgeoise » et « science prolétarienne » fut vite le thème central des affrontements. Ces derniers s'envenimèrent notablement, surtout après le discours de Staline du printemps 1937, discours invitant le Parti à

14. Jean-Philippe Delsol, *Le Péril idéologique*, *op. cit.*, p. 49.

prendre des mesures «pour liquider les trotskistes et les traîtres». Du coup, la controverse sur la génétique et le «lamarckisme» se transforma en un combat global contre «les ennemis du peuple» et le «fascisme international». Rien de moins.

Le conflit avec l'Allemagne relègue au second plan les querelles entre «lyssenkistes» et généticiens, mais celles-ci reprennent aussitôt après. Elles sont même dopées par l'atmosphère de guerre froide entre l'URSS et le monde libre, qui conduit les Soviétiques à diaboliser davantage la pensée «bourgeoise». La fin des années 1940 voit le triomphe de Lyssenko, qui, malgré de nouvelles critiques formulées à voix basse, accède à tous les honneurs du régime : on lui confie la présidence de la puissante Académie des sciences agricoles (où il remplace le malheureux Nikolaï Vavilov), puis la direction de l'Institut de génétique. Il reçoit le prix Staline et devient «héros de l'Union soviétique». À nouveau désavoué quelques années plus tard par certains scientifiques audacieux, il en appelle à Staline qui s'étonne avec une fausse bonhomie : «Qui donc a osé offenser un aussi brave homme?» Lyssenko est illico remis en selle par le maître du Kremlin, et ses thèses, devenues «vérités d'État», sont imposées à tous les pays communistes et tous les PC du monde.

En URSS, les biologistes et les généticiens classiques – c'est-à-dire favorables aux idées de Darwin – sont éliminés. «En quelques mois, trois mille d'entre eux sont chassés, révoqués ou licenciés, certains sont emprisonnés ou déportés. L'enseignement est expurgé. Des instituts de recherche sont fermés. La génétique est pratiquement interdite dans le pays. Seuls quelques foyers de généticiens parviennent à survivre, mais clandestinement [15].»

Influencé par Lyssenko, le régime met alors en œuvre des projets extravagants dans le but proclamé de transformer la nature en transplantant des cultures du Sud vers le Nord, jusqu'à tenter d'y faire pousser des oranges, des citrons, des olives et même des cacaoiers. Devenu héros national, Lyssenko voit des statues érigées en son honneur tandis que des chansons populaires célèbrent ses prouesses. Après 1956, la déstalinisation consécutive au «rapport

15. Claude Marcil, «L'affaire Lyssenko», *Agence Science-Presse*, Montréal. Consultable à l'adresse suivante : http://www.sciencepresse.qc.ca/scandales/lyssenko.html

Khrouchtchev » n'entame durablement ni sa popularité ni son influence. Manœuvrier hors pair, Lyssenko parvient à regagner les faveurs de Khrouchtchev dont il devient un intime. Il faudra attendre l'année 1964, et un discours accusateur du physicien dissident Andreï Sakharov (1921-1989) devant l'Académie des sciences, pour que l'aberration scientifique du « lyssenkisme » soit enfin reconnue et le truquage des expériences correspondantes démontré. Sakharov, il est vrai, n'avait pas hésité à déclarer, sous les applaudissements, que Lyssenko et ses amis « portaient la responsabilité de cette abominable et douloureuse période de l'histoire de la science soviétique, qui heureusement touche à sa fin ».

Pour le champion de la vernalisation, c'est la fin. Démis l'année suivante de ses fonctions, Lyssenko mourra oublié, à Kiev, en 1976, laissant derrière lui un fils qui défendra obstinément la validité des thèses paternelles.

En Europe, les compagnons de route du communisme n'avaient pas manqué de faire de même, et avec flamme. Dans sa préface au livre de Jaurès Medvedev, le biologiste et Prix Nobel Jacques Monod (1910-1976) écrit au sujet de Lyssenko qu'il n'a jamais oublié « les manifestations délirantes auxquelles donnèrent lieu, dans une partie de l'intelligentsia de gauche et de la presse française, la publication des documents relatifs à l'affaire ». Il rappelle que le défenseur le plus véhément de Lyssenko fut Louis Aragon qui, en 1948, publia un article lyrique dans la revue *Europe*, article où il qualifiait les attaques contre Lyssenko comme « l'effet des vestiges de la bourgeoisie en URSS ». D'autres intellectuels de renom, comme Jeanne Lévy, professeur à la faculté de médecine de Paris, le philosophe Jean-Toussaint Desanti ou le médecin Arthur Kriegel lui emboîtèrent le pas, tandis que plusieurs autres scientifiques, pourtant proches du PC, observaient un silence gêné. Desanti, pour ne citer que lui, avait accepté de cosigner dans *La Nouvelle Critique* un manifeste benoîtement intitulé « Science bourgeoise et science prolétarienne : deux sciences existent mais seule la science du peuple est porteuse de vérité [16] ».

16. Article évoqué dans la remarquable émission « La Fabrique de l'histoire » qu'Emmanuel Laurentin a consacrée à l'affaire Lyssenko sur France Culture le 18 novembre 2008.

Obéir à la nature ou la dominer ?

On comprend pourquoi il serait trop commode de ramener cette longue affaire Lyssenko aux extravagances d'un savant fou. Le promoteur de la vernalisation protégé par Joseph Staline puis par Nikita Khrouchtchev n'était pas fou, loin s'en faut. Ses entreprises n'étaient que le prolongement d'une certaine approche du réel et de la vie, le produit d'un *paradigme* assujetti à une idéologie particulière, en l'occurrence le *socialisme scientifique* théorisé par Engels. La conviction centrale était *celle d'une malléabilité infinie de la réalité et du vivant*, laquelle impliquait qu'on se libère de toute référence à la *nature*. La création d'un homme nouveau participait d'un volontarisme antinaturel. Quant à la fameuse transmission des caractères acquis, idée empruntée à Lamarck, elle permettrait de pérenniser l'humanité nouvelle ainsi advenue.

L'*Homo sovieticus* serait le fruit d'un remodelage, d'une *construction* à la fois sociale et scientifique. On postulait qu'en changeant les conditions externes on pouvait faire apparaître des mutations bien définies et, donc, infléchir l'hérédité elle-même. Par des moyens différents, la vernalisation poursuivait le même objectif que les modifications génétiques d'aujourd'hui, qui visent à doter les OGM de qualités particulières et « ajoutées » à la nature. Dans l'URSS de l'après-guerre, on se faisait fort de transformer ainsi les plantes au point de faire pousser des orangers sur le lac Balaton, en Hongrie, comme s'y essaya le gouvernement hongrois, sous l'influence du lyssenkisme et sous l'injonction de Staline. Il s'agissait d'exploiter, sur une grande échelle, une fragile opportunité offerte par le microclimat de la région. L'agronome chargé du projet avait eu l'impudence de manifester quelques doutes. Il fut froidement condamné pour sabotage [17]. Si une telle transgression des réalités hivernales était imaginable après remodelage des plantes, alors rien n'interdisait de modifier l'homme lui-même en libérant sa descendance des contraintes « faussement naturelles » de l'évolution.

17. *Les Orangers du lac Balaton* est le titre d'un livre de Maurice Duverger publié au Seuil en 1980, et dans lequel l'auteur ironise sur le pouvoir de fascination de l'idéologie soviétique.

Notons à ce propos que le refus du darwinisme par Lyssenko et les siens portait sur un point idéologiquement très sensible : la « prétendue » concurrence au sein d'une même espèce. Pour les « lyssenkistes », une âpre compétition se manifeste bien dans le cadre du processus de sélection naturelle, mais *seulement entre espèces différentes*. Prétendre le contraire revenait à exprimer un point de vue « bourgeois ». Dans un article publié en 1947 dans la *Literaturnaya Gazeta*, Lyssenko réaffirmait ce point de vue en écrivant au sujet des tenants darwiniens de la « science bourgeoise » : « Grâce à la prétendue concurrence intraspécifique, cette "loi éternelle de la nature" qu'ils ont forgée de toutes pièces, ils essaient de justifier la lutte des classes, l'oppression des Noirs par les Blancs[18]. »

La condamnation idéologique, loin d'être une « folie », visait non point le darwinisme lui-même mais l'interprétation qu'en donnèrent effectivement les théoriciens du darwinisme social cités plus haut. Une pure idéologie en récusait finalement une autre ; toutes deux prétendant se parer des attributs de la science. On ne saurait trouver meilleur exemple de l'interpénétration toujours recommencée, toujours menaçante, toujours tentante, entre une théorie scientifique et un *paradigme* particulier.

Qu'on ne s'y trompe pourtant pas. Dans ces querelles, la représentation qu'on se fait du réel est fluctuante. L'ambition démiurgique qui nourrit le mythe de l'homme nouveau conduit ses promoteurs tantôt à s'affranchir de toute référence à l'idée de *nature*, de *lois naturelles*, ou de *réalité vivante*, tantôt à invoquer ces dernières pour légitimer la dureté d'une domination. Sur ce point, le cas du nazisme, sempiternellement évoqué quand il s'agit de dénoncer une barbarie scientifique, est plus ambigu qu'on ne le croit.

À lire les textes de ses théoriciens, l'hitlérisme donne l'impression de balancer sans cesse entre un ralliement proclamé aux « impitoyables » lois de la nature et une volonté de combattre ces dernières grâce à la toute-puissance de la volonté humaine. Sous la plume de Hitler, on trouve par exemple des propos assez proches

18. Cité par Jaurès Medvedev, *Grandeur et chute de Lyssenko*, *op. cit.*, p. 140.

d'un darwinisme social radicalisé : « Les richesses, par la vertu d'une loi immanente, appartiennent à celui qui les conquiert. [...] Ceci est conforme aux lois de la nature. [...] La loi de sélection justifie cette lutte incessante en vue de permettre aux meilleurs de survivre. » Hitler s'en prend aussitôt après au christianisme, qu'il assimile à une « rébellion contre la loi naturelle », laquelle ne peut qu'aboutir à « la culture systématique du déchet humain [19] ».

En revanche, Arthur Rosenberg (1893-1946), l'un des principaux théoriciens du nazisme, qui fut condamné à mort à Nuremberg en 1946, défendait un point de vue opposé. Pour lui, il fallait remodeler la nature plutôt que s'y conformer. Dans son principal ouvrage, *Le Mythe du XXe siècle*, Rosenberg définissait « l'âme luciférienne » des Aryens comme une capacité de s'arracher au royaume de la nature pour le dominer en le recréant. « L'essence germano-dynamique, ajoutait-il, ne se manifeste nulle part par l'évasion du Monde, mais signifie enlèvement du Monde, lutte. Et ceci de deux façons : de façon religieuse – artistique – métaphysique et, empiriquement, de façon luciférienne [20]. »

La nature, au fond, est convoquée ou congédiée selon les circonstances. Dans tous les cas, on affirme se conformer à la plus grande rigueur scientifique. En cela, le national-socialisme fut bien un avatar monstrueux du scientisme. Ce n'est pas pour rien qu'il séduisit, à ses débuts, une fraction notable des grands savants allemands. De fait, nombre de Prix Nobel de science allemands des années 1930 – du chimiste Carl Bosch au biologiste Adolf Butenandt, en passant par le physicien Werner Heisenberg, et bien d'autres – apportèrent un concours empressé au régime hitlérien [21].

Sans se risquer à la moindre comparaison, force est de reconnaître que la même ambiguïté se manifeste aujourd'hui chez les tenants du transhumanisme au sujet du concept de nature. La nature humaine est congédiée, moquée, dénoncée quand il s'agit de

19. Adolf Hitler, *Libres propos sur la guerre et la paix, recueillis sur l'ordre de Martin Bormann*, Flammarion, 1952, p. 51.

20. J'emprunte cette citation à Jean-Philippe Delsol, *Le Péril idéologique*, *op. cit.*, p. 143.

21. J'ai consacré un développement à cette question dans *Le Principe d'humanité*, *op. cit.*

s'opposer, en son nom, à des transgressions «posthumaines». On se réfère à Nietzsche ou à Foucault pour expliquer que «l'homme peut faire ce qu'il veut de lui-même». À l'inverse, on invoque la «nature» pour défendre les lois de l'évolution et promouvoir une contrefaçon de la pensée de Darwin. De la même façon, pour les tenants du «tout génétique», le déterminisme des gènes est une réalité «naturelle» à laquelle nous devrions, de gré ou de force, nous conformer. Nous n'aurions pas le choix.

L'homme-singe d'Ivanov

Dans d'autres circonstances, le même mythe de l'*homme nouveau* a poussé des scientifiques reconnus vers des entreprises plus échevelées encore que celles de Lyssenko. On pense aux tentatives d'hybridation entre l'homme et l'animal, et aux «folies» suggérées au XIXe siècle par Vacher de Lapouge. Il faut le savoir : la création de *chimères*, c'est-à-dire d'être vivants à mi-chemin entre l'homme et le grand singe, *a bel et bien donné lieu à des programmes expérimentaux financés par des États*. Jusqu'à une date récente, ces tentatives étaient peu citées et même à peu près oubliées. Seules quelques publications marginales ou des fanzines comme le périodique américain *Fate Magazine*, spécialisé dans le paranormal, en faisaient état. Ces journaux n'étant pas jugés crédibles, leurs rappels historiques ne passaient pas la rampe de l'opinion. Ce n'est plus le cas après la diffusion, le 2 décembre 2009, par la chaîne culturelle franco-allemande Arte, d'un étonnant documentaire réalisé par Boris Rabin et intitulé *La Fabrique de l'homme soviétique*. Ce film confirme sur bien des points les informations contenues dans un long article publié en 2005 par *Fate Magazine*.

On y apprend que, dès le début de la révolution d'Octobre, des scientifiques russes, fervents défenseurs de l'eugénisme (comme, à l'époque, leurs homologues occidentaux), défendent l'idée d'une amélioration physiologique de l'homme. C'est le cas de Nicolaï Kolstov, savant de premier plan qui dirige l'Institut de biologie expérimentale de Moscou. Dans ce but, on imagine plusieurs procédés parmi lesquels la transfusion sanguine intégrale, prônée par un chercheur qui est aussi un auteur de science-fiction : Alexandre Bogdanov. Kolstov, cependant, est hostile aux expériences d'hybridation sur les humains car il les juge prématurées.

C'est en 1924 qu'un zoologue russe franchira le pas. Il s'agit d'Ilya Ivanovich Ivanov, connu pour ses travaux sur les animaux – il est parvenu à créer un hybride de zèbre et de cheval –, et sa pratique de l'insémination artificielle des bovins. Sous le régime tsariste (il est né en 1870), il avait déjà songé à croiser un humain et un grand singe. En 1910, il avait fait une conférence au Congrès mondial de zoologie à Graz en Autriche au cours de laquelle il avait soutenu la possibilité d'obtenir un tel hybride par le biais de l'insémination artificielle. À l'époque, l'influence morale de l'Église orthodoxe russe, alors toute-puissante, l'avait conduit à renoncer à ce projet. L'athéisme de l'idéologie soviétique le libérera de cet obstacle, et son projet sera – discrètement – accepté en hauts lieux, notamment par le puissant Nikolai Petrovitch Gorbunov, chef du Département des institutions scientifiques. Il est vrai que l'armée s'intéresse à ces futures chimères afin de tester l'efficacité de certaines armes chimiques, et que le régime lui-même envisage d'en faire des sous-prolétaires en leur confiant les tâches les plus périlleuses.

Si l'on en croit le réalisateur du documentaire d'Arte, Ivanov obtient une subvention de quinze mille dollars pour organiser une expédition en Afrique, plus précisément en Guinée française. Il s'y rend avec son propre fils en 1926. Son intention est de capturer des chimpanzés mâles et de recruter des femmes africaines acceptant de se prêter à l'expérience. Les sites choisis sont celui de la métropole régionale de Kindia (Guinée maritime), au pied des premiers contreforts du Fouta-Djallon, et les jardins botaniques de Conakry. Notons qu'Ivanov obtient pour cela l'accord explicite des autorités coloniales françaises. L'époque, il est vrai, est en plein consensus eugéniste, et le projet ne choque personne, à l'exception des institutions religieuses.

Cette première expédition est un fiasco. D'une part la capture des chimpanzés est si difficile que seuls une dizaine de mâles et deux femelles sont attrapés ; d'autre part aucune femme guinéenne n'accepte de se porter volontaire. Changeant de stratégie, Ivanov insémine alors deux femelles avec du sperme humain (sans doute celui de son fils), mais la plupart des animaux meurent durant le voyage de retour ou quelques semaines après leur arrivée. Ivanov ne se décourage pas pour autant et décide de poursuivre ses expériences à Soukhoumi, sur les bords de la mer Noire, où se trouve un institut de primatologie. Il tente cette fois de solliciter des femmes soviétiques que l'on décide d'appeler « collaboratrices préposées aux fonctions spéciales ». Cette tentative échoue elle aussi, et il n'y en aura pas d'autres. Au début des années 1930, le climat idéologique change, et Ivanov en fait les frais. Il faut dire qu'en URSS comme en Europe les barbaries nazies ont conduit à jeter un regard plus circonspect sur l'eugénisme en général et l'hybridation humaine en particulier. Le régime soviétique ne veut plus rien avoir de commun avec l'hitlérisme. En outre, sous la pesanteur policière du stalinisme, l'utopie de l'*homme nouveau* n'est plus vraiment à l'ordre du jour. C'est désormais l'obsession répressive qui prévaut. Le KGB omniprésent, les déportations de masse et le Goulag l'emportent sur le rêve des « lendemains qui chantent », rêve dont l'*homme nouveau* faisait partie.

Dans ce contexte changé, Nikolai Gorbunov, le protecteur officiel du zoologue, a perdu l'essentiel de son pouvoir. Le 13 décembre 1930, Ivanov est arrêté. On l'accuse – c'est classique – de vouloir restaurer le capitalisme en URSS. Il est condamné au Goulag, peine commuée en cinq années d'exil à Alma Ata au Kazakhstan. Il y travaillera pour l'institut vétérinaire jusqu'à sa mort, le 20 mars 1932. C'est le célèbre physiologiste russe Ivan Pavlov (1849-1936), Prix Nobel de médecine en 1904, qui rédigera sa notice biographique. On notera que Pavlov, l'inventeur du *réflexe conditionné* (ou *conditionnel*) du « chien de Pavlov », n'avait pas ménagé quant à lui ses critiques à l'endroit du communisme. Sa notoriété – et son refus de quitter la Russie – lui valurent toutefois d'être laissé en paix par le pouvoir soviétique.

Si l'on veut une preuve supplémentaire de la puissance de la politique sur le jugement que l'opinion dominante porte sur les expérimentations menées à une époque donnée, il faut ajouter à ce récit deux « détails » révélateurs. Dès 1927, certains journaux de l'émigration russe en Occident, notamment la *Russkoye Vremya*, avaient publié des articles dénonçant comme « choquantes » les expérimentions menées en URSS par Ivanov. Or, à l'époque, personne ne s'en était ému en Europe, où l'intelligentsia voyait d'un œil favorable la révolution soviétique. À l'inverse, après la chute du communisme, on a découvert dans les archives soviétiques un rapport d'évaluation des projets d'hybridation menés par Ivanov, rapport daté de 1929. Pour les rédacteurs du rapport, ces projets étaient d'une « grande importance scientifique[22] ».

Bien que toutes ces expériences aient échoué, elles ont enflammé les imaginations. Aujourd'hui encore, des récits plus ou moins fantasmagoriques sont diffusés – sur le Web comme en librairie –, qui font état de témoignages aussi troublants qu'incertains, comme peuvent l'être ceux qui concernent les OVNI. Citons le livre publié en 1974 chez Plon par le zoologiste belge Bernard Heuvelmans et le chercheur russe Boris F. Porchnev, *L'Homme de Néanderthal est toujours vivant*. Dans cet ouvrage les auteurs affirment produire le témoignage d'un ancien *zek*, réchappé du Goulag, qui aurait été puni pour avoir refusé de conduire des expériences d'insémination de femmes avec du sperme de singe. On y laisse entendre que certaines prétendues apparitions de l'homme des neiges, le Yéti, pourraient être en rapport avec ces tentatives d'hybridation.

Citons encore l'article, très sérieux celui-là, publié le 7 juin 2005 par Jeremy Rifkin dans le *Los Angeles Times*. Rifkin y dénonce les « faveurs » *dont jouirait à nouveau, dans les milieux scientifiques américains, la création de chimères issues de l'hybridation humain-animal*. Il conclut qu'en admettant la chose techniquement possible il faut « tirer un trait » sur ce type d'expérimentation et interdire toute recherche supplémentaire visant à la création de ces chimères. Le point de vue est sage. Il n'empêche qu'on peut mettre en doute l'efficacité d'une telle prohibition juridique à un moment de notre histoire dominé par la vulgate du « sans limite », où les

22. Cité par Paul Stonehill, *Fate Magazine*, avril 2005. On peut consulter une traduction en français de cet article-dossier par Jean-Luc Drevillon sur le site suivant http://www.paranormal-fr.net/forum/viewtopic.php?f=3&t=2486&view=previous

arbitrages décisifs sont rendus moins par l'éthique ou le droit que, mécaniquement, par… les lois du marché.

À la fin des années 1990, le sociologue français Jean-William Lapierre (1921-2007) pointait déjà cette impossibilité de principe. « La force de l'idéologie scientiste dominante, écrivait-il, est telle que, même si les recherches [de ce type] étaient légalement interdites et privées de financement public, elles seraient poursuivies clandestinement avec le soutien financier de diverses entreprises ou mafias privées, intéressées par la puissance ou le profit qu'elles pourraient en tirer[23]. » La chose est encore plus vraie aujourd'hui.

Où va la science « démocratique » ?

Toute la question se ramène donc au statut réel de la science dans la *surmodernité*. Comme d'autres scientistes avant eux, les technoprophètes contemporains avancent leurs hypothèses – et leurs songeries – en s'abritant derrière un bouclier rhétorique : les résistances qu'on leur oppose, répètent-ils, témoigneraient d'un obscurantisme affligeant. Les « adversaires de la science » – qu'il s'agisse des fondamentalistes religieux ou des passéistes de toute obédience – n'accepteraient pas la marche en avant de la connaissance humaine, ni même le « progrès » scientifique. L'argument fait mouche. Il existe, en effet, nombre d'adversaires bornés de la science. Que l'on songe aux créationnistes américains ou aux « vieux croyants » russes. Plus grave : une diabolisation plus diffuse de la science se développe dans nos sociétés, et jusque dans les universités, où les filières scientifiques sont moins prisées qu'autrefois. Tout se passe (voir l'encadré) comme si le scientisme « sans limite » et l'obscurantisme s'affrontaient au final comme des jumeaux de comédie, des jumeaux placés en miroir, l'un justifiant l'autre et réciproquement.

23. Jean-William Lapierre, *Esprit*, mars-avril 1999.

Arrogance scientiste et obscurantisme frileux

« Ériger “la science” en une idole qui peut tout, sait tout et a tous les droits ; ou faire d’elle une entité diabolique coupable de tous nos maux : deux démarches aussi irrationnelles l’une que l’autre. La première ne fait pas plus de cas que la seconde des leçons des sciences authentiques, passées et présentes : prudence, rigueur qui s’adapte à son objet, esprit analytique et critique, modestie de la pensée. Le scientisme arrogant et le délire antiscientifique se renforcent mutuellement, chacun semblant – à courte vue – donner raison à l’autre. »

François Lurçat (physicien, professeur émérite à l’université Paris-XI), *L’Autorité de la science*, Cerf, 1995.

En théorie, le problème de l’instrumentalisation totalitaire de la recherche scientifique ne devrait plus se poser. Dans nos sociétés démocratiques, la recherche est sans doute influencée par les *paradigmes* en vigueur, mais elle n’a plus à redouter d’être inféodée à une idéologie, comme c’était le cas en URSS ou dans l’Allemagne hitlérienne. Ne répète-t-on pas depuis plusieurs décennies que les idéologies en tant que telles ont disparu ? Dans les faits, on l’a vu, la situation n’est pas aussi claire. Les liens entre les technoprophètes et le monde du business sont si étroits qu’on n’est pas loin de la sujétion idéologique. C’est le cas pour la cyberculture, le transhumanisme, le mouvement extropien, la convergence des technologies, etc. Au bout du compte, on peut se demander si la recherche scientifique elle-même n’a pas changé de nature, à telle enseigne qu’il ne serait plus absurde d’établir un parallèle prudent avec l’instrumentalisation d’autrefois. Si tel était le cas, alors nous pourrions être confrontés à des formes – mutantes – de « lyssenkisme ».

L’inquiétude est partagée par un nombre croissant de scientifiques ou de philosophes des sciences. Ces derniers s’alarment devant la captation renforcée de la science par des logiques dominatrices qui ne sont plus celles de la recherche libre et de la connaissance universelle. Privatisation, brevetabilité des découvertes, quête de marchés, domination de l’utilitarisme commercial, médiatisation désordonnée des chercheurs, inculture généralisée, fragmentation des savoirs : ces mille et une dérives s'additionnent aujourd'hui. Elles méritent d'être questionnées, mais *au nom de la science elle-même*, car elles en ruinent les *promesses*.

Dans un livre percutant, publié au début de l'année 2009 sous le titre interrogatif *La Science à bout de souffle ?*, un jeune généticien grenoblois, Laurent Ségalat, recense méthodiquement la plupart des dérives qui ont d'ores et déjà transformé le fonctionnement effectif de la recherche et dégradé le statut de la science moderne. Son propos, volontairement pamphlétaire, recoupe certaines analyses déjà formulées par d'autres scientifiques, comme le physicien Jean-Marc Lévy-Leblond, le mathématicien Olivier Rey ou le philosophe des sciences Bruno Latour. Un de ces dévoiements coïncide étrangement avec celui qui bouleverse de fond en comble notre rapport au droit en général et au droit social en particulier : la « gouvernance par les nombres », c'est-à-dire le délire calculateur[24].

Pour Ségalat, le fonctionnement quotidien de la recherche scientifique est largement gouverné et même surdéterminé par cette même obsession du quantifiable. La quantité tend à l'emporter sur la substance. Le nombre des articles publiés dans les revues scientifiques, puis le total de leurs référencements deviennent plus importants que leur contenu. C'est ce *nombre* qui permettra d'obtenir des crédits. Ainsi le rêve des jeunes chercheurs est-il moins de faire de vraies découvertes que de publier le plus souvent possible dans une revue prestigieuse. Ils pourront alors les mentionner sur leur CV, à la manière des mannequins qui archivent dans leur press-book les couvertures de magazine qu'elles ont pu « faire ». À un collègue, ces chercheurs diront qu'ils ont « fait » un *Nature* ou un *Lancet*, sans besoin de s'attarder sur le sujet traité. « Jadis, écrit Ségalat, publier était l'aboutissement d'un travail de recherche ; maintenant cela devient le but. [...] Le saucissonnage est devenu une pratique courante : d'un article, on en fait trois, pour faire tourner le compteur. Système ahurissant qui conduit à ce que, dans

24. Voir plus haut, chapitre 2 : « Les droits humains sur le marché ».

certains laboratoires, on écrive les articles avant d'avoir fait les expériences[25]. »

On aurait bien tort de n'y voir qu'une anecdote sans portée. Elle montre au contraire que les règles nouvelles – et souvent médiocres – qui gouvernent l'air du temps pénètrent jusque dans les laboratoires et les centres de recherche. Il en va ainsi pour la tendance générale à la vedettisation – on dit maintenant « pipolisation » – qui a déjà subverti le débat politique et gagne maintenant le territoire de la science. L'auteur du livre cité plus haut s'étonne que personne ne se soit ému de voir apparaître des pages « pipoles » dans les deux publications scientifiques de haut niveau que sont la revue britannique *Nature* et son homologue américaine *Science*. Cette course à la célébrité pousse de plus en plus de chercheurs à mettre en scène leurs découvertes (vraies ou fausses) dans les médias du monde entier, au risque d'y faire naître des malentendus et de fausses espérances.

Les nouveaux vertiges de la technoscience

Ces logiques plutôt perverses interviennent désormais non plus seulement au stade des résultats, mais bien, en amont, au moment où sont proposés, choisis et financés les grands programmes de recherche. On tend à donner la préférence à ceux qui sont susceptibles de générer des profits ou, en tout cas, des résultats à court terme. Là aussi le « temps court » l'emporte sur le « temps long », sans compter les effets de mode qui fluctuent et jouent un rôle indéniable dans l'acceptation des projets. Rien d'étonnant, dans ces conditions, à ce que le énième projet de recherche sur les nanotechnologies – très à la mode – trouve plus facilement des crédits qu'un programme concernant telle maladie endémique dans l'hémisphère Sud.

Ajoutons que ce climat de course folle et de compétition à courte vue favorise, comme dans l'univers des médias ou celui

25. Laurent Ségalat (généticien, directeur de recherche au CNRS), *La Science à bout de souffle ?*, Seuil, 2009, p. 26.

de la Bourse, des comportements mimétiques. Ce qui s'est révélé «payant» pour un chercheur sera imité par ses collègues[26]. En anglais, le phénomène est appelé *herding*. Comme les traders des marchés financiers, les chercheurs entrent dans un jeu d'imitations croisées, de recopies incessantes, de conformisme calculateur, autant de tropismes qui sont sans grand rapport avec ce qu'on n'ose plus appeler l'«esprit scientifique».

Un physicien de renom, Dominique Pestre, directeur d'études à l'EHESS (École des hautes études en sciences sociales), dénonce quant à lui une autre dérive, pernicieuse à long terme pour la science elle-même : l'appropriation privée des découvertes par le truchement des brevets. Depuis le début des années 1980, explique-t-il, les conditions d'éligibilité pour le dépôt des brevets n'ont cessé d'être élargies. Aujourd'hui, on peut breveter – c'est-à-dire s'approprier – à peu près n'importe quoi. Le phénomène a pris une telle ampleur que des juristes américains l'assimilent à un nouveau mouvement d'*enclosure*. «Ils veulent signifier par là que cette législation est radicale et qu'elle permet une privatisation du “bien commun des esprits” (la science publique) qui répond, à plusieurs siècles de distance, à celle du bien commun qu'était la possession de la terre dans l'Angleterre du début de l'époque moderne[27].» Or il faut se souvenir qu'aux XVIe et XVIIe siècles, le mouvement d'enclosure en Grande-Bretagne, tout en se révélant efficace sur certains points, avait eu des conséquences catastrophiques en termes d'inégalités sociales. En supprimant l'accès aux «champs ouverts» (*openfields*) les enclosures favorisaient les grands propriétaires terriens et mettaient fin aux droits d'usage des communs, dont le sort de nombreux paysans dépendait.

En privatisant les découvertes scientifiques, en les soustrayant au «monde commun», le nouveau mouvement d'enclosure pénalise directement la recherche en rendant inaccessibles, ou du moins monnayables, certains acquis nécessaires aux avancées de la connaissance. Pour les néolibéraux, la privatisation est désignée

26. *Ibid.*, p. 56.
27. Dominique Pestre, *Science, argent et politique. Un essai d'interprétation*, INRA éditions, 2003, p. 100-101.

comme la meilleure incitation au progrès. Elle risque d'apparaître au final comme un traitement létal dont la science, en tant que telle, fera les frais. Le risque est d'autant plus grand que, dans le même temps, les grandes universités, surtout américaines, sont devenues financièrement tributaires des grandes entreprises privées. Du coup, elles ont quasiment abandonné leur vocation de «pourvoyeuses de science ouverte», c'est-à-dire d'un bien public, pour devenir de simples actrices du développement industriel. Ces liens ambigus entre le monde universitaire et celui des affaires sont apparus au grand jour au moment de la crise financière de septembre 2008. Le doyen de la prestigieuse Colombia University Business School, Glenn Hubbard, ancien conseiller économique de George Bush, a publié des articles enflammés pour défendre la dérégulation de la finance, avec laquelle il est soupçonné d'entretenir des liens profitables. À l'université Harvard, le chef du département d'économie recommande aux chercheurs de ne pas déclarer les revenus supplémentaires que leur procurent les missions qu'ils effectuent pour les acteurs financiers [28].

L'expression technoscience renvoie précisément à toutes ces mutations qu'on est en droit de juger désastreuses. Pour certains philosophes des sciences, elles expliquent qu'en dépit du nombre de chercheurs au travail dans le monde – il est évalué à six millions – la recherche scientifique piétine trop souvent. C'est notamment vrai en médecine où la lutte contre les grandes maladies marque le pas et où de nouveaux fléaux comme la résistance aux antibiotiques ou la mutation des virus laissent nos sociétés à peu près désarmées. Sans compter le nombre grandissant d'égarements qui – comme la maladie de la «vache folle» – suscitent périodiquement des frayeurs collectives. Ce point de vue est partagé par le philosophe et physicien Jean-Marc Lévy-Leblond qui, depuis longtemps, juge sévèrement le manque de créativité et de dynamisme de la recherche contemporaine. Il attribue cette (relative) langueur à une certaine déculturation de la science en général et des scientifiques en particulier.

28. Ces dérives sont mises en lumière dans le documentaire de Charles Ferguson, *Inside Job*, diffusé en France à l'automne 2010.

L'univers scientifique, écrit-il, s'est progressivement coupé de la culture, c'est-à-dire du partage d'une tradition vivante et collective. Il s'est du même coup enfermé dans un cléricalisme appauvri [29]. « Le physicien, biologiste ou chimiste du début du XXIe siècle ne connaît guère que les travaux proches des siens et ses antécédents immédiats. [...] Au bilan, les chercheurs ne connaissent ni l'histoire de leur discipline, ni ses problèmes épistémologiques, sans parler de ses dimensions sociales, économiques et politiques [30]. » Cela signifie qu'en renonçant à ses propres principes la science moderne, dénaturée en technoscience, a pris le chemin exactement inverse de celui que montrait Max Planck en 1933.

Aussi pertinentes soient-elles, ces remarques critiques ne doivent pas nous faire céder à la nostalgie d'un âge d'or de la science. Il n'a jamais existé. En revanche, elles nous rappellent que les rapports qu'entretient une société humaine avec la science sont nécessairement « sous tension ». Ils doivent l'être. En d'autres termes, la rationalité scientifique doit être continûment questionnée sur les buts qu'elle poursuit et les méthodes qu'elle emploie. Cela exige qu'elle « entre en culture » (ce qui n'est pas le cas aujourd'hui) et « s'ouvre à la démocratie » (ce qui n'est pas le cas non plus). Faute de cela, la technoscience n'est plus qu'un appendice utilitaire de la société marchande, et « le style entrepreneurial du monde des affaires pénètre le monde libre de la connaissance [31] ».

En se soumettant docilement à la loi du profit, la technoscience accepte d'être inféodée à une idéologie qui, à la différence de celles du passé, répugne à s'avouer telle. Après le fantasme d'une « science bourgeoise », qui obsédait Lyssenko dans les années 1950, nous risquons de voir émerger, pour de bon, une « science de marché ».

Le « lyssenkisme » nouvelle manière n'est pas si loin...

29. Sous le titre « Laïciser la science et la technique », j'ai consacré un chapitre à cette question dans *La Force de conviction*, Seuil, 2005 et « Points essais », n° 552.

30. Entretien publié à Genève par *La Revue durable*, n° 34, automne 2009.

31. Je reprends ici une phrase de la philosophe et historienne française Bernadette Bensaude-Vincent, *Les Vertiges de la technoscience. Façonner le monde atome par atome*, La Découverte, 2009, p. 13.

Chapitre 7

La Résistance de l'intérieur

> « Les peuples somnolaient mais le destin prit soin qu'ils ne s'endormissent pas. »
>
> Friedrich Hölderlin

Faut-il donc lâcher prise ? Si le « grand dérangement » est un défi formidable adressé à la volonté humaine, avons-nous encore les moyens de le relever ? Dans un premier mouvement, nous sommes tentés de répondre par la négative. Trop de puissances avancent vers nous, trop de « systèmes », de « processus » minent nos capacités de défense ; trop de dominations inédites se font jour : la marche de l'histoire et la configuration des sociétés humaines ne nous paraissent plus vraiment gouvernables. Au-delà des peurs de toute nature qui traversent nos sociétés, le sentiment d'impuissance trouve là son origine. La pensée du nombre, la pesanteur de la Finance, la convergence des technologies, la force persuasive de la technoscience et la rhétorique enflammée de ses prophètes : tout se ligue pour ruiner par avance l'idée d'alternative. Les jeux seraient faits. Une aphasie politique d'un type nouveau hante les démocraties développées, celles de la vieille Europe ou de l'Amérique du Nord. Elle y nourrit une résignation tétanisée, comme un alanguissement de la volonté combative.

Les progrès technoscientifiques, les meilleurs mais aussi les pires, nous paraissent inéluctables et souverains. Ils se déploient en dehors de nous. Ils obéissent à leurs propres règles et, souvent, à l'ivresse douteuse qu'ils font naître. Tout se passe comme si leur « accélération accélérante » n'était plus dominée ni dominable. On nous invite à simplement rejoindre une course dont nulle délibération éclairée n'a fixé l'itinéraire ou modifié la trajectoire. Personne, il est vrai, n'est aujourd'hui capable d'anticiper le tracé de ce voyage. Si la *singularité* annoncée est définie par analogie avec les *trous noirs* de l'espace, ce n'est pas pour rien. On ignore presque tout de la rupture qui nous attend. En dépit de ce brouillard, la course folle s'accélère. Pas question d'arrêter le progrès, dit-on, et encore moins la RDTS (Recherche et développement technoscientifiques). Ce renoncement est parfois revendiqué. « Ma position, clame le technoprophète Gilbert Hottois, est qu'il faut impérativement *accompagner* la RDTS [1]. » Le même auteur ajoute que nul ne peut être « hostile à la dynamique de la technoscience », sauf à s'en tenir à un « fondamentalisme réactionnaire ». Alors courons les yeux fermés, et sans reprendre souffle ! Nous n'aurions pas d'autre option.

Le croire serait une erreur, et le clamer une faute. En réalité, cette paralysie de la décision démocratique n'est ni fatale ni générale, et la langueur qu'elle induit n'est qu'apparente. Elle concerne principalement le théâtre de la politique et des médias (dominants), c'est-à-dire la *scène*. Des formes politiques s'y décomposent, mais ce sont celles du passé. À l'écart des projecteurs, partout ailleurs, un mouvement inverse est perceptible. Des maquis se constituent, des pensées critiques s'élaborent, des alternatives se dessinent, mais d'une autre façon et avec d'autres mots. La richesse de ces germinations est telle qu'à la phrase de Hölderlin placée en exergue de ce chapitre on pourrait en adjoindre une autre, du même auteur : « Là où croît le péril, croît aussi ce qui sauve. » Souvent citée, elle est plus pertinente que jamais. Au tréfonds des sociétés civiles, une fermentation est à l'œuvre. Multiforme, tâtonnante, brouillonne, elle creuse les fondations de la Cité future et s'emploie, coûte que coûte, à réinventer des procédures démocratiques différentes.

Toute proportion gardée, il se passe à ce propos la même chose que dans les tyrannies politiques (Iran, Arabie Saoudite, Birmanie, Chine, etc.) : face aux pouvoirs politiques cadenassés de Pékin, Téhéran ou Kaboul, les sociétés civiles sont bouillonnantes et inventives. Elles ont appris à contourner l'obstacle, à occuper les marges.

1. Gilbert Hottois, *Essais de philosophie bioéthique et biopolitique*, *op. cit.*

Elles entendent la langue du pouvoir, mais elles ne l'écoutent plus. C'est un bruit de fond, qui les indiffère. L'analogie a ses limites – nous ne sommes pas en régime de dictature –, mais elle est parlante. Si, chez nous, le vieux monde se verrouille au bénéfice des « puissances », une nouvelle *insurrection des consciences* est en gestation. C'est dans les interstices de la vie, dans la quotidienneté, que campent ces résistants de l'intérieur. Les partis classiques, les institutions, les langages se craquellent, ce n'est pas une catastrophe, c'est une mue. La peau qui se détache, c'est celle d'un monde déjà ancien, et qui s'en va.

Les nouveaux résistants agissent, eux, à travers un entrelacs d'associations culturelles, sociales, solidaires, mais aussi coopératives, scientifiques, écologistes, etc. Loin d'être tournées vers le passé, ces « multitudes[2] » ne récusent pas les nouveaux outils techniques offerts aux humains. Elles se proposent de les réemployer d'une autre façon, de les reconfigurer. Citons un seul exemple : l'actualité nous montre que le cyberespace, lieu possible de nouvelles dominations marchandes, comporte aussi – contradictoirement – des territoires « libérés », pour reprendre le vocabulaire de l'insurrection. Le territoire favorable aux dominations nouvelles est aussi celui de la bataille des idées. On y travaille à la promotion d'une société de l'usage en lieu et place d'un capitalisme de l'accès. Utilisés d'une autre façon, le numérique, la mise en réseau des compétences et des engagements, le partage des savoirs « donnent sens à l'intelligence collective et accroissent le nombre de contributeurs créateurs de richesses[3] ». Infime succès mais signe fort : les innovateurs ont déjà permis la promotion du logiciel libre ou la création de molécule (remède contre le paludisme). Ils ouvrent des pistes dans les domaines de l'alimentation biologique, des médecines douces et du renforcement du lien social.

Ces « refusants » ne vivent donc pas dans la nostalgie. Ils s'attachent à faire, les yeux ouverts, l'inventaire du possible et du souhaitable et – surtout – à réhabiliter la volonté démocratique agissante, celle que Max Weber définissait comme le *goût*

2. Je reprends à dessein l'expression « multitudes », titre d'une revue critique, fondée en 2000 par Yann Moulier-Boutang.

3. Emmanuel Dessendier et Anita Rozenholc, *Écorev*, n° 33.

de l'avenir. Les groupes qu'ils forment sont largement « hors champs », c'est-à-dire peu visibles et mal identifiés. Ce sont des pousses nouvelles, pas encore répertoriées par les herboristes du système. Leur langage, leurs modes d'action, les horizons qu'ils se fixent, rien de tout cela ne correspond aux anciens clivages politiques. Comment pourrait-il en être autrement ?

Des anciennes configurations doctrinales, il ne reste plus rien, hormis la gesticulation politicienne. On ne doit pas s'en étonner, et moins encore s'en affliger. Le « deuxième déluge » technoscientifique a la violence d'un raz-de-marée. Comme la mer prenant d'assaut un rivage, il a dispersé ce qui se trouvait sur le sable : nos « jeux », nos usages, nos représentations collectives, nos refuges, nos maisons, nos identités ou nos références. Il a rendu caduc ce que nous pensions éternel, fragile ce que nous voulions solide, problématique ce que nous jugions assuré. Le passage de cette déferlante a déjà chamboulé la démocratie d'avant-hier et rendu inopérants ses modes de fonctionnement. Nous sommes bien des immigrés accédant à un monde devenu « autre ». Pour retrouver prise sur lui, il faut apprendre à l'habiter. Réussir à faire la part entre les bienfaits et les périls qu'il porte en lui exige que l'on devienne les citoyens attentifs de la *surmodernité*. Nous devons être résolument modernes, disait Arthur Rimbaud dans les dernières pages d'*Une saison en enfer*.

Face aux adversités mutantes, cet effort implique un travail de discernement. En effet, une cohérence insidieuse relie entre elles les formes nouvelles de domination dont ce livre tente de faire l'inventaire. Elle n'est pas toujours apparente. Il s'agit de la mettre au jour en repérant les concordances systémiques – et invisibles – qui renforcent la logique dominatrice. Le simple « dévoilement » devient un outil, pour ne pas dire une arme. Les altermondialistes, à leurs débuts, y faisaient référence : en rendant visible un mécanisme, on contribue à l'enrayer. Ils baptisaient cela le « test de Dracula », qui part du principe que les dominations – comme les vampires – détestent la lumière du jour. Or la connivence objective qui relie entre elles les dominations doit être démasquée et montrée. Aucune résistance critique ne serait conséquente si elle s'en tenait au particulier, au catégoriel, au tribal. Les *gender studies*, comme les revendications libertaires, on l'a montré, demeurent vaines tant qu'elles n'ont pas pris en compte les logiques de la société marchande dont elles peuvent devenir, à tout instant, les servantes involontaires.

La « maîtrise » disqualifiée

Premier constat : la domination commence justement par une invitation au renoncement. En déniant aux hommes toute possibilité de maîtriser leur propre histoire, on les prépare à la soumission. C'est ce que fait le discours technoscientifique, et plus encore celui des technoprophètes. La « maîtrise » est présentée comme une naïveté, et le volontarisme démocratique considéré comme une superstition. Cette défiance à l'endroit de la *décision* ne date pas d'hier. Dans l'immédiat après-guerre, les chercheurs conviés aux conférences Macy de New York avaient posé les bases de la pensée cybernétique[4]. Leurs réflexions se fondaient d'abord – et légitimement – sur un dégoût pour les monstruosités dont la *volonté humaine* s'était montrée capable durant la Seconde Guerre mondiale. L'horreur des camps d'extermination, la Shoah et l'épouvante d'Hiroshima justifiaient qu'on se détournât à l'avenir des errements humains. La volonté de maîtrise se trouvait ainsi discréditée. Dans sa froide neutralité, la rationalité technique semblait préférable aux passions de chair et de sang. Quant à l'humanisme des Lumières, après avoir produit *cela*, méritait-il d'être encore défendu ? De fait, continûment dévoyé, psalmodié ou contrefait, le projet humaniste avait perdu une bonne part de son attrait.

Mieux valait consentir aux avancées technologiques, se laisser conduire par elles, au lieu de prétendre les orienter. En dépit de la perte d'autonomie qu'elle impliquait pour les sociétés libres, la *déprise*, dans son principe, fut jugée moins dangereuse que la *maîtrise*. On choisissait l'inconvénient du hasard technologique – qui progresse par émergences successives – plutôt que le choix délibéré, fait au nom d'un dessein. Quant à redouter

4. Voir le chapitre 4 : « Posthumanité : le grand détricotage ».

«l'inhumanité» de la technique elle-même, cela semblait irrecevable. Tout au long du XXe siècle, l'inhumanité avait été produite et conduite par l'espèce humaine elle-même. Elle n'était pas imputable aux seules machines.

Soixante-dix ans après, cette option inaugurale a laissé des traces, et bien au-delà de ce qu'on a appelé la *postmodernité*. Les défenseurs des biotechnologies, comme ceux du transhumanisme, récusent aujourd'hui toute idée d'encadrement de la recherche, que ce soit au nom de la politique ou de l'éthique : laissons la science et la technique faire leur chemin ! Les tenants du posthumanisme, on l'a vu, revendiquent ouvertement *l'immaîtrise*[5]. Ils en font une condition du progrès. Nombre de grands physiciens, à l'instar de Wernher von Braun (1912-1977), définissaient d'ailleurs la vraie recherche comme une marche intrépide, sans destination fixée à l'avance. Ajoutons à propos du rapport NBIC de 2002, dont on a parlé plus haut, que le processus qui se profile à l'horizon, grâce à la «convergence» des technologies, renforce encore l'idée de *déprise*[6]. Au demeurant, la définition purement «communicationnelle» de l'homme – l'humain réduit à un réseau de connexions neuronales – anéantit, par hypothèse, le libre arbitre dont il se croit détenteur. Si l'homme est le jouet des «gènes égoïstes» qui pilotent ses organes, alors son volontarisme n'est que pure illusion[7]. Ce qui est vrai pour l'individu l'est aussi pour les sociétés. Choisir un dessein ? Une direction ? Une destination ? Mais au nom de quoi ? Selon quels critères ?

Cette disqualification originelle de la *maîtrise* face à la technologie coïncidait stratégiquement avec le principe que défendait l'économiste Friedrich von Hayek (1899-1992), grand adversaire de la réglementation en général et du keynésianisme en particulier. Pour Hayek, l'économie, elle non plus, ne peut ni ne doit faire l'objet d'une orientation intentionnelle. L'automatisme du marché (la «main invisible» d'Adam Smith) se suffit à lui-même, et les «progressistes» ne doivent pas le contrarier au nom de leurs bonnes intentions. Dans son maître livre, *La Route de la servitude*,

5. *Ibid.*
6. Je reprends ici, en subtance, le constat de Jean-Pierre Dupuy, *Le Débat*, *op. cit.*
7. Voir Richard Dawkins, *Le Gène égoïste*, Dunod, 1990, et Poches Odile Jacob, 2003.

publié en 1944, il ironisait sur ceux qu'il appelait les intellectuels « constructivistes ». Pour lui, ils prétendent avoir en tête un projet de société ou un idéal, et s'emploient à le faire aboutir, mais ne parviennent qu'à corrompre le vif argent de la liberté, tout en entravant la création de richesse. Appliquée à l'économie – et revendiquée aujourd'hui par les libertariens –, cette défense de l'« ordre spontané » et de la « déprise » correspond bien, en effet, à celle que les conférences Macy réclamaient au profit de la technique. Dans les deux cas, *on juge le pilotage automatique moins risqué que le pilotage manuel.*

Aujourd'hui, après l'énorme crise financière et sociale, la confiance placée dans l'autorégulation du marché n'est plus guère de mise, sauf dans quelques sectes ultralibérales. Des deux côtés de l'Atlantique, chacun prend conscience des dangers d'une économie mondialisée qui ne serait pas réglementée par la délibération humaine. Partout, il n'est question que de l'État restauré, de régulation et de sauvetage du privé par le public. Il faut « moraliser la mondialisation », dit-on. Le fameux « consensus de Washington », élaboré en 1989 par l'économiste américain John Williamson (déréguler, privatiser, faire reculer l'État, etc.), a perdu toute justesse. Ces protestations de bonne foi ne sont pas toujours suivies d'effet. Moins de deux ans après le début de la crise financière, les grandes banques – renflouées grâce à l'argent public – avaient restauré ou même amélioré leurs profits. Au niveau de la sensibilité politique dominante, les engagements du politique correspondaient néanmoins à un virage à cent quatre-vingts degrés.

Gardera-t-on le nouveau cap ? Nul ne le sait.

Il pose déjà des problèmes inédits. Pour l'instant, le retour de l'État, alors même qu'un peu partout celui-ci est en loques, se réduit à une injection de monnaie publique dans les circuits économiques. La réhabilitation du « bien commun » prendra du temps, mais elle est promise, comme est promis le retour du volontarisme étatique. On peut espérer que, tôt ou tard, il en sera de même pour la technoscience. Elle devra être gouvernée *par les sociétés* au lieu de conduire ces dernières. L'autorégulation de la technique, sur laquelle on tablait jusqu'alors, paraîtra demain aussi peu crédible que celle du marché, avec lequel elle a d'ailleurs partie liée.

Historiquement légitime en 1944-1950, la *déprise* devient folie quand il s'agit d'échapper aux « sociétés monstres », possiblement engendrées par une technoscience soumise à l'argent. Pensons à l'ombre portée de Lyssenko…

Déprise ou maîtrise : l'alternative n'est pas abstraite. Elle ne correspond pas à un débat byzantin réservé aux intellectuels, à une évanescence exilée dans le ciel des idées, elle est effective et ses effets sont immédiats. Là se trouve le point nodal du débat contemporain. Les nombreux choix qui font aujourd'hui polémique au sujet du statut de la recherche, de la conduite de l'économie ou de la gestion d'une nation renvoient toujours à la même interrogation fondamentale : est-il possible et souhaitable de reprendre la main sur les processus ou les systèmes ? Faut-il réhabiliter le concept de projet hérité des Lumières, ou s'en remettre docilement au progrès en marche ? Telle est la « mère des questions ». Quand les philosophes des sciences assurent que la science doit « entrer en culture » et « réintégrer la démocratie », ils plaident *de facto* pour la maîtrise et recommandent un encadrement minimal de la recherche. Les économistes dits régulateurs font la même chose dans leur domaine quand ils assurent qu'on ne doit pas démissionner devant l'arithmétique impersonnelle des marchés et les tropismes à courte vue de la finance.

Pour une pensée de haute mer

Voici donc repéré un premier artifice de la domination, celui qui, en discréditant toute idée de maîtrise ou de volontarisme, démotive le citoyen et encourage le retrait du politique. On fait mine de déplorer cette aphasie en constatant l'absentéisme des citoyens, toujours plus massif. En réalité, cet absentéisme est logique. Découragés, les citoyens tirent simplement les conséquences du discours de l'impuissance qu'on leur sert d'ordinaire. Pourquoi irais-je voter puisque, me dit-on, « on ne peut rien faire » ?

Le deuxième obstacle à surmonter tient à la politique elle-même, ou à ce qu'il en reste. Il tient au chamboulement des oppositions traditionnelles, au brouillage des lignes de front. En dépit du spectacle qu'offrent les pugilats électoraux à l'ancienne – bruyants mais comiquement datés –, la délibération démocratique peine à retrouver ses marques et, plus encore, ses fondements. Les clivages anciens – gauche contre droite, progressistes contre «réacs», crédulité contre raison – ne signifient plus grand-chose face aux questions posées, qui sont inédites. Les options sont neuves et les clivages anciens. La plus grande confusion en résulte. Allergique à la domination économique, tel homme de gauche accueillera avec faveur toute transgression technoscientifique en y voyant un progrès de la raison, ou de la liberté. À l'inverse, un conservateur bon teint invoquera à hauts cris la morale pour dénoncer une transgression bioéthique, mais oubliera d'être troublé par la toute-puissance – plus amorale encore – du marché. La cartographie des sensibilités idéologiques et politiques devient difficile à établir.

Elle l'est tant que les pensées chauve-souris[8] prolifèrent dans le désordre. Comme les parentés, les familles d'opinion, elles aussi, se recomposent en permanence. L'aspiration libertaire et la domination libérale n'en finissent pas de s'enchevêtrer et de se contredire. L'écologie est-elle de droite? Les altermondialistes sont-ils réactionnaires? Les OGM sont-ils un progrès du développement humain ou une stratégie de confiscation du vivant? Le clonage est-il un bien? La gestation pour autrui est-elle de gauche? La dématérialisation du monde est-elle progressiste? Quand on évoque la nouvelle misère du politique, on se réfère à ces imbroglios.

Il en va de même pour le jugement porté sur les auteurs qui, dans le désordre, s'interrogent sur les risques inhérents au «grand dérangement». Sont-ils politiquement classables? Le philosophe Jean-Luc Nancy, attaché à une relecture non religieuse du christianisme, est-il un obscurantiste? Paul Virilio, dénonciateur du culte de la vitesse, est-il de droite ou de gauche? Le juriste Alain Supiot, allergique à la pensée du nombre, est-il nostalgique? Judith Butler – deuxième manière – est-elle relapse ou traîtresse? André Gorz, contempteur de l'immatériel est-il ringard? L'anthropologue Georges Balandier, dénonciateur de la technicisation galopante, est-il archaïsant? Et

8. Voir chapitre 2 : «Les droits humains sur le marché».

Hannah Arendt, qui voyait dans la finitude et la mort annoncée le « cachet de l'existence humaine » ? Ou Emmanuel Levinas, dans ses mises en garde contre l'empire de la « totalité » ?

Aucune de ces réflexions n'est réductible à une « opinion » immédiatement utilisable, au sens politique et ancien du terme. Leurs points de vue ne sont pas (encore) récupérables par le débat politicien. Ils travaillent assez loin en amont. Pour le dire autrement, ce n'est pas une « politique » que ces auteurs s'efforcent d'élaborer, c'est une *pensée*. Il y faut plus de patience, de silence et de retranchement. Ce qu'on appelle le « silence des intellectuels » correspond souvent à ce retrait nécessaire. L'obligation dans laquelle nous sommes de construire « une » vision – avant de songer à en faire un usage politique – est l'un des thèmes favoris de Jean-Luc Nancy, pour qui la pensée à inventer est tout simplement « le réveil du sens ». Reprenant Nietzsche sur ce point, il juge nécessaire une transvaluation de toutes les valeurs, c'est-à-dire une « mutation tectonique de la pensée et des représentations ». Ainsi seulement, ajoute-t-il, pourrons-nous « frayer une voie vers la sortie du nihilisme. Nous savons qu'elle est étroite et difficile, mais elle est ouverte. »

Le partage de l'incalculable

« La part du sans-valeur – part du partage de l'incalculable, et donc à strictement parler impartageable – excède la politique. Celle-ci doit rendre possible l'existence de cette part, elle a pour tâche d'en maintenir l'ouverture, n'en assume pas la teneur. L'élément dans lequel l'incalculable peut être partagé a pour noms l'art ou l'amour, l'amitié ou la pensée, le savoir ou l'émotion, mais non la politique – en tout cas la politique démocratique. Celle-ci s'abstient de prétendre à ce partage, mais elle en garantit l'exercice. »

Jean-Luc Nancy, *Vérité de la démocratie*, Galilée, 2008, p. 34.

Les intellectuels ne sont pas les seuls à pressentir le besoin d'élaborer un autre paradigme, qui ne se confonde ni avec celui de la postmodernité, ni avec les engagements politiques antérieurs, qu'ils soient de droite, de gauche ou d'extrême gauche. Cela ne signifie nullement que le clivage droite/gauche soit dépassé, mais que ses linéaments ne sont plus les mêmes. Quand Edgar Morin appelle de ses vœux une « politique de civilisation », il ne dit pas autre chose. La nécessité d'une nouvelle pensée est si criante que, de manière maladroite, certains décideurs de l'establishment ne font plus mystère de leur questionnement à ce sujet. Le Français Pascal Lamy, directeur de l'Organisation mondiale du commerce (OMC), temple de la « pensée du nombre » et instrument du néolibéralisme, s'est risqué à vendre la mèche. Invité le 4 novembre 2010 à Montréal pour y recevoir son doctorat *honoris causa*, il stupéfia ses interlocuteurs en avouant qu'il s'interrogeait « sur les racines culturelles et anthropologiques du capitalisme de marché qui est intrinsèquement injuste ». Il ajouta aussitôt qu'on devait « tirer des leçons de la crise [financière] et analyser en profondeur ce capitalisme pour trouver des alternatives. Pour cela, il faut que des sciences comme l'anthropologie, l'ethnologie et la sociologie y contribuent aussi, et pas seulement l'économie ou le droit[9]. »

La déclaration et l'appel adressés aux intellectuels critiques furent reçus comme un aveu. Venant d'un haut fonctionnaire international, cela revenait à reconnaître qu'aucune pensée digne de ce nom n'habite aujourd'hui le système mondial, et qu'il est urgent d'en bâtir une si l'on veut reprendre les choses en main, c'est-à-dire restaurer la maîtrise, qu'on révise déjà à la baisse en la baptisant « régulation ». Pascal Lamy confirmait en vérité ce que chacun pressent : le monde qui surgit est encore impensé, ce qui ne veut pas dire qu'il soit impensable.

Comme le directeur de l'OMC subitement assailli par ses « questionnements », nos sociétés attendent que les anthropologues, les philosophes ou les sociologues s'attellent à ce travail. Des questions comme le posthumanisme, l'avènement de l'immatériel, la haine du corps et de la matière, la prévalence obsessionnelle de la quantité, le brouillage ontologique du temps et

9. *Le Monde*, 5 novembre 2010.

de l'espace offrent à une «pensée de haute mer [10]» des horizons insoupçonnés. Or, sauf exception, les philosophes ou les relais d'opinion, ceux qui pourraient éclairer les citoyens parce qu'ils «parlent à la télévision», sont aux abonnés absents. Rares sont ceux qui – comme les philosophes français Jean-Michel Besnier ou, à leur façon, Michel Serres et Alain Finkielkraut – prennent à bras-le-corps des sujets comme le numérique ou le transhumanisme. Ces sujets leur paraissent-ils relever de la songerie ou de la science-fiction? Les questions posées leur semblent-elles trop marginales? Trop journalistiques? Trop embarrassantes? Ils préfèrent s'en tenir à une vision plus académique du monde, et, comme avant-hier, rédiger des livres sur les stoïciens grecs, la postérité de Spinoza, le sens du bonheur, les souffrances de l'amour transi ou l'histoire des idées. Ils le font avec talent et succès. Ces réflexions bénéficient, à juste titre, d'un regain d'intérêt des lecteurs pour l'éloquence philosophique.

La pensée de haute mer, quant à elle, attendra...

Un retour au maquis?

En titrant ce chapitre «La Résistance de l'intérieur», on voulait désigner un aspect bien particulier du phénomène. Les nouvelles pensées critiques s'apparentent, en effet, à des activités de maquis. Elles n'appartiennent pas aux armées régulières de l'Université ou des médias. Fragmentées, hétéroclites, effervescentes, elles pratiquent la guérilla et l'enfouissement. Les petits groupes qui s'y adonnent sont sans uniformes ni appartenances bien définies. Les réseaux qu'ils constituent sont éphémères, en constante métamorphose. Certains s'essoufflent, s'étiolent ou disparaissent (c'est le cas de l'altermondialisme première manière), mais d'autres émergent aussitôt. Comme c'est souvent la règle dans les maquis, leur extraordinaire diversité s'apparente à un inventaire à la Prévert. Quantité de familles politiques s'y côtoient. Transfuges de

10. J'emprunte cette belle expression à Bernard Sichère, «Pour une pensée de haute mer», *Nunc, revue vulnérable*, n° 19, septembre 2009.

l'extrême gauche, écologistes de toutes obédiences, chercheurs en rupture de consensus académique, universitaires rebelles, artisans ou agriculteurs dissidents, bénévoles en tout genre, artistes en révolte, militants de la « frugalité heureuse » : la palette rassemble toutes les nuances et mélange toutes les couleurs de l'arc-en-ciel idéologique.

Au total, l'arborescence de ces groupes et réseaux constitue une foisonnante université sauvage, un laboratoire conceptuel à l'échelle de la planète, une agora permanente. Ses bariolages ne prêtent pas à sourire. Ils sont le gage d'une vraie liberté créatrice. Lorsqu'on parle des « résistants de l'intérieur », l'expression peut d'ailleurs être entendue d'une autre façon. La plupart du temps, les pensées critiques qu'ils élaborent questionnent de l'intérieur les disciplines du savoir. Tel généticien, tel biologiste, tel informaticien, tel physicien, tel économiste, tel mathématicien : chacun de ces rebelles est mieux placé qu'un « intellectuel organique », ce généraliste souvent inféodé au pouvoir (l'expression est d'Antonio Gramsci) pour questionner son propre domaine de compétence. Il sait généralement de quoi il parle. Il incarne cette figure que Michel Foucault appelait de ses vœux : celle de l'« intellectuel spécifique » qui, à la différence de l'« organique », s'appuie sur une compétence précise.

Dans les maquis planétaires, l'intervention des intellectuels spécifiques ne consiste pas en un assaut frontal et mal documenté, qui serait mené de l'extérieur contre une technologie, une recherche scientifique ou une dérive dominatrice. Il surgit au sein même de ces dernières. Des ingénieurs de l'Institut national de la recherche agronomique (INRA) poseront des questions dérangeantes sur la brevetabilité du vivant ; des informaticiens mettront en procès la marchandisation du Web ; des spécialistes de la physique atomiste interviendront sur la question nucléaire ; des économistes reconnus dénonceront la mathématisation outrancière de leur discipline ; des juristes ou des magistrats mettront en doute l'efficacité du tout répressif, et ainsi de suite. Au sein même des grandes institutions internationales, il arrive que des responsables entrent brusquement en dissidence.

L'économiste Joseph Stiglitz, vice-président de la Banque mondiale pendant trois ans (de 1997 à 2000), s'en éloigna pour dénoncer avec force le « fanatisme du marché » ou le « triomphe de la cupidité ». Stiglitz fréquente aujourd'hui les forums altermondialistes, et l'audience de ses livres n'a cessé de croître. De la même façon, le juriste et consultant Georges Corm, qui fut ministre des Finances du Liban, est entré en dissidence. Dans ses derniers livres, il défend le principe d'une « démondialisation » résolue [11]. En France, l'ancien commissaire au Plan, Jean-Baptiste de Foucauld, ne ménage plus ses reproches à l'endroit de l'iniquité du système et plaide pour une « abondance frugale ». L'économiste René Passet, professeur émérite à la Sorbonne, a pris lui aussi ses distances avec ce qu'il appelle « l'illusion néolibérale ». Il a été le premier président du Conseil scientifique du mouvement Attac. Il a même rejoint en 2005 le camp du « non » au moment du référendum sur le projet de Constitution européenne qu'il jugeait trop marqué par l'idéologie libérale.

En d'autres termes, rien n'est plus faux que de réfuter les critiques portées contre la technoscience en les présentant comme émises par des « ignorants ». Ceux qui, non sans morgue, formulent ces accusations sont vite confondus. L'ancien ministre français de l'Éducation, Claude Allègre, en a fait l'expérience à ses dépens au sujet du réchauffement climatique. Il en niait l'existence, avant d'être désavoué, et de manière cinglante, à l'automne 2010, par l'Académie des sciences.

Il est tentant, bien sûr, d'ironiser sur la faiblesse stratégique de ces maquisards dépenaillés en la comparant aux puissantes armées dominatrices qui disposent de gros bataillons suréquipés et de lobbies influents, mobilisent les moyens traditionnels de communication, ont un accès direct aux gouvernants et incarnent – ou prétendent incarner – une respectabilité institutionnelle qui serait confrontée à l'insolence de quelques galopins. Raisonner ainsi relève de l'étourderie. La réalité du monde ne correspond plus à cette mesure de l'influence. Sur le terrain des idées, comme en

11. Georges Corm, *Le Nouveau Gouvernement du monde : idéologies, structure, contre-pouvoirs*, La Découverte, 2010.

matière militaire, l'asymétrie des moyens a cessé d'être un handicap. Dans la surmodernité, les rapports de force, comme le reste, ont changé de nature. La stratégie du faible contre le fort est désormais payante. Entre mille exemples, on pense au simple blog d'un internaute devenu emblématique de la résistance au tout marché : celui de Paul Jorion, anthropologue et sociologue belge, spécialiste des sciences cognitives et de l'économie. Isolée, sans moyen ni renforts, une pensée résolument divergente concernant la conduite du projet européen ou les politiques abusivement restrictives pratiquées sur le vieux continent est parvenue à exercer une réelle influence politique. En 2007, Paul Jorion fit scandale en annonçant dans un livre prémonitoire qu'une crise gravissime menaçait le capitalisme financier aux États-Unis, et qu'elle surgirait au cœur des marchés immobiliers. Il décrivait par le menu l'absurdité du « système des sous-primes » mis au point par les banques américaines pour doper les prêts hypothécaires et spéculer sur l'insolvabilité de la classe moyenne. Ses analyses furent corroborées quelques mois plus tard [12].

D'un point de vue sociologique, les résistants en question ressemblent d'ailleurs étrangement aux jeunes gens en blue-jeans qui, dans les années 1970, ont « inventé » l'informatique, créé Internet ou mis en œuvre la révolution biogénétique. Qui aurait pu imaginer que, dans des garages désaffectés de San Francisco, Berkeley ou Palo Alto, étaient en train de voir le jour des sociétés comme Macintosh, Microsoft ou Intel ? Le même rapprochement peut être fait avec ces jeunes innovateurs sans titres ni position qui ont bâti des fortunes en imaginant et en créant des réseaux sociaux comme Facebook ou YouTube.

Pour prendre un exemple plus récent d'asymétrie victorieuse, songeons au séisme qu'a représenté pour l'armée américaine et le Pentagone la révélation faite en octobre 2010, puis fin novembre de la même année, de quatre cent mille documents secrets concernant la guerre menée en Irak depuis 2003 ; des documents qui mettaient en lumière les méthodes de l'armée américaine. L'offensive venait d'un groupe minuscule et d'un site Internet, WikiLeaks, cofondé

12. Paul Jorion, *Vers la crise du capitalisme américain ?*, La Découverte, 2007.

par Julian Assange, un hacker australien de moins de quarante ans (il est né en 1971). Quel que soit le jugement qu'on porte sur son initiative de « mise en lumière », elle donne une idée de la puissance potentielle des contestataires de l'intérieur. On verra à coup sûr se multiplier des guérillas pacifiques. Toutes ne seront pas dignes d'éloge, mais leur multiplication, à elle seule, souligne l'immensité du changement.

La nébuleuse résistante existe bel et bien. Il faut la prendre au sérieux.

Le réseau des réseaux

Le terme nébuleuse est approprié, mais il est trop restrictif. Quand on veut faire un recensement, même sommaire, de ces groupes, on est vite découragé tant ils sont innombrables et divers. Nébuleuses, peut-être, mais le pluriel s'impose. Certains mobilisent les agriculteurs, comme *Via Campesina*, un mouvement né en 1993 et qui est présent dans soixante-neuf pays, ou, en Inde, la *Navdanya*, créée en 1991 par une militante écologiste et féministe engagée dans la lutte contre l'industrie agrochimique. D'autres, comme le groupe canadien *Halifax Initiative*, luttent contre la brutalité des institutions financières. Le commerce équitable mobilise de son côté des ONG transnationales, comme le label *Max Havelaar*, ou le réseau français *Artisans du monde*. La sempiternelle question de la dette du tiers-monde a suscité, elle aussi, l'apparition de groupes spécialisés comme le réseau *Jubilé Sud*, fondé en 1999, ou celui d'*Eurodad*.

La défense des droits de l'homme est le terrain privilégié d'une foule d'autres associations et réseaux. Les plus anciens et les plus connus sont bien sûr *Amnesty International* (créée en 1961) et *Human Rights Watch* (fondée en 1988). Depuis lors, d'autres ont fait leur chemin : le réseau d'origine allemande *Foodfirst Information and Action Network* (FIAN), engagé contre la malnutrition, ou *Sherpa*, autre réseau d'origine française qui regroupe surtout des juristes militant pour une réforme radicale du droit des affaires. Quant à la défense de l'environnement, son vaisseau amiral reste

Greepeace, qui dispose de trois millions d'adhérents et de mille deux cents salariés à travers le monde, mais qui use parfois de méthodes contestées. Sur le même terrain, d'autres ONG ont prospéré, comme le réseau mondial des *Amis de la Terre*, fondé en 1969 et présent dans soixante-douze pays.

Dans un domaine voisin, le *Programme d'autoproduction et développement social (PADES)*, créé en 2002, se propose, dans le domaine de l'autoproduction, de « transformer un tissu d'initiatives isolées en une démarche cohérente ». Concernant la question féminine, mentionnons l'initiative québécoise de la *Marche mondiale des femmes*, née en 2000, et qui regroupe aujourd'hui plusieurs milliers d'associations. Les questions touchant à la libre information ne sont pas oubliées. À côté de l'ONG d'origine française *Reporters sans frontières* (née en 1986 en France), il faut citer *Indymedia*, un réseau indépendant surtout présent sur le Web ou le *Samizdat*, créé en 1995 pour défendre l'information dite « alternative ».

Il existe bien d'autres réseaux de cette nature. Il faudrait inclure à cette typologie très fragmentaire les nombreux sites plus spécialisés qui interviennent dans le domaine de la génétique (*Génétique et liberté*, malheureusement en sommeil), et celui des nanotechnologies (*Vivagora*, qui regroupe surtout des chercheurs indépendants). Citons encore le précieux *Observatoire des inégalités*, association française indépendante dont le siège est à Tours, en France, très active sur le Web, et qui s'efforce quotidiennement de « rassembler des données et des éléments d'analyse sur les inégalités, en France comme dans le monde ».

Au final, ces réseaux et ces ONG de toutes obédiences représentent plus qu'une nébuleuse. Hébergés – notamment – sur le *sixième continent*, ils voient leur action quotidienne souvent suivie d'effets. Ils ne sont pas des « pouvoirs » à proprement parler, ni même des « contre-pouvoirs », mais des aiguillons et des veilleurs sur le qui-vive. Quant à leurs effectifs (plusieurs millions), ils augmentent toujours, surtout dans les grands pays émergents. En Inde, un rapport officiel publié en 2010 l'estimait à trois millions, ce qui représente une ONG pour quatre cents habitants. En Chine, elles étaient déjà plusieurs milliers, en 2010, souvent critiques à l'égard du pouvoir et très engagées sur les questions d'environnement. Des spécialistes de la Chine voient même dans leur multiplication une « ruse de la démocratie », c'est-à-dire un contournement progressif du pouvoir par la société civile [13].

Toutes les ONG ne sont pas politisées, et nombre d'entre elles se cantonnent à l'action humanitaire ou à l'entraide. Elles ne partagent pas toutes le même point de vue. Certaines sont folkloriques, d'autres se sont rendues critiquables dans leurs méthodes, leur communication ou leur marketing. Les plus sérieuses jouent cependant un rôle politique accru dans la vie internationale. Sur divers sujets, elles ont acquis, avec le temps, une compétence aussi précise – parfois meilleure – que celle des experts gouvernementaux, y compris en matière scientifique. Ces dernières années, les ONG et les associations ont tissé entre elles des liens et jeté des passerelles, afin d'améliorer la cohérence de leurs actions.

Elles se sont dans le même temps professionnalisées (par exemple dans l'humanitaire ou la médecine) et deviennent les interlocuteurs obligés des grandes institutions internationales comme la FAO, l'OMS ou même l'ONU. Dans plusieurs pays, elles ont choisi – non sans risque – de se transformer en partis, et sont entrées en concurrence directe avec les formations traditionnelles, au lieu d'être des « forces d'appoint ». En Allemagne, le « parti vert » (*Die Grünen*), créé en 1980 à partir de plusieurs ONG, possède aujourd'hui une capacité d'action et de mobilisation sans équivalent en Europe. Il concentre son effort sur des questions explosives, comme le nucléaire ou l'immigration.

Présentes dans la plupart des rencontres ou sommets internationaux – parfois sans y avoir été invitées – les ONG incarnent une forme neuve et cosmopolite de l'engagement. Grâce à elles, le volontarisme encore vivant sur la planète retrouve un territoire, à la marge des partis, syndicats ou institutions officielles. Au final, les ONG contribuent à infléchir la politique mondiale ou l'orientation des institutions internationales. Chemin faisant, elles construisent pas à pas une nouvelle *weltanschauung* (vision du monde), en

13. C'est le sujet du livre d'Isabelle Thireau et Hua Linshan, *Les Ruses de la démocratie. Protester en Chine*, Seuil, 2010.

prise directe avec la *surmodernité*. Il faut se garder d'exagérer l'influence de ces galaxies colorées, mais la sous-estimer serait une erreur. Le poids de ces résistants ne pourra aller qu'en se renforçant [14].

Une insurrection des consciences ?

La diversification des réseaux et des maquis et l'intervention, sur le terrain, des « intellectuels spécifiques » sont autant d'exemples de la complémentarité entre la pensée et l'action. Il n'y a plus, comme jadis, juxtaposition – pour ne pas dire hiérarchisation – entre l'échelon supérieur de la *théorie* et celui de l'action, ou de la *praxis*, situé en aval. Les deux vont ensemble. La *weltanschauung* du prochain monde s'élabore, pour une bonne part, dans le pragmatisme de l'action. L'objection souvent faite à ces résistants par les tenants de l'ordre établi – que proposez-vous en échange ? – n'a pas grande signification. Le temps des grands théoriciens encyclopédistes est révolu, comme celui des « programmes » partisans. La réflexion n'est plus recluse dans sa tour d'ivoire, et le va-et-vient entre la pensée et l'engagement assure la vitalité des deux. On en veut pour preuve quantité de manifestes collectifs ou de revues dissidentes qui se présentent comme de simples traits d'union, des relais. Parmi les plus récents, citons *L'Appel des appels*, publié en France en 2009 par une trentaine d'auteurs [15]. Dans la charte coiffant cet « appel », la vocation de trait d'union est clairement revendiquée. Les auteurs, est-il écrit, s'engagent à « faire le lien entre toutes les réflexions, les initiatives et les mobilisations ». Ils se proposent de « créer un espace public de vigilance vers lequel remonteront les analyses et propositions de professionnels et de citoyens ».

14. Plusieurs ouvrages récents proposent une nomenclature plus ou moins complète des formes diverses de résistance. On consultera notamment avec profit Élisabeth Weissman, *La Désobéissance éthique*, Stock, 2010 ; Razmig Keucheyan, *Hémisphère gauche. Une cartographie des nouvelles pensées critiques*, Zones/La Découverte, 2010.

15. Roland Gori, Barbara Cassin, Christian Laval (dir.), *L'Appel des appels. Pour une insurrection des consciences*, Mille et une Nuits, 2009.

La lecture des contributions rassemblées dans ce livre montre que leur champ recouvre à peu près toutes les questions posées dans les chapitres précédents : statut de la recherche scientifique, métamorphose du travail, malaise de la justice, impasse de la rationalité néolibérale, ambivalence de la norme, flicage social, schizophrénie de l'État, etc. Quant au sous-titre choisi, *Pour une insurrection des consciences*, il laisse entrevoir – en creux – un désaveu du cognitivisme, pour qui la «conscience» n'existe pas. Dans l'un des textes, cette mise en cause du cognitivisme est explicite : il lui est reproché de consentir à une vision globalisante de la science, qui fait d'elle une quasi-divinité, dont la fonction est d'être une «diseuse de vérité», tâche jadis dévolue à Dieu [16].

La variété des questions abordées par les signataires de *L'Appel des appels* est à l'image de ce qui se passe au sein de la Résistance de l'intérieur. Diversité, cependant, ne veut pas dire éclectisme ou éparpillement. Des thématiques communes sont repérables. Elles représentent des messages subliminaux qui renvoient à quelques grands axes théoriques. Bien souvent, les résistants engagés contre telle ou telle domination sont ainsi comme des ventriloques qui, sans toujours le savoir, font parler quelqu'un d'autre. Leurs analyses renvoient à celles du chercheur d'à côté, même si ce dernier ne traite pas du même sujet.

Choisissons un premier exemple de cette transversalité. On ne s'interroge pas assez sur le succès inattendu et quasi universel du préfixe «bio». Utilisé dans le domaine de la production alimentaire (l'agriculture bio), il l'est aussi sur bien d'autres terrains : on parle de biotope, de biosphère, de biodiversité, de biocarburants, de biodégradabilité, de biomédecine, de biosécurité, et ainsi de suite. Ce préfixe revient sans cesse dans les discours critiques de toute nature, à tel point qu'on pourrait dire qu'il est «mis à toutes les sauces». Cette récurrence n'est pourtant ni une mode ni une commodité de langage. Elle exprime confusément autre chose. Les trois lettres «bio» renvoient étymologiquement au concept de vie, et même de vie vivante. La *vie* devient, en somme, une puissante revendication populaire.

16. Alain Abelhauser et Marie-Jean Sauret, «Le crépuscule cognitiviste», in *L'Appel des appels*, *op. cit.*, p. 280.

Un immense désir

« Si l'on suppose [...] que la vie est la source exclusive de la culture sous toutes ses formes, il devient évident que la mise hors jeu est identiquement celle de la culture et que la modernité galiléenne ne peut plus offrir que le spectacle terrifiant que nous avons sous les yeux, le démantèlement progressif de ce qui donnait à la vie, dans chacun des domaines qui lui appartiennent et en lesquels elle s'exprime, sa raison de vivre. Car, enracinée dans la vie, dans son mouvement incessant de venir en soi, de s'éprouver soi-même et ainsi de s'accroître de soi, la culture n'est que l'ensemble des réponses pathétiques que la vie s'efforce d'apporter à l'immense Désir qui la traverse. Et cette réponse, elle ne peut la trouver qu'en elle-même, dans une sensibilité qui veut sentir davantage, se sentir plus intensément – comme il advient dans l'art ; dans une action qui permette à ce grand désir d'accroissement de s'accomplir selon les voies qui lui soient conformes. »

Michel Henry, *La Barbarie* [1987], PUF, « Quadrige », 2004, [Préface] p. 2.

Le propos est clair : la vie subjective, ressentie et vivante, ne fait pas partie des préoccupations de la technoscience. Elle est la grande oubliée de la *surmodernité*. À la différence de la « vie » et de l'intelligence « artificielles », elle n'intéresse ni les techno-prophètes, ni même les laboratoires. Son rappel continu, sa déclinaison inlassable ont valeur de protestation contre la rationalité instrumentale. La subjectivité vivante, assure-t-on de mille façons, représente tout ce qui demeure hors d'atteinte de la pensée du nombre et des normes qu'elle impose. Elle est ailleurs, insaisissable. Elle participe de l'affectif, de l'imprévisible, de l'essentiel. La vie vivante, par nature, est une fugitive qui échappe à l'emprise du mesurable. Quand on l'évoque avec tant d'insistance, c'est pour nous alerter, comme l'écrit le phénoménologue Michel Henry, sur « la fuite de l'homme loin de son être véritable, pour autant qu'il ne peut plus se supporter lui-même [17] ».

17. Michel Henry, *La Barbarie*, *op. cit.*, p. 187.

L'être véritable – et vivant – de l'homme, tel est le grand carrefour du questionnement critique. Qu'ils s'intéressent à la financiarisation desséchante de l'économie, aux délires de l'immatériel, à l'exogenèse machinique ou au productivisme calculateur, les résistants de l'intérieur ne parlent pas d'autre chose. Loin d'être « réacs », ils anticipent les dominations à venir. C'est le cas quand ils critiquent la médicalisation obsédante de la vie vivante, qui finit par faire de celle-ci un simple « fonctionnement » dont il faut améliorer le rendement et mesurer les performances. Aux yeux des nouveaux pudibonds de la technoscience, défenseurs à tout crin de la procréation médicalement assistée, « le corps ne fait plus sens, il "fonctionne" ou manifeste une "panne", il fait obstacle. À la limite, on préfère le contourner pour ne pas se livrer aux aléas de la sexualité et d'une physiologie qui effraie. La maternité devient alors un archaïsme encore partiellement corporel mais qui ne tardera pas à devenir un fait médical et technique en son entier [18]. »

La maladie du temps

Par ce biais, une lecture transversale du préfixe « bio » ouvre des horizons de sens. La même remarque peut être faite à propos d'adjectifs qui ont si vite colonisé le langage courant qu'on ne s'interroge plus sur ce qu'ils nous disent réellement. Il en va ainsi pour les épithètes « soutenable », « durable », « renouvelable ». Récupérés, dévitalisés et transformés en clichés par le discours du flux, ces vocables deviennent des prothèses sémantiques camouflant le vide du bavardage. On parlera d'une décroissance « soutenable », d'un développement « durable » (*Sustainable development*) ou d'une énergie « renouvelable ». Or, comme le préfixe « bio », ils convergent étrangement. Appliqués à des domaines apparemment étrangers les uns aux autres, ils transportent avec eux une même revendication. Elle a trait au rapport que nous entretenons avec le temps et, plus précisément, avec *la temporalité comme condition et attribut de la vie vivante.*

18. David Le Breton, *L'Adieu au corps*, *op. cit.*

Nul ne peut ignorer – on y a fait référence – que la temporalité est en crise. Hégémonie du court terme, effacement de l'avenir comme « promesse », repli collectif sur l'immédiateté, aspiration infantile au tout-tout-de-suite, monomanie de la vitesse, alignement technologique sur la nanoseconde (un milliardième de seconde !), substitution du « scoop » à l'information : tout nous montre que la *surmodernité* est sujette à une maladie du temps. Cette question, elle non plus, n'est pas abstraite. De l'économie à la finance, en passant par le travail, la cohésion sociale ou la vie culturelle, elle transforme la plupart des réalités contemporaines. Nombre de nos inquiétudes, de nos aspirations ou de nos souffrances (le vieillissement !) ont à voir avec ce dérèglement sans précédent de la temporalité.

La « maladie » en question efface la scansion méticuleuse du temps humain, à laquelle toutes les cultures se sont attachées. Des fêtes calendaires aux haltes rituelles fixées par la religion (shabbat, célébrations liturgiques, calendriers nationaux, etc.), notre histoire témoigne d'une volonté de rythmer le temps à seule fin de le rendre vivable, et d'assurer le *continuum* de la destinée humaine. Toute la réflexion de Paul Virilio, déjà cité, tourne autour de cette grammaire temporelle, dont il constate la désintégration. Non seulement il s'émeut de ce deuil, mais il y voit *la* menace du moment, aux conséquences incommensurables. « Annuel et saisonnier hier, hebdomadaire et journalier par la suite, à cette rythmique réellement historique, la révolution cybernétique de l'information devait porter un coup fatal, *l'accélération de la réalité commune* rendant bientôt impossible la vie pratique, la vie usuelle et pas seulement sociale ou familiale[19]. »

La question du temps devient aujourd'hui revendication[20]. C'est l'aporie sur laquelle nous butons. Elle est à la racine des angoisses contemporaines. Nous ne savons plus habiter ni promouvoir un temps qui corresponde encore aux besoins minimaux de la vie vivante. Le temps n'est plus offert comme un horizon, il prend l'aspect d'une injonction dominatrice. Jour après jour, il nous faut

19. Paul Virilio, *Le Grand Accélérateur*, Galilée, 2010, p. 42.
20. Voir l'introduction : « La domination, une catégorie mutante ».

« gagner » du temps, c'est-à-dire le perdre. Le fantasme le plus toxique de la *surmodernité* consiste dans une volonté d'écourter la segmentation du temps, au point d'abolir la durée. On le vérifie dans l'économie (le court terme, le flux tendu, l'engrenage spéculatif, etc.), comme dans la vie sociale (mobilité contrainte, déplacements accélérés) ou la gestion du quotidien. Quant aux technologies « convergentes », elles se proposent de manipuler une temporalité si brève qu'elle est simplement hors de portée de nos capacités cognitives. En ce sens, la machine fait du temps une rareté.

Derrière les adjectifs et les protestations en usage chez les « résistants de l'intérieur », la maladie du temps est constamment en cause. Le « durable » évoque l'avenir ; le « soutenable » postule la durée ; le « renouvelable » se réfère métaphoriquement au flot cascadant – et générationnel – de la vie vivante. Partout, en somme, nous est crié quelque chose au sujet d'une temporalité en perdition. « Vouloir en finir avec la durée, c'est vouloir en finir avec le sens de la vie. Car au fond, le fantasme d'annuler la durée, c'est-à-dire annuler ce qui nous coûte mais donne son sens à l'existence humaine, ne trouve-t-il pas son aboutissement dans l'annulation de l'essence même de la durée, qui n'est autre que la vie, là où toute durée prend sa source[21] ? »

Il faut aller beaucoup plus loin sur ce sujet, et s'interroger sur une antinomie troublante. La visée ultime du technoprophétisme, on l'a montré, n'est autre que l'immortalité. Cette dernière équivaut à un étirement du temps humain jusqu'à l'infini. Immortel est évidemment celui dont la vie ne finira jamais. Or, à l'inverse, les technologies sur lesquelles tablent les mêmes prophètes de la *singularité* ou du transhumanisme ont pour effet de raccourcir le temps, jusqu'à rendre ce dernier « inhumain », au sens cognitif du terme. Les mêmes plaident d'un côté pour l'immortalité et, de l'autre, pour l'amenuisement du temps.

Quelle conclusion tirer de cette contradiction sinon qu'elle est purement rhétorique ? Les deux projets procèdent de la même erreur. *Raccourcir le temps ou l'assimiler à l'infini revient dans*

21. Guillaume Carnino, « Rêve numérique ou cauchemar informatique », in *La Tyrannie technologique*, *op. cit.*, p. 138

les deux cas, à l'abolir. La finitude, c'est-à-dire la mort, n'est pas une infirmité regrettable de la condition humaine, elle définit cette dernière dans son entier. Nous appartenons à l'espèce humaine, *parce que* nous sommes mortels. Tous les mythes grecs soulignent cette différence de statut entre les humains et les dieux. Dans la mythologie, si ces derniers s'accouplent avec des mortelles, ce n'est pas pour assurer leur succession puisqu'ils sont immortels, c'est pour accéder à « l'ordre humain » organisé autour de la finitude et du renouvellement des générations. Les dieux de la Grèce, de Zeus à Athéna ou Poséidon, ripaillent parfois avec les humains, éprouvent comme eux des colères ou des désirs, c'est pour partager l'espace d'un instant la condition humaine, à laquelle ils demeurent pathétiquement étrangers.

Le philosophe allemand Hans Jonas (1903-1993) insiste sur cet avertissement énoncé par les Grecs à propos du « perpétuel recommencement » qui fonde la condition humaine. La mortalité n'est que l'envers de la natalité ; elle laisse place à la « réponse de la vie » et au rajeunissement continu du genre humain[22].

Hannah Arendt, s'y réfère elle aussi dans *La Crise de la culture*.

Les hommes sont mortels

« Prise dans un cosmos où tout était immortel, ce fut la mortalité qui devint le cachet de l'existence humaine. Les hommes sont les "mortels", les seules choses mortelles qu'il y ait, car les animaux n'existent que comme membres de leur espèce et non comme individus. La mortalité des hommes réside dans le fait que la vie individuelle, le *bios*, avec sa biographie reconnaissable de la naissance à la mort, naît de la vie biologique, *zôè*. Cette vie individuelle se distingue de toutes les autres choses par le cours rectiligne de son mouvement qui, pour ainsi dire, coupe en travers les mouvements circulaires de la vie biologique. Voici la mortalité : se mouvoir en ligne droite dans un univers où tout, pour autant qu'il se meut, se meut dans un ordre cyclique. »

Hannah Arendt, *La Crise de la culture*, Gallimard, 1972, p. 59.

22. J'emprunte cette référence à Jacques Ricot, *Étude sur l'humain et l'inhumain*, *op. cit.*, p. 191.

La durée est constitutive de la vie vivante. Son effacement au profit de l'immédiateté, de la vitesse, de l'accélération, du « bougisme » annule jusqu'au sens des actes et au goût des choses. La frénésie consumériste, pour citer un exemple, est un marché de dupes. Elle nous invite à une jouissance instantanée et à une insatisfaction durable. Elle répond aux intérêts du système plus qu'aux besoins des hommes. À l'inverse, il est significatif que, dans le monde du travail, l'usage (et la domination !) fasse la part belle aux contrats à durée déterminée (CDD), tandis que ceux dont la durée est dite « indéterminée » deviennent des rêves de moins en moins accessibles aux salariés. Il est d'ailleurs révélateur que la vulgate économique – flexibilité, mobilité, adaptation – trahit un abrégement de la temporalité.

Rien d'étonnant si, par contrecoup, le droit d'accès à la durée, voire à la lenteur, soit devenu une thématique que les résistants de l'intérieur déclinent de mille façons. Défense du repos hebdomadaire, bataille pour les retraites, vogue de la randonnée pédestre, autoproduction patiente, refus d'une médecine à la chaîne : ces revendications et ces tropismes sont injustement assimilés à des « utopies écolos ». Ils sont tout le contraire. La vie vivante en est l'enjeu. La chose est encore plus criante avec des mouvements comme *slow city* (né en 1999 en Italie), qui se propose explicitement de lutter « pour la lenteur et la qualité de vie » et qui a essaimé un peu partout en Europe. Ce mouvement a encouragé l'émergence de groupes comparables, notamment aux États-Unis, tous attachés à faire du mot anglais *slow* (lenteur) un préfixe militant : *slow food*, *slow life*, etc. Certains se sont déjà fédérés au sein d'un *slow movement*, dont l'une des proclamations – émise dans le cadre d'une critique en règle de la chaîne d'informations CNN – est on ne peut plus révélatrice : « Nous ne sommes pas des rats, et la vie n'est pas une course[23]. »

Dans la catégorie des symptômes trahissant notre « maladie du temps », on rangera le succès retentissant de plusieurs livres abordant la question. Celui du journaliste américain Carl Honoré, *Éloge de la lenteur* (Marabout), traduit en une vingtaine de langues,

23. On peut consulter le site www.slowmovement.com/

ou celui de Jean-Louis Servan-Schreiber, *Trop vite ! Pourquoi nous sommes prisonniers du court terme*, publié en 2010 chez Albin Michel. D'un peu partout monte un immense murmure dont notre frénésie temporelle est la cible.

La maladie de l'argent

Le temps, c'est de l'argent : le langage courant affectionne cette formule. Si elle est adéquate, alors une « maladie de l'argent » accompagne nécessairement celle du temps. Dans la *surmodernité*, c'est peu de le dire, la maladie en question a pris l'ampleur d'une pandémie. La Résistance de l'intérieur en fait à juste titre une de ses cibles favorites. Le constat serait banal si l'on s'en tenait là. Nos sociétés, qu'elles soient ou non développées, butent douloureusement sur un nouveau « mur de l'argent » dont la hauteur et la solidité sont impressionnantes[24]. Les inégalités se creusent, les ultra-riches comme les nouveaux pauvres sont de plus en plus nombreux. Entre ces deux mondes, une fracture, une faille béante, un gouffre se sont ouverts qui ébranlent dangereusement la cohésion démocratique. Les colères que fait surgir cette béance inégalitaire risquent d'aller s'aggravant, à telle enseigne que le pire n'est plus exclu. La lutte des classes ainsi recommencée rend nos sociétés inflammables. À tout moment, un feu peut les embraser. Les décideurs politiques les plus lucides redoutent cette violence à venir.

Pourtant, considéré de cette façon, le phénomène correspond plus à une régression historique qu'à une maladie au sens thérapeutique du terme. L'inégalité, fût-elle démesurée, n'est pas nouvelle dans notre histoire. Dans le passé, elle a atteint des niveaux plus importants encore que ceux – iniques – d'aujourd'hui. Dans le pire des cas, nos sociétés occidentales réinventeront, culture et traditions en moins, une Inde des maharajas disparue depuis longtemps. La régression historique est avérée. Elle est troublante – ou scandaleuse – mais pas vraiment nouvelle.

24. Une description très précise en est donnée par François Morin, professeur de sciences économiques à l'université de Toulouse-I, *Le Nouveau Mur de l'argent. Essai sur la finance globalisée*, Seuil, 2006.

Si l'on parle d'une «maladie de l'argent», c'est à partir d'un autre éclairage. Le rapport à l'argent entretenu par les gagnants du système apparaît comme le résultat (pathologique) d'une autre sorte de *convergence* : celle qui rapproche jusqu'à les conjoindre la «pensée du nombre» et le dérèglement de la temporalité. L'obsession du calculable et celle du court terme se conjuguent sous nos yeux et font naître une vraie pathologie du comportement. On ne reviendra pas sur la pensée du nombre, décrite plus haut[25]. Rappelons seulement qu'elle fait de la *quantité* la matrice de tout jugement. Quant à l'impatience du court terme, elle a accéléré la domination de l'économie par la finance.

La spéculation de la Bourse a remplacé le «projet» industriel qui, dans le capitalisme d'hier, n'était payé de retour que *sur la durée*. Régulièrement dénoncés, les nouveaux modes de rétribution, non salariale, des dirigeants des grandes entreprises (bonus, stock-options, retraites chapeau, etc.) ont en commun d'être alignés, eux, sur les mécaniques informatisées de la finance, c'est-à-dire le *temps court*. Ils ont fait naître une boulimie et une fébrilité gagneuse éloignées de la simple raison. Les bénéficiaires de ces fortunes insensées sont convaincus que leur valeur individuelle, la substance de leur être, leur poids humain véritable s'évaluent au nombre de zéros alignés sur un chèque. À leurs yeux, le seul étalon de mesure sérieux est – avec l'argent – la capacité d'être «malin». Et rapace. Il y a là en effet tous les symptômes d'une maladie de l'esprit, d'une dévoration intérieure, voire d'un infantilisme préoccupant.

Dans *Inside Job*, le documentaire de Charles Ferguson cité plus haut[26] et consacré à la crise bancaire de 2008 aux États-Unis, un psychologue de New York, Jonathan Alpert aide à comprendre comment cette «maladie» peut prendre une dimension clinique. Évoquant les trader*s* qui défilent dans son bureau, il insiste sur leur impulsivité incontrôlée et l'addiction de la plupart d'entre eux à la cocaïne. On se drogue autant, sinon davantage, à Wall Street que dans les «cités» banlieusardes de la vieille Europe, mais la répression n'y est pas la même…

25. Voir chapitre 2 : «Les droits humains sur le marché».
26. Voir chapitre 6 : «Le "savant fou" : une figure trompeuse».

La maladie de l'argent rend mal à l'aise jusqu'à certains banquiers. « Ces dérives en matière de rémunérations sont "une situation malsaine où les patrons sont soumis à la loi du court terme des marchés et sortent de leur devoir d'exemplarité" (*La Tribune*, 24 août 2009). Ce jugement sévère n'est pas celui d'un militant trotskiste, ni même d'un syndicaliste, mais de Marc Viénot, ancien président de la Société générale[27]. »

Le plus grand risque est facile à localiser. Il vient du fait que, dans l'air du temps, ces « malades » sont érigés en modèles sociaux, en champions à imiter, en exemples à suivre. La maladie, alors, devient vite pandémie... On notera que cette contagion a été préparée, en France, par une affirmation martelée pendant plusieurs décennies, et complaisamment reprise par les médias – y compris à gauche –, affirmation selon laquelle, pour favoriser le développement, il fallait déculpabiliser l'argent et l'arracher à une mauvaise conscience prenant sa source dans le vieux fond catholique. À en croire cette anti-homélie, les protestants et les juifs seraient plus à l'aise avec l'argent et, donc, mieux adaptés à « l'esprit du capitalisme ». Or le raisonnement est doublement erroné. Bien sûr, certains courants évangélistes américains – minoritaires – ont justifié et justifient encore les inégalités financières du système économique. C'est le cas aujourd'hui de la Southern Baptist Convention, d'orientation conservatrice[28]. Il n'empêche que le huguenot Max Weber, dans son célèbre livre *L'Éthique protestante et l'esprit du capitalisme* (1905), est sans indulgence pour le lucre ou l'avidité financière. Pour les besoins du réquisitoire, on oublie délibérément d'en faire état.

Quant aux juifs, il faut gravement méconnaître le contenu de la tradition hébraïque pour raisonner ainsi. (Voir l'encadré.) L'habileté financière des banquiers juifs est d'abord la conséquence de plusieurs siècles d'antijudaïsme qui leur interdisait toute autre activité, notamment agricole. Le grand philosophe et sociologue juif Georg Simmel (1858-1918), dans ses deux livres majeurs, *Les Pauvres* et *Philosophie de l'argent*, rappelle que l'argent était « ce qu'on avait laissé aux juifs ».

27. Jean-Marc La Gall, « La nouvelle fracture sociale », *Études*, avril 2010, p. 466-467.

28. Je reprends ici l'analyse de l'historien des religions Pierre-Antoine Bernheim, « Le dollar et la grâce », *Médium*, n° 16-17, juillet-décembre 2008, p. 340.

Richesse ou sagesse ?

«Les maîtres du judaïsme ont eu raison de dire, il y a vingt siècles, que nul homme ne peut profiter en même temps de la table de la fortune et de celle de la sagesse (traité *Brakhtor* 2 b). Être riche ou sage, il faut choisir. Ils ont même ajouté, en forme de parabole, que si la fortune se trouve au nord, la sagesse, elle, séjourne à l'opposé : au sud. [...] Pour l'antique légende juive, en naissant, le bébé arrive au monde les poings fermés comme pour dire "je veux posséder". À l'heure de la mort, le vieillard s'en va les mains ouvertes. Comme pour dire : je n'emporte rien avec moi ! »

Victor Malka, *Journal d'un rabbin raté*, Seuil, 2009, p. 52, 71.

Sans négliger les revendications traditionnelles liées à la justice sociale et à l'inégalité, la «Résistance de l'intérieur» est donc conduite à formuler des critiques d'un autre ordre, mieux ajustées que celles des partis traditionnels. Elles visent non plus seulement l'iniquité du système, mais la «maladie» de l'entendement qui s'y répand. Des thèmes comme la frugalité volontaire, la décroissance équitable, l'effet rebond, le microcrédit, la sortie du nucléaire, la journée sans achat, la prise en compte des coûts invisibles, la convivialité ou le «voisinage» visent les racines de la maladie et pas seulement ses symptômes. On peut comprendre qu'ils suscitent, du côté des politiques, une ironie ou une fureur particulières. On veut y voir, bien à tort, un simple retour de la «décroissance» des années 1960, époque du Club de Rome et de la «croissance zéro». On a tort. Certes, tout n'est pas recevable dans la nouvelle décroissance. Les constats sur lesquels insistent ses avocats nous invitent néanmoins à «polir nos lunettes», comme disait Spinoza. «Il y a beaucoup à apprendre, murmurent ces "décroissants", de l'éthique de vie propre aux pauvres, de ce que Gille Deleuze appelait leurs *devenirs minoritaires*[29].»

29. Majid Rahnema et Jean Robert, *La Puissance des pauvres*, Actes Sud, 2008.

*

* *

Au bout du compte, on comprend mieux pourquoi les « résistants de l'intérieur » n'ont pas encore de « programme politique ». Sans négliger la politique, ils ne luttent pas à cet échelon. Ils agissent à la fois en amont et en aval. En amont, quand ils font l'exégèse des nouveaux lieux communs (pour reprendre la formule de Léon Bloy revue par Jacques Ellul) afin de les déconstruire. En amont aussi quand ils nous aident à débusquer les complicités « objectives » qui soudent entre elles les nouvelles dominations, d'où qu'elles viennent. À l'inverse, ils travaillent en aval quand ils s'intéressent à l'air du temps, à l'idéologie invisible, au *main stream* de la culture populaire. Faisant cela, ils touchent à ce que le sociologue Ulrich Beck appelle la *subpolitique*[30]. En proposant ce concept, Beck cherchait à définir les modes technoscientifique et médiatique de transformation sociale, qui obéissent encore – de manière quasi reptilienne – à une définition strictement calculatrice du « progrès » humain. Il désignait de cette façon le bavardage vibrionnant qui dissimule, comme derrière un rideau de fumée, le découragement ambiant. Pour lui, à ce titre, la *subpolitique* est donc la première ennemie de la démocratie. C'est à son niveau qu'il faut résister.

Tout est dit.

30. Ulrich Beck, *La Société du risque. Sur la voie d'une autre modernité* [1986], trad. de l'allemand par Laure Bernardi, rééd. Flammarion, « Champs », 2003.

Chapitre 8

La chair du monde

> « Le malheur et l'opprobre du monde moderne, qui s'affirme si drôlement matérialiste, c'est qu'il désincarne tout, qu'il recommence à rebours le mystère de l'incarnation. »
>
> Georges Bernanos [1]

Une récapitulation s'impose. Elle permettra de montrer comment se nouent les différents fils d'Ariane que nous avons suivis dans les sept chapitres qui précèdent. Elle aidera à clarifier l'expression « vie vivante », choisie comme titre de ce livre. Cette dernière n'est pas tautologique, comme on serait tenté de le croire. Elle désigne une réalité indépassable et renvoie à une *saveur* de l'existence à laquelle nul être humain ne saurait renoncer ni être privé. Elle conduit surtout à vouloir protéger, envers et contre tout, notre accès à ce que le philosophe Maurice Merleau-Ponty (1908-1961) appelait la *chair du monde* (voir l'encadré).

Quelques brefs rappels suffiront.

La marche de la *surmodernité* vers la numérisation du monde et l'immatériel privilégie, on l'a vu, un rapport comptable avec le réel qui laisse de côté tout ce qui n'est pas réductible aux algorithmes. La subjectivité humaine est omise et, avec elle, tout ce qui rend la vie « vivante ». Si l'outil informatique nous est précieux, sa tyrannie serait par conséquent mutilante. Dans un autre domaine, celui du droit, la mise en concurrence planétaire des législations nationales aboutit à réviser à la baisse, dans une optique de pure compétitivité marchande, la protection sociale qu'elles organisaient tant bien que mal. Or l'adjectif « social » se rapporte à la dimension *humaine* du

1. *Nous autres Français*, Gallimard, 1939, p. 114.

droit – souffrance, liberté, santé, sécurité –, c'est-à-dire au vivant, au subjectif, à ce qui n'est jamais strictement quantifiable. L'irruption de la « gouvernance par les nombres » sur le territoire du droit ouvre ainsi la porte à une domination du « non-vivant ».

L'erreur productiviste

Bien qu'il s'articule d'une façon différente, le même raisonnement s'applique aux révolutions agricoles que l'on a encouragées imprudemment depuis un demi-siècle. Il n'est pas d'activité plus attachée aux aléas du vivant que l'agriculture. Or le choix des monocultures d'exportation, au nom de la fameuse (et dangereuse) théorie des *avantages comparatifs*, s'est fait au détriment des cultures vivrières, jugées moins performantes. On notera que l'adjectif « vivrières » est dérivé du latin *vivus* qui signifie *vivant*. Là aussi la rationalité instrumentale a exercé son empire en expulsant ce qui n'entrait pas dans ses équations. L'efficacité mathématisable des cultures exportables l'a emporté sur la simple sauvegarde de la vie rurale. Avec le recul, ces choix résolument « productivistes » apparaissent désastreux. Ils visaient à obtenir de meilleurs résultats mathématiques, mais les instruments d'évaluation étaient inadéquats. Ils ont permis de produire, en effet, un surplus de richesse, mais aussi créé un surplus de pauvreté. L'erreur cardinale consistait à assimiler les produits agricoles à des marchandises « comme les autres », ce qu'ils ne sont pas. Les revendications actuelles qui plaident pour une reconstitution de la souveraineté alimentaire ne font que tirer la leçon de cette sottise initiale.

Les écologistes ou les altermondialistes ne sont pas les seuls à s'émouvoir de la situation. Les agronomes éclairés confessent leur inquiétude devant les nouvelles précarités ainsi « produites » : ruines des paysanneries de l'hémisphère Sud, exode urbain, famines persistantes, confiscation des terres par les multinationales qui exportent leurs semences brevetées. Ce n'est pas tout : en assujettissant l'alimentation des peuples au grand marché planétaire, on a relégué au rang de ce qui « ne compte pas » la vie paysanne elle-même. L'ancestrale combinaison de savoirs, d'expériences transmises, de traditions locales, de soins attentifs, d'équilibres sociaux : une certaine manière d'habiter le monde s'est trouvée anéantie. L'écrivain Julien Gracq évoquait jadis les mille et une *activités gagne-petit* qui verdissaient sur le quotidien provincial et lui donnaient une substance, une permanence têtue[2]. Comment imaginer plus belle approche de la vie vivante ?

Chair de ma chair…

« Prenons *les autres* à leur apparition dans la chair du monde. Ils ne seraient pas pour moi, dit-on, si je ne les reconnaissais, si je ne déchiffrais sur eux quelque signe de la présence à soi dont je détiens l'unique modèle. Mais si ma pensée n'est que l'envers de mon temps, de mon être passif et sensible, c'est toute l'étoffe du monde sensible qui vient quand j'essaie de me saisir, et les autres qui sont pris en elle. Avant d'être et pour être soumis à mes conditions de possibilité, et reconstruits à mon image, il faut qu'ils soient là comme reliefs, écarts, variantes d'une seule Vision à laquelle je participe aussi. Car ils ne sont pas des fictions dont je peuplerais mon désert, des fils de mon esprit, des possibles à jamais inactuels, mais ils sont mes jumeaux ou la chair de ma chair. »

Maurice Merleau-Ponty, *Signes*, Gallimard (1960). Repris de Denis Huisman et André Vergez (dir.), *Histoire des philosophes illustrée par les textes*, Nathan, 2003, p. 305.

Il ne s'agit pas de plaider pour un retour à la terre, ni de réveiller je ne sais quel fantasme agropastoral. L'avenir et la survie de millions d'êtres humains sont en jeu. Nombre de responsables expliquent aujourd'hui pourquoi les dégâts du productivisme n'affectent pas seulement l'environnement (épuisement des sols, déforestation ou pollution des réserves d'eau) mais plus dangereusement encore l'échafaudage fragile des équilibres humains. L'ancien ministre français de l'Agriculture, Edgar Pisani, fut l'un de ces rares responsables à confesser publiquement, et sans

2. Julien Gracq, *Lettrines 2*, José Corti, 1974.

faux-fuyant, sa « grave erreur » à propos du productivisme. Il en fut un ardent défenseur dans les années 1960 et 1970 ; il s'en fait aujourd'hui l'infatigable procureur.

Une critique plus violente encore est formulée par le juriste belge et professeur de droit international Olivier De Schutter. Nommé en 2008 rapporteur spécial des Nations unies sur le droit à l'alimentation, ce haut fonctionnaire international est intervenu en 2010 devant les dirigeants de l'Organisation mondiale du commerce (OMC). Il leur a tenu un discours sans complaisance, et rigoureusement informé. Les famines d'aujourd'hui comme celles qui s'annoncent, explique-t-il en substance, ne sont pas imputables à une insuffisance de la production agricole mondiale, mais à ces choix politiques aberrants qui oubliaient la vie vivante[3].

Ces orientations dogmatiques ont abouti à une désertification des campagnes du Sud, et à la clochardisation urbaine de ceux qui y vivaient. De longues années seront nécessaires pour réparer les dommages occasionnés. Autrement dit, la faim dans le monde n'est pas une affaire de technique ou de production, mais de choix politique. La production globale, mesurée en millions de tonnes, n'est pas la vraie question, c'est son partage qui pose problème.

Quand on oublie le subjectif

La même étourderie à l'endroit de la vie vivante se manifeste dans des domaines qui, de prime abord, paraissent étrangers à la question. C'est le cas de la finance et du système bancaire mondialisé. Il faut se souvenir que le déclenchement de la crise bancaire dite des *subprimes*, en septembre 2008, n'est pas sans rapport, elle non plus, avec ce dédain faussement savant de la vie. Bien au-delà de tout jugement moral concernant la « maladie de l'argent », il faut s'interroger sur le rôle néfaste joué par les nouveaux outils mathématiques en usage sur les marchés financiers. C'est en s'interrogeant sur le concept de « risque » qu'on obtient un début

3. Olivier De Schutter, *L'Insécurité alimentaire, facteur de guerre ?*, André Versaille éditeur, 2010.

de réponse. En matière économique comme ailleurs, un risque est toujours *subjectif* et demande à être interprété comme tel. Comment calculer vraiment que tel ménage sera durablement solvable ? Pour ce faire, il faudrait prendre en compte *des paramètres non mesurables*, comme la santé des enfants, la stabilité psychique du chef de famille, la solidité du couple, etc. En d'autres termes, cela exigerait d'inclure dans l'évaluation du « risque financier » des données qui sont en rapport direct avec la subjectivité humaine et le sens.

Hélas, ce n'est pas ainsi que procède la pratique spéculative. Faute d'outils adaptés, elle néglige ces éléments d'appréciation au prétexte qu'on ne peut les mettre en équation. Ce qu'on appelle la « titrisation » financière, c'est l'activité (rentable) qui consiste à placer sur le marché des créances ou des paquets de créances, lesquelles sont évaluées, c'est-à-dire *affectées d'un coefficient de risque*. Les risques d'insolvabilité, dûment additionnés, se voient donc encapsulés dans des formules économétriques, et circulent sous cette forme rudimentaire sur les marchés financiers. L'inconvénient de cette pensée étroitement comptable, c'est que tout lien avec le sens est non seulement perdu mais récusé. Les acteurs des marchés financiers se condamnent à jouer avec des coefficients, c'est-à-dire de pures abstractions, des artefacts qui sont sans lien avec plusieurs composantes du réel et, *in fine*, la vie elle-même [4].

Les « actifs toxiques », pour reprendre l'expression passée dans le langage courant, correspondent justement à des créances dont le coefficient de risque a été sottement calculé. En circulant, à l'instar des virus informatiques, sur les marchés mondiaux, ils ont fait basculer la planète dans une quasi-faillite et des peuples entiers dans le drame. Au-delà du cynisme des *banksters*, la confiance infantile accordée à l'économétrie, au détriment du *subjectif*, est apparue comme une pratique nuisible. Elle a couvert une spéculation généralisée qui équivalait *de facto* à un gigantesque *hold-up légal*.

4. Cette analyse reprend les explications données par les économistes Jean-Luc Gréau et Bertrand Jacquillat, le 16 mai 2009, sur France Culture dans l'émission de Florian Delorme et Alexis Ipatovtsev : « Station météo ».

*

* *

Sur un tout autre terrain, on n'oubliera pas de rappeler qu'une omission aussi dangereuse menace à tout moment les *gender studies*. Précieuses quand il s'agit de déconstruire la normativité dominatrice – et discriminante – de la pensée *straight*, les « études de genre » sont immanquablement conduites à rejeter tout ce qui participe du biologique dans la différentiation sexuelle. Elles partent du principe que les corps ne sont que des « textes » révisables à l'infini, des réalités « construites ». Or, s'il est nécessaire de combattre les pensées essentialistes qui prétendent obéir à une « nature humaine » pour imposer une normativité dominatrice, il est imprudent d'oublier toute réalité charnelle.

Les catégories femme et homme, en effet, sont largement construites culturellement et socialement, mais elles ne sont pas *que* cela. Judith Butler, sur le tard, en est devenue tellement consciente qu'elle a amendé son point de vue. On ne peut effacer la vie vivante au prétexte de la libérer des dominations sociales. Les dérives de certaines théoriciennes féministes « anti-essentialistes » ont d'ailleurs suscité, notamment aux États-Unis, nombre de réactions hostiles aux *gender* en général [5]. Ces répliques sont parfois excessives mais elles étaient prévisibles. À la radicalité répond presque toujours une radicalité inversée. On aboutit à ce que Simone Weil appelait l'*égarement des contraires* [6].

Un autre exemple d'oubli mérite d'être rappelé. Inquiets des avancées technologiques « convergentes », mises en lumière dans le fameux « rapport NBIC » de 2002, et des fantasmes que cette convergence a fait naître, certains philosophes s'en sont pris aux fondements de l'intelligence artificielle. Ce projet « technoprophétique » leur semble critiquable. Pour eux, la simple expression « intelligence artificielle » est un contresens qui témoigne, lui aussi,

5. Voir notamment le livre de la journaliste et psychologue canadienne Susan Pinker, *The Sexual Paradox. Extreme Men, Gifted Women and the Real Gender Gap*, Random House, 2008 ; trad. fr. : *Le sexe fort n'est pas celui qu'on croit*, Les Arènes, 2009.

6. Simone Weil, *La Pesanteur et la Grâce* (1947), Pocket-Agora, 2004.

d'une incompréhension de ce qu'est réellement la vie. André Gorz insiste sur le fait qu'une «intelligence artificielle», aussi perfectionnée qu'elle soit, sera toujours dans l'incapacité *ontologique* de définir ce qui est important, de choisir le but à poursuivre, de faire le partage entre ce qui a du sens et ce qui n'en a pas, de questionner les critères en fonction desquels les buts étaient définis, etc. Il pense que «toutes ces questions [...] renvoient nécessairement à l'existence d'un *sujet conscient*, vivant, qui pense, calcule, choisit, agit, poursuit des buts parce qu'il *éprouve* des besoins, des désirs, des craintes, des espoirs, des douleurs, des plaisirs». Gorz ajoute que, pour ces motifs, le cerveau humain n'est pas un ensemble de programmes, «il est l'organe vivant d'un corps vivant». Le choix de l'adjectif ne doit rien au hasard. C'est encore de la vie vivante qu'il s'agit[7].

À cette critique, les technoprophètes opposent un argument qui participe de la fuite en avant : afin de contourner cet obstacle ontologique, il suffirait de créer artificiellement la vie elle-même. L'utopie technoscientifique visant à créer une *vie artificielle* (VA) revient ainsi périodiquement sur le devant de la scène et donne lieu à quantité de publications hâtives, plus ou moins triomphales[8]. Les recherches menées sur cette question, et les proclamations qu'elle suscitent, ne sont guère convaincantes. Et cela, pour une raison simple : la vie vivante est *autopoïèse*, du grec *auto* (soi-même) et *poïèsis* (création). Elle se définit par *sa capacité de se produire elle-même*. Cela signifie qu'elle n'est réductible et explicable par rien d'autre qu'elle-même. Elle réside dans la pure subjectivité de la sensation, subjectivité que la technique ne peut ni saisir ni reproduire. L'essence de la vie réside dans le fait de s'éprouver soi-même, répète Michel Henry dans tous ses livres. Il évoque donc, comme André Gorz, l'*abîme ontologique* qui sépare la vie vivante des *procédés* par lesquels on prétend la créer artificiellement.

7. André Gorz, *L'Immatériel. Connaissance, valeur et capital*, *op. cit.*, p. 126- 127.

8. Parmi les plus récentes, citons Joël de Rosnay et Fabrice Papillon, *Et l'Homme créa la vie. La folle aventure des architectes et des bricoleurs du vivant*, Les Liens qui libèrent, 2010.

De la pudibonderie religieuse…

Reste à s'interroger sur la signification de l'adjectif « pudibond ». Au sens étroit et péjoratif, le terme désigne un excès de pudeur, une pruderie si maniaque qu'elle en devient ridicule. Elle s'attache de manière obsessionnelle à cacher ce qui ne doit pas être vu, notamment les organes sexuels. Le répertoire théâtral en fait grand usage car la pudibonderie procède souvent de la pure hypocrisie. Elle est d'abord une posture. Molière place dans la bouche de son Tartuffe, s'adressant à la servante Dorine, une admonestation passée depuis dans le langage courant : « Couvrez ce sein que je ne saurais voir » (acte III, scène 2). L'adjectif pudibond est surtout lié à la sexualité et, plus exactement, à la fréquente tartufferie du moralisme sexuel.

Il peut néanmoins s'entendre dans une acception plus large. Ce qu'il invite à cacher, à refouler, à ignorer, c'est la vie elle-même, avec ses odeurs, ses sueurs, ses écoulements, ses plaisirs ou ses imperfections, bref tout ce qu'Arthur Rimbaud, dans *Le Bateau ivre*, appelait les « rousseurs amères de l'amour ». En manifestant leur dégoût pour la vie vivante, l'utérus de la femme ou le corps en général, les technoprophètes cités dans ce livre vendaient la mèche[9]. Cacher, nier, congédier, diffamer le corps et la vie vivante participent bien d'un effrayant déni.

*

* *

Si les technoprophètes y cèdent aujourd'hui, on ne peut ignorer qu'en matière de pudibonderie sexuelle, la plus étouffante n'est pas scientifique mais religieuse. La volonté de résister aux *nouveaux* pudibonds ne doit pas nous conduire à absoudre les *anciens*. Ils sont toujours présents, et plus impérieux que jamais. Le vrai paradoxe du XXIe siècle réside dans cette surprenante « rencontre ». On conviendra qu'il est assez extraordinaire de voir se rejoindre dans

9. Voir Chapitre 5 : « Haine du corps et nouveaux pudibonds ».

la même détestation de la chair les technoprophètes les plus ostensiblement athées et les fondamentalistes religieux. De telles retrouvailles « objectives » sont inattendues mais bien réelles. Où que l'on tourne le regard, la plupart des religions – sinon toutes – font preuve aujourd'hui d'une même rétractation prude et tatillonne. Elle permet aux incroyants d'associer de manière automatique la pruderie au religieux. Les religions seraient prudes par essence ou par vocation. Ce point de vue est majoritairement partagé, et très médiatisé. On raisonne *a priori* comme si le religieux, en récusant le corps, était tristement fidèle à lui-même, c'est-à-dire hostile à la chair, et cela de toute éternité.

Pareille interprétation est d'autant plus courante qu'elle est vraisemblable, corroborée par mille manifestations, discours, catéchismes et interdits mutilants. Ils sont le fait non point du seul catholicisme, comme on le dit parfois, mais de toutes les religions, y compris polythéistes. Ni l'hindouisme, ni même le bouddhisme n'échappent à cette lugubre régression. Au premier examen de l'actualité, en effet, la chair et la foi religieuse ne semblent pas (ou plus) faire bon ménage. Or, cette prétendue évidence ne résiste pas à l'examen. *Les grandes religions ne sont pas prudes par essence, elles le sont devenues*. Tout est là. L'inflexion caricaturalement rigoriste affichée par certains courants religieux – ou correspondant à des époques déterminées – n'est jamais le *tout* de la religion. Au contraire, cette injonction à la pruderie correspond généralement à une infidélité, voire à *une trahison du message originel*.

En dépit des dogmes qu'elles invoquent (ou réinterprètent), les grandes traditions religieuses ne sont pas des révélations intemporelles, fixes, permanentes. Elles ont toujours connu des inflexions, des évolutions, des approches historiques variées. Mieux encore, elles rassemblent en leur sein des familles de pensée et des sensibilités différentes, ce qui interdit de les considérer comme des blocs monolithiques de croyances. Si tel était le cas, ni la théologie ni le travail d'herméneutique ou d'exégèse n'auraient de raison d'être. Une place importante est toujours laissée à l'interprétation du message initial sur lequel se fonde une foi religieuse. Que l'on songe à la centralité du Talmud, qui fait dire aux juifs qu'ils « ne sont pas le peuple du livre, mais le peuple de l'interprétation du livre». Que l'on pense, à propos du christianisme, à l'extraordinaire croisement d'écoles qui, dès l'origine, a contribué à rendre plurielle la tradition (et nous verrons à quel point elle l'est).

À des degrés variés, la même diversité existe dans les autres confessions, qu'elles appartiennent ou non au monothéisme. Cette diversité n'est pas sans conséquences. Raillée par les agnostiques ou les athées, la pudibonderie religieuse est régulièrement combattue *de l'intérieur* par des croyants authentiques mais moins soumis au cléricalisme ou moins persécutés par lui. Notons à ce propos une troublante coïncidence historique : la plupart des contractions puritaines perceptibles aujourd'hui sont apparues dans les différentes traditions religieuses à peu près au même moment, à savoir au XIXe siècle.

Les nouvelles «convenances» de l'Inde moderne

Le cas de l'hindouisme est le plus frappant car il est peu étudié en Europe. Si l'on examine la culture populaire de l'Inde moderne, celle qui s'exprime par le cinéma de Bollywood (industrie cinématographique indienne de Bombay), on voit tout de suite qu'elle ne correspond pas du tout à l'idée qu'on se fait de l'érotisme indien traditionnel, celui de l'époque précoloniale et du *Kama-sutra*. Un indianiste français s'en désole : «L'Inde elle-même, écrit-il, dans sa version officielle, est aujourd'hui puritaine, à l'avenant du puritanisme britannique des siècles précédents. [...] L'enseignement des "maîtres" est très généralement puritain, très puritain même. La condamnation de la sexualité est générale et il est de bon ton, après avoir procréé, de vivre chacun séparément dans la continence absolue [10].» Le rituel des films populaires produits dans le sous-continent obéit ainsi à des impératifs pudiques. L'amour n'y est évoqué qu'à travers les élans romantiques capables de braver l'autorité des familles et les convenances sociales ou les différen-

10. J'emprunte plusieurs de ces notations à la remarquable et longue étude sur l'art érotique hindou publié par Michel Angot, membre du Centre d'études de l'Inde et de l'Asie du Sud. On peut la consulter sur le site : http://www.clio.fr/BIBLIOTHEQUE/lart_erotique_hindou.asp

ces de castes. En revanche, il est exclu de représenter le moindre corps dénudé ou le plus petit échange charnel, hormis un fugitif baiser.

L'indianiste Alain Daniélou (1907-1994) fut l'un des premiers à dénoncer cette distance prise par la culture indienne avec ses propres traditions, celles qui ont garni les temples anciens d'une statuaire érotique sans beaucoup d'équivalent dans le monde. Les textes anciens rédigés en sanskrit étaient émaillés, quant à eux, de « pieuses obscénités », célébrant « l'autel du sexe », ou « le feu de la vulve ». Les premiers traducteurs européens des *Rigveda* s'étonnèrent d'y trouver autant de « détails lubriques » et s'arrangèrent pour en atténuer l'expression. Les carnets de route écrits au XIXe siècle par les conquérants britanniques laissent transparaître une même stupéfaction devant l'audace libertine, la liberté charnelle de certains temples, notamment ceux du village indien de Khajuraho, dans l'État du Madhya Pradesh, qui furent dégagés en 1840 de la jungle qui les avait recouverts. L'ingénieur britannique T. S. Burt, découvreur de ces monuments, signale dans son journal les « quelques sculptures extrêmement indécentes et choquantes que j'ai été horrifié de trouver dans les temples ».

La belle tradition charnelle du *Kama-sutra* est bien oubliée aujourd'hui. Daniélou racontait que Gandhi avait envoyé des équipes de ses fidèles pour briser les statues érotiques de certains temples. Il fallut à l'époque l'intervention du grand poète bengali Rabindranath Tagore, ami de Daniélou, pour qu'on arrête ce vandalisme. Daniélou rappelait volontiers que l'article 377 de la Constitution indienne de 1948 punit sévèrement les « rapports sexuels contre-nature avec un homme, une femme ou un animal ». Il protestait, dans un de ses livres, contre « l'avilissement d'une pensée religieuse devenue purement dogmatique, puritaine et sociale, non seulement en Occident mais dans l'Inde moderne elle-même [11] ».

La vérité oblige à dire qu'en invoquant constamment la dimension libertine et érotique de la « vraie » tradition hindoue Alain

11. Dans l'avant-propos de son livre *Mythes et dieux de l'Inde. Le polythéisme hindou*, rééd. Flammarion, « Champs », 2009.

Daniélou usait de ces références pour combattre le rigorisme catholique avec lequel il avait brutalement rompu. (Son frère Jean, jésuite fait cardinal par le pape Paul VI en 1969, était une figure marquante du catholicisme français.) Son intention avouée était de réhabiliter le paganisme polythéiste, ou du moins ce qu'il considérait comme tel. Les travaux de Daniélou faisaient ainsi une large place au tantrisme, cette ramification de l'hindouisme, puis du bouddhisme, dont la doctrine glorifie le *kâma* (désir) et la puissance créatrice du corps. On peut comprendre la cruelle déception de l'indianiste quand il constata qu'en matière de pudibonderie l'Inde moderne n'avait rien à envier à la France catholique. L'œuvre de Daniélou – qui se faisait appeler Shiva Sharan, le protégé de Shiva – est aujourd'hui contestée par les spécialistes, tant indiens que français. On lui reproche d'avoir donné une interprétation très personnelle – et politiquement dangereuse – de la tradition hindoue [12].

Il n'en reste pas moins que le constat attristé de Daniélou demeure valable : l'Inde moderne ne vénère plus la vie vivante avec la même liberté et la même ferveur qu'autrefois. La Fédération indienne, avec une intensité variable selon les États, connaît aujourd'hui les mêmes débats et les mêmes revendications libertaires que celles qui agitent l'Europe ou les États-Unis. Pour ne citer qu'un exemple, le mouvement des transsexuels indiens, les *hijras*, est aussi combatif que chez nous. À travers des manifestations de rue, les *hijras* se battent pour être reconnus, ce qui est bien le moindre. Plus grand-chose ne sépare l'Inde moderne du monde occidental. D'un point de vue politique, le fondamentalisme hindou, représenté par la mouvance nationaliste de l'*hindutva* (hindouïté), n'est pas moins hostile à la chair que ses homologues monothéistes [13].

Le puritanisme de l'Inde moderne est d'autant plus intéressant à examiner qu'il rejoint – et conforte – la doctrine ascétique du *détachement* d'avec le monde sensible qui fait partie, elle aussi,

12. Notamment dans le livre de Jean-Louis Gabin (préface de Mahant Veer Bhadra Mishra), *L'Hindouisme traditionnel et l'interprétation d'Alain Daniélou*, Cerf, 2010.

13. J'ai consacré un long développement à l'*hindutva* dans *Le Commencement d'un monde*, *op. cit.*

de la tradition. Elle imprègne l'un des textes sanskrits les plus célèbres, la *Bhagavad-Gîtâ*, qui fut écrit entre les IVe et IIe siècles avant J.-C. Le *détachement* aboutit à déprécier le monde et la vie, considérés comme les produits de l'Illusion (*mâyâ* en sanskrit). Ironie de l'Histoire, le goût pour la spéculation mathématique et l'intérêt pour l'immatériel appartiennent eux aussi à la culture indienne. Ils expliqueraient la spectaculaire réussite de l'Inde moderne dans le domaine de l'informatique, de la cyberculture et des logiciels. L'Inde ajoutera-t-elle une pudibonderie à l'autre ? On est en droit de le craindre.

L'islam : une sensualité répudiée

La rupture glaçante avec les aspects les plus joyeux d'une tradition religieuse est encore plus marquée dans le cas de l'islam. Les islamistes du XXIe siècle, qu'ils soient d'obédience salafiste, wahhabiste dans le cas des sunnites, ou khomeyniste pour les chi'ites, ont en commun un moralisme sexuel agressif. Voile intégral imposé aux femmes, crimes d'honneur tolérés, bastonnade des impudiques par une « police de la vertu », lapidation des épouses adultères, traque des homosexuels : chaque semaine, l'actualité apporte un ou plusieurs cas de violence liés à une détestation de la chair visible. Ce durcissement s'apparente à une panique.

En convoquant les traditions les plus rigoristes de l'islam – celles que représentaient Ibn Hanbal (mort en 855) et son continuateur, le jurisconsulte syrien Taqi al-din Ahmad ibn Taymiyya (1263-1328) –, les mouvements fondamentalistes qui habitent la *surmodernité* (et conduisent parfois au terrorisme) affirment qu'ils représentent le « vrai islam », et luttent contre les supposées influences de la « culture traduite » ou du mal venu d'Occident (*qarbzadagi*). Leur véhémence a, d'une certaine manière, déjà porté ses fruits. Nombre d'Occidentaux, chrétiens, agnostiques ou athées, sont aujourd'hui convaincus que la haine du corps comme la misogynie sont le propre de l'islam lui-même. Tout semble indiquer, disent-ils, que la violence faite à la vie vivante et la diabolisation inquiète du plaisir féminin sont depuis l'origine au cœur de la pensée coranique.

Or rien n'est plus faux. Si la pruderie de l'Inde moderne marque une rupture – relativement récente – avec la tradition hindoue (et non point sa continuation), la remarque est encore plus vraie pour l'islam. Si l'on s'en tient aux textes fondateurs, l'islam est plus sensuel, plus voluptueux, plus charnel que la plupart des autres religions. On pourrait citer quantité de sourates ou de hadiths du Prophète qui exaltent le bonheur des sens et de la chair. « Il m'a été donné d'aimer de votre monde les femmes et le parfum », est-il écrit dans la sourate 4. « Le paradis est sous les pieds des mères », affirme un hadith (controversé, il est vrai). Les hadiths concernant l'acte sexuel évoqué positivement sont aussi nombreux que ceux qui traitent de la guerre. Les jeux sexuels (*mula'aba*) sont chaudement recommandés. Au total, écrit un chercheur tunisien, « la sexualité jouit donc en islam d'un statut privilégié. Qu'il s'agisse des textes qui en règlent l'exercice au sein de la vie collective ou de ceux qui rendent au rêve sa pleine densité onirique, partout le droit aux jouissances du sexe est affirmé avec force. L'islam est un lyrisme de la vie [14]. »

Seules l'homosexualité masculine (*liwât*) ou féminine (*musâh'àqua*) sont stigmatisées, au prétexte qu'en refusant d'accepter le corps sexué, le « dialogue des sexes » et la bipolarité du monde, elles constituent des révoltes contre Dieu. Trente-cinq versets répartis dans sept sourates sont consacrés à cette question. On comprend pourquoi elle embarrasse aujourd'hui l'ensemble des pays de tradition coranique, qui sont, comme le reste du monde, travaillés par l'évolution planétaire des mœurs. Les débats et les exégèses fiévreuses qu'elle suscite tiennent une grande place à l'intérieur du monde musulman, y compris au sein de l'islam européen. Ils donnent lieu à d'infinies citations de textes contradictoires. On n'aura pas l'outrecuidance d'intervenir dans ces débats théologiques. Ils exigent une vraie compétence dont l'auteur de ce livre ne saurait se prévaloir.

Bornons-nous à quelques remarques historiques ou factuelles. Souvenons-nous par exemple que Nietzsche, grand pourfendeur de

14. Abdelwahab Bouhdiba, *La Sexualité en Islam*, PUF, « Quadrige », 1984.

la pudibonderie chrétienne, ne tarissait pas d'éloges sur le culte du corps qu'il décelait chez les musulmans. Dans un passage de *L'Antéchrist* (fragment 59), il rendait un hommage appuyé à « la merveilleuse civilisation maure d'Espagne, au fond plus proche de *nous*, parlant plus à nos sens et à notre goût que Rome et la Grèce mais qui a été *foulée aux pieds* ». S'il en fut ainsi, ajoutait-il, « c'est parce qu'elle disait *oui* à la vie, avec en plus, les exquis raffinements de la vie maure !... » Pour illustrer sa démonstration – et charger davantage le christianisme –, il rappelait que le premier geste des autorités de Cordoue après la *reconquista* chrétienne de 1236 fut de fermer les milliers de hammams de la ville. Ces édifices étaient perçus par les chrétiens, ajoutait Nietzsche, comme des lieux de stupre et de turpitude. En réalité, les hammams correspondaient surtout à un réemploi et à une adaptation islamiques des thermes romains, lesquels permettaient d'exalter la beauté du corps. Dans les villes de l'époque, on compte un hammam par quartier, voire un par rue. À Bagdad, assure Abdelwahab Bouhdiba, il y avait un hammam pour cinquante habitants, et un pour quatre-vingts à Kairouan [15].

« Aller au hammam »

« Le hammam déborde largement la simple hygiène ou le simple rituel. Le hammam est un lieu fortement érotisé. Tellement, d'ailleurs, que le nom finit, à force de sous-entendus et d'évocations grivoises, par signifier aux yeux des masses l'acte sexuel lui-même. « Aller au hammam » dans beaucoup de pays arabes signifie purement et simplement « faire l'amour ». Puisque aller au hammam relève du souci d'ôter la souillure consécutive à l'acte sexuel et puisque le hammam par les soins qu'il comporte est aussi préparation à l'acte sexuel, on peut dire que le hammam est à la fois conclusion et propédeutique de l'œuvre de chair. »

Abdelwahab Bouhdiba, *La Sexualité en Islam*, *op. cit.*

15. *Ibid.*

Ajoutons que la représentation du paradis dans l'imaginaire musulman est sans aucun doute la plus charnelle, si on la compare à celle des deux autres monothéismes. Le paradis musulman est peuplé de *houris*, créatures féminines éternellement vierges, aux corps parfumés de safran, de musc et de camphre. Il est la promesse explicite d'un «orgasme infini». Des textes des XIIe et XIIIe siècles – notamment ceux du cheikh Jalal Addin al-Suyûti – assurent que «l'appétit [y] est centuplé. On mange et on boit à volonté. La puissance génésique de l'homme est elle aussi multipliée. On fait l'amour tout comme sur terre mais chaque jouissance se prolonge, se prolonge, et dure quatre-vingts ans.» Vision poétiquement naïve, dira-t-on, mais dont la tonalité est parlante. En comparaison, les «paradis» juifs ou chrétiens sont asexués et spiritualisés.

Sachons, par contraste, que le grand philosophe et médecin musulman Ibn Sinâ, dit Avicenne (980-1037), dans son *Canon de la médecine*, recommandait les joies de l'amour comme remède à la plupart des maux. «Lâche la bride aux jeunes gens pour les rapports sexuels, écrivait-il, par eux, ils éviteront des maux pernicieux.» On pourrait ajouter que le patrimoine poétique musulman est d'une sensualité et d'une saveur sans égales. Il fait preuve, à l'endroit des dogmes, d'une liberté d'expression dont les *Quatrains* du poète persan Omar Khayyâm (1050-1223) sont le plus bel exemple, tel ce vers : «Lorsqu'une belle jeune fille m'apporte une coupe de vin, je ne pense guère à mon salut.» Quant à la littérature proprement érotique, elle est loin d'être absente de la culture islamique, surtout celle de la période andalouse. Certains de ces textes, comme *Le Jardin parfumé* de Mouhammad al-Nafzâwî et Mohamed Lasly (Xe siècle), sont traduits et réédités dans le monde entier. De façon plus directe encore, le folklore populaire contient des trésors de grivoiseries provocantes, voire d'obscénités transgressives que nul ne trouvait incompatibles avec la piété.

La dérive puritaine de l'islam moderne implique donc le rejet volontaire d'une bonne part de la culture coranique. Elle est infidèle aux origines. Il est vrai que les fondamentalistes du XXIe siècle ne font jamais que prolonger, en l'exacerbant, une dérive commencée avant eux. Voici très longtemps, remarque l'essayiste Malek

Chebel, que « l'art, le savoir-vivre, la culture du lit et la poésie amoureuse ne cessent de se dégrader. Ils suivent en cela l'ensemble des composantes de la civilisation arabo-islamique [16]. »

Le christianisme oublieux de lui-même

Venons-en au christianisme. Nous sommes tellement accoutumés à l'insistante pudibonderie catholique dans le domaine sexuel que nous ne comprenons plus ce qu'elle a de paradoxal, eu égard à une partie notable de la tradition. Depuis la Contre-Réforme du XVIIe siècle, mais surtout depuis le XIXe siècle, le discours catholique procède de ce que l'évêque de Poitiers, Albert Rouet, appelle lui-même (pour le condamner) le « jansénisme moral ». Le même évêque, avec une belle insolence, ironise sur la frilosité puritaine qui a poussé l'institution à « corriger » la traduction d'un vers du *Te Deum*, dont l'origine remontait au Ve siècle. Dans sa littérarité, le texte latin disait « Tu n'as pas eu horreur de l'utérus d'une vierge » (*Non horruisti Virginis uterum*). Au fil des siècles, la traduction pudique est devenue : « Tu n'a pas dédaigné le sein d'une Vierge [17]. » À lui seul, l'aménagement du texte est significatif.

Faisant écho à ces remarques navrées, le théologien Robert Scholtus parle quant à lui du « pas lourd » du catholicisme. De fait, depuis plusieurs siècles, le dogme catholique n'en finit pas de condamner les « débordements de la chair », et *in fine* le corps lui-même. Dans son *Histoire de la sexualité*, Michel Foucault a montré qu'en durcissant son « jansénisme moral » au XIXe siècle, le catholicisme se ralliait pour une bonne part à « l'esprit bourgeois », et à une pruderie d'inspiration scientiste. Ce fut le cas au sujet de la masturbation, que les médecins athées comme le docteur Tissot (grand ami de Voltaire) diabolisèrent délibérément en y voyant une pathologie à soigner énergiquement.

16. Malek Chebel, *Encyclopédie de l'amour en Islam*, Payot, 1995. C'est à cet ouvrage que j'ai emprunté la citation d'Avicenne.

17. Albert Rouet, *J'aimerais vous dire. Entretien avec Dennis Gira*, Bayard, 2009, p. 107.

Depuis lors, le moralisme ecclésial – effrayant dans les années 1950 – se retrouve dans une proximité (délétère) avec la gnose dualiste dont on a vu qu'elle réapparaissait aujourd'hui sous d'autres habits chez les « nouveaux pudibonds » du cyberespace. Ce dualisme désincarné, certains Pères de l'Église des premiers siècles l'avaient pourtant ardemment combattu. Que s'est-il passé au fil des siècles pour que finissent par prévaloir une vision aussi étroite, un discours de mortification, un parfum aigre de sacristie dont plusieurs générations eurent à subir la pesanteur ? Pourquoi l'Église n'a-t-elle pas compris qu'en cédant à un jansénisme aussi outré, en se faisant « scrutatrice des consciences, voire investigatrice, soupçonneuse, sourcilleuse [18] », elle détournait de la foi des générations entières et contribuait ainsi à la sécularisation qu'elle déplore aujourd'hui ?

Le discours abusivement rigoriste de l'Église en matière sexuelle s'inscrit en réalité dans une longue histoire qui, depuis l'origine, a divisé le christianisme dans son entier. La Gnose n'est pas seule en cause. Le courant ascétique fut très actif durant les premiers siècles, à l'intérieur même du christianisme canonique, et s'est perpétué par la suite, en s'appuyant notamment sur une interprétation contestable des Épîtres de Paul, puis des textes d'Augustin, pour aboutir au jansénisme de Port-Royal, puis à la pruderie cléricale du XXe siècle. Ce courant, désigné sous le nom d'*encratisme* (du grec *enkrateia*, « continence »), réunissait en lui plusieurs influences dont celle de la secte juive des *Esséniens*, mais aussi un dualisme venu de Platon et du stoïcisme grec. Plusieurs auteurs chrétiens des premiers siècles, comme Justin ou Tatien, en furent les ardents – et ténébreux – défenseurs.

En revanche, un autre courant, plus accommodant et plus riant, se manifesta dès les deux premiers siècles de notre ère. Il était surtout représenté par la patristique grecque. Clément d'Alexandrie (vers 140-vers 220), auteur des *Stromates*, en fut le meilleur exemple. Très sévère à l'endroit des encratites, Clément faisait l'éloge de l'union entre homme et femme, et assurait même – contre le rigorisme essénien – que la vie sexuelle n'impliquait

18. *Ibid.*, p. 316.

aucune espèce d'impureté. Ce courant est resté présent au sein du christianisme. Les jésuites, pour ne citer qu'eux, en furent les lointains héritiers. Cela signifie que le balancement entre les deux sensibilités n'a jamais cessé depuis deux mille ans.

Certaines périodes chrétiennes furent d'ailleurs moins rigoristes qu'on ne l'imagine. Sur des questions comme l'homosexualité ou le « plaisir solitaire », il est arrivé que l'institution catholique se montre paradoxalement plus indulgente que les pouvoirs temporels. Le péché dit de « mollesse » (l'onanisme) n'était que modérément puni dans les « pénitentiels » de l'époque médiévale, ces guides pratiques censés guider les prêtres dans la confession de leurs fidèles[19]. Quant à l'homosexualité, un historien gay américain de l'université Yale, John Boswell, mort du sida en 1994, avait montré qu'elle fut moins systématiquement condamnée par l'Église qu'on ne le croit, et cela jusqu'à l'époque médiévale. Dans sa magistrale étude, il citait même le cas d'un pape prenant la défense d'un « inverti » persécuté par le pouvoir temporel. « On peut difficilement soutenir, écrivait-il, que l'attitude relativement indulgente adoptée par d'éminents hommes d'Église du haut Moyen Âge envers l'homosexualité soit due à l'ignorance. En effet, l'homosexualité n'est pas ignorée : elle est traitée comme une faute mineure[20]. »

Il n'en alla pas toujours ainsi, on le sait bien, dans l'histoire de l'Église, et c'est tout le problème. Bien qu'il fût condamné, depuis la fin du IVe siècle, par plusieurs décrets de l'empereur (chrétien) Théodose Ier, le courant encratite demeura influent pendant de longs siècles. À certaines époques il reprit indirectement le dessus. Ce va-et-vient incessant entre ascétisme et bienveillance tisse toute l'histoire du christianisme. Il permet de comprendre la subite convergence, à partir de la fin du XVIIIe siècle, entre le rigorisme très laïc de l'« esprit bourgeois » et le discours officiel du catholicisme. La pudibonderie, revendiquée alors par une classe bourgeoise ascendante, soucieuse d'afficher sa « vertu » contre la

19. J'ai longuement développé ce débat théologique dans *La Tyrannie du plaisir*, *op. cit.*

20. John Boswell, *Christianisme, tolérance sociale et homosexualité. Les homosexuels en Europe occidentale des débuts de l'ère chrétienne au XIVe siècle*, Gallimard, 1985, p. 285.

« dépravation » de l'aristocratie, se trouva en harmonie avec l'un des deux versants du catholicisme, le plus abrupt évidemment. L'Église apporta ainsi à l'esprit bourgeois le renfort solennel de son moralisme, de sa liturgie et de ses encycliques. Une singulière « alliance pudibonde » se perpétua aux XIXe et XXe siècles. Elle fut encore renforcée par l'effroi démographique engendré par la défaite de Sedan en 1870. (« Les Allemands font plus d'enfants que nous ! ») Cette panique démographique incita les Français (républicains et catholiques confondus) à privilégier la procréation plutôt que le « plaisir ». C'est contre ce moralisme civique et religieux que les jeunesses européennes se révoltèrent soudainement en 1968.

Pareille hostilité à la chair du discours ecclésial revenait à désavouer tout un pan de la tradition évangélique. On le comprend mieux maintenant. Le christianisme est la seule religion monothéiste à placer au cœur de son message le thème de l'*incarnation*, c'est-à-dire une glorification de la chair, voire une *mystique de la chair*. En choisissant, au moment de sa conversion – au tournant des XIIe et XIIIe siècles – de prêcher un matin, sans le moindre vêtement, dans la chaire de la cathédrale d'Assise, François entendait rappeler à tous son souci de « suivre nu, le Christ nu ». À ses yeux, le corps ne pouvait être négativement perçu.

On peut comprendre les réflexions acerbes d'Emmanuel Mounier (dont il sera question plus loin) au sujet des condamnations antichrétiennes de Nietzsche, lequel reprochait au christianisme d'avoir toujours « diffamé » le corps. Mounier assurait que si Nietzsche avait consacré la même énergie à étudier les premiers siècles chrétiens que celle qu'il réserva à l'Antiquité païenne, il eût raisonné différemment. L'héritage que s'employa à combattre l'auteur de *L'Antéchrist* n'était pas *le* christianisme, mais sa dénaturation cléricale. Remarquons que les auteurs contemporains qui se réclament de Nietzsche sont redevables du même reproche. La « moraline » chrétienne qu'ils combattent n'est jamais qu'une régression cléricale. Pour le reste, hormis le souci de la procréation qui est lié à l'histoire, l'éthique évangélique en matière de sexe n'est pas si différente de celle d'un Michel Onfray. Dans les Évangiles, Jésus ne condamne pas la femme adultère mais la sauve de la lapidation. L'interdit majeur de la morale chrétienne, la «limite» absolue du désir physique, c'est le non-désir de l'autre. Le «non» de l'autre ne peut en aucun cas être contourné, ignoré, violenté ou manipulé. En d'autres termes, le respect de l'autre vient nécessairement borner mon hédonisme.

Or, dans sa *Théorie du corps amoureux*, Onfray plaide pour une «érotique solaire», et même un «solipsisme du plaisir». Reprenant Nietzsche, il fulmine évidemment contre la «névrose» biblique. Cela étant, il refuse d'être barbare ou tortionnaire façon Sade. Pas question, écrit-il, de «succomber à la violence». Il réintroduit donc *in fine* le principe d'un «contrat hédoniste» entre les partenaires sexuels, et légitime du même coup l'obligation de respecter l'autre. Cette obligation procède, selon lui, d'une «éthique de la douceur» et du «respect de la parole[21]». Au-delà des proclamations antireligieuses, dans les faits, la distance n'est pas si grande entre cette «éthique de la douceur» et une éthique chrétienne éclairée. Michel Onfray s'en rend-il compte ? Une chose est sûre : si l'on peut accepter sa condamnation de la pudibonderie cléricale, il est difficile d'admettre que le christianisme tout entier soit impliqué dans ce réquisitoire. On va voir pourquoi.

À propos de crispation cléricale, on note aujourd'hui quelques évolutions dans le discours officiel de l'institution. L'encyclique *Deus carita est* de 2006 reconnaissait la place éminente de l'*eros*. Le pape Benoît XVI lui-même, dans un livre d'entretiens publié à l'automne 2010, condamnait explicitement – et pour la première fois – le «jansénisme» sexuel. Faisant cela, il ne «rompait» pas, comme on l'a dit, avec la tradition chrétienne, il opérait un rééquilibrage en faveur d'un courant qui n'a jamais cessé d'être présent. Reste que cet infléchissement arrive bien tard et qu'il faudra beaucoup de temps avant que la nouvelle approche soit mise en pratique par la hiérarchie catholique. Même condamné par le pape, le «jansénisme» sexuel y reste solidement implanté.

21. Michel Onfray, *Théorie du corps amoureux. Pour une érotique solaire*, Grasset, 2000 ; rééd. Le Livre de Poche, 2001.

Contre un « christianisme fade »

Voilà plusieurs décennies, en tout cas, que d'innombrables chrétiens avouent leur désarroi, voire leur « sainte colère » à ce sujet. Les protestations de certains d'entre eux contre la pudibonderie catholique ne le cèdent en rien à celles de Nietzsche ou de ses héritiers comme Michel Onfray, même si leur perspective n'est pas la même. On trouve parfois sous leur plume des réquisitoires plus sévères encore que ceux des nietzschéens patentés. Cela peut paraître étrange mais c'est ainsi.

Charles Péguy accordait une grande importance à l'incarnation de Jésus « fait homme », incarnation acceptée jusqu'à la crucifixion, et qui faisait entrer le Christ dans « les conditions organiques de la mémoire des hommes » ; faute de cela, ajoute-t-il, « l'incarnation n'eût pas été intégrale et loyale [22] ». Georges Bernanos ironisait sans indulgence sur les « républicains cléricaux » du XIXe siècle, « que l'on voyait ruminer, entre des mandibules flétries, leurs vieux rêves d'une république sacristaine, administrée par les prêtres, qui mettait au service de la seule humanité – bien pensante – une gendarmerie céleste et supplémentaire, les dispensant ici-bas de tout souci national, en leur assurant la gloire et les projets de l'autre monde [23] ».

Quantité d'intellectuels ou de romanciers chrétiens ont partagé la déception et la colère de Bernanos face aux frilosités moralisatrices de l'Église. On pense à l'auteur rare et subtil que fut Pierre Boudot, chrétien passionné par l'histoire de l'abbaye de Cluny, qui, après huit siècles de rayonnement, fut vandalisée puis détruite entre 1798 et 1823. Dans cette lente « évaporation » de l'édifice, il voyait un fort symbole des errements de l'Église. « Quand l'être physique est identifié au mal, au graveleux, au salace, à l'anormal (comparé à ce qui est "normé" pour le péché) aucun discours n'est plus possible. L'Église crée ainsi le vide dont la chute du plus ancien de ses monuments sera le symbole [24]. »

22. Charles Péguy, *Note conjointe sur M. Descartes*, in *Œuvres en prose complètes*, III, Gallimard, « Bibliothèque de la Pléiade », 1987, p. 1400.
23. Georges Bernanos, *La Grande Peur des bien-pensants*, Le Livre de Poche, 1998 [préface de Bernard Frank], p. 96.
24. Pierre Boudot, *Au commencement était le Verbe*, Grasset, 1980, p. 85.

Mais c'est sûrement Emmanuel Mounier (1905-1950) qui, dans *L'Affrontement chrétien*, pamphlet publié en 1945 (il y a soixante-quinze ans !), a été le plus fougueux sur ce sujet. Il stigmatisait le « contresens » qui aboutit à faire du christianisme l'adversaire de « l'instinct », c'est-à-dire de la chair. Ce contresens donna naissance à ce qu'il appelait un « christianisme fade » : « Si la chair du corps était radicalement viciée dans la filiation humaine, écrit-il, comment oserait-il appeler la chair du Christ une chair sainte, notre corps le temple du Saint-Esprit ? » Contre les « petits bourgeois chrétiens [...] très petits, très arrondis, très ennuyeux », il en appelle à un « christianisme de grand air ». Seul celui-ci, ajoute-t-il, serait capable de retrouver la vitalité joyeuse du christianisme médiéval.

Dans un superbe passage, il exprime sa nostalgie pour la chrétienté médiévale, et célèbre « ces siècles drus où la gauloiserie grimpait aux chapiteaux des églises pour grimacer par-dessus les prières, où le seigneur usait sous lui son cheval à la chasse ou à la guerre, avant d'aller l'abattre avec son orgueil au pied d'un ermitage, où le moine maniait le timon dans la tempête et la hache dans la forêt, où les hommes savaient, quand ils péchaient, pécher fortement, et quand ils aimaient, aimer totalement[25] ».

L'âpre saveur de la vie

L'hommage rendu par Mounier à cette longue période de l'histoire européenne que le XIXe siècle a injustement diabolisée en la baptisant « Moyen Âge » mérite qu'on s'y arrête. Au sujet du rapport à la chair et à la vie vivante, on a tort de minimiser la verdeur des fabliaux érotiques, l'ambivalence très sensuelle du *Roman de la Rose* (XIIIe siècle) ou la paillardise roborative d'un ancien moine – mais « bon chrétien » – comme Rabelais (1483-1553). Pétri d'évangélisme, le héros rabelaisien entend « réhabiliter le chrétien dans sa liberté » et partage avec ses contemporains Érasme (1467-1536) et Montaigne (1533-1592) le goût d'un

25. Emmanuel Mounier, *L'Affrontement chrétien*, *op.cit.*, p. 57.

humanisme à la fois gourmand, sensuel et optimiste. En cela, il est plus en accord avec la postérité de Clément d'Alexandrie qu'avec celle des encratites.

Avec le recul, la culture médiévale nous apparaît comme riche d'enseignements de toute nature. L'intelligence de la période médiévale consista à « gérer » la contradiction qui, depuis l'origine, habite le discours catholique. Les deux sensibilités décrites ci-dessus s'y trouvèrent non point exclues l'une par l'autre, mais habilement *conjuguées*. L'historien Jacques Le Goff, spécialiste du Moyen Âge, décrit parfaitement ce qu'on pourrait appeler le subtil « usage » médiéval du message évangélique, une subtilité très « humaine » dont Mounier déplorait qu'elle fût oubliée au tournant de la Contre-Réforme puis des Lumières.

L'esprit médiéval parvenait de la sorte à rendre habitable la tension qui écartèle, en profondeur, le discours chrétien au sujet du corps. D'un côté, ce dernier est « l'abominable vêtement de l'âme », comme le disait le pape Grégoire le Grand (540-604), et ses débordements sont endigués par l'idéologie plutôt anticorporelle de l'institution. D'un autre côté, la magnificence de la chair est glorifiée et le corps est désigné comme le « tabernacle du Saint-Esprit ». Le clergé, note Le Goff, est ainsi conduit à réprimer les pratiques corporelles, tout en les glorifiant. On n'est plus dans l'ambivalence mais dans la contradiction. Elle sera prise en compte et habilement intégrée à la culture populaire grâce à la complémentarité facétieuse entre Carême et Carnaval. « D'un côté le maigre, de l'autre le gras. D'un côté jeûne et abstinence, de l'autre ripaille et gourmandise. Ce balancement tient sans doute à la place centrale que le corps occupe dans l'imaginaire et la réalité du Moyen Âge[26]. » La mitoyenneté bondissante entre Carême et Carnaval a été immortalisée par le peintre Pieter Bruegel dans son prodigieux tableau de 1559, *Le Combat de Carnaval et de Carême*.

En conciliant les deux, en ritualisant la confrontation pacifique entre Carême et Carnaval afin qu'ils deviennent constitutifs, à

26. Jacques Le Goff et Nicolas Truong, *Une histoire du corps au Moyen Âge*, Liana Lévi, 2006, p. 40.

part égale, de l'*habitus* populaire, la chrétienté médiévale témoignait d'une compréhension intuitive de la condition humaine. La subtilité de cette transaction, quotidiennement vécue et assumée, permettait de sauvegarder « l'âpre saveur de la vie ». J'emprunte cette expression à l'auteur d'un des meilleurs livres – peut-être le meilleur – jamais écrits sur la vie médiévale, l'historien néerlandais Johan Huizinga. Il publia en 1919 son maître livre, *L'Automne du Moyen Âge*[27]. Traduit dans le monde entier, constamment réédité depuis près d'un siècle, cet épais volume n'est pas seulement une somme érudite, il emmène son lecteur dans un voyage très charnel au cœur de la quotidienneté médiévale.

Au fil des pages, on y découvre un univers où la plus extrême brutalité cohabite avec un goût marqué pour les plaisirs du corps et une émotivité qui s'affiche sans retenue. Nous la jugerions contradictoire et puérile. À l'époque, elle donne aux rapports que l'on entretient avec la mort une étrange *vérité*. Huizinga cite la décapitation à la hache, en 1411, pendant la terreur bourguignonne, d'un Armagnac, messire Mansart du Bois. Avant de mourir, celui-ci avait pris soin d'absoudre par avance, et même d'embrasser, son bourreau qui l'implorait de le faire. Au vu du spectacle, note un chroniqueur, « foison de peuple y avait, qui quasi tous pleurait à chaudes larmes ». Dans d'autres cas, les supplices infligés à certains auteurs de crimes atroces – écartèlement, banc de torture, bûchers – suscitaient dans l'assistance une joie barbare. Ainsi en 1488, à Mons, où le peuple avait « acheté » un brigand afin d'être sûr qu'il fût écartelé. La chose étant accomplie, « le peuple fust plus joyeulx que si un nouveau sainct estoit ressuscité[28] ».

27. Johan Huizinga, *L'Automne du Moyen Âge* [Haarlem, 1919], trad. du hollandais par J. Bastin, © 1989, Éditions Payot, © 2002, Éditions Payot & Rivages, « Petite bibliothèque Payot », 2006.

28. *Ibid.*, p. 49.

Gauloiserie et amour courtois

« On aime à opposer l'esprit gaulois aux conventions de l'amour courtois et à y voir la conception naturaliste de l'amour, en opposition avec la conception romantique. Or, la gauloiserie, aussi bien que la courtoisie est une fiction romantique. La pensée érotique, pour acquérir une valeur de culture, doit être stylisée. Elle doit représenter la réalité complexe et pénible sous une forme simplifiée et illusoire. Tout ce qui constitue la gauloiserie : la licence fantaisiste, le dédain de toutes les complications naturelles et sociales de l'amour, l'indulgence pour les mensonges et les égoïsmes de la vie sexuelle, la vision d'une jouissance infinie, tout cela ne fait que donner satisfaction au besoin humain de substituer à la réalité le rêve d'une vie plus heureuse. C'est encore une aspiration à la vie sublime, tout comme l'autre, mais cette fois du côté animal. C'est un idéal quand même : celui de la luxure. »

Johan Huizinga, *L'Automne du Moyen Âge*, *op. cit.*, p. 175.

L'historien néerlandais évoque les mille façons dont la société médiévale très chrétienne s'emploie à conjuguer la « violence débordante de la passion » et le raffinement toujours plus exigeant des idéaux courtois. Cette harmonisation n'est jamais achevée, toujours imparfaite. L'idéal chevaleresque dédaigne sciemment le calcul en termes d'utilité militaire, car il est hors de question de *sacrifier les droits de l'esthétique à ceux de la stratégie*. Il en fut ainsi, au prix de quelques désastres, au moment des croisades. « Les expéditions, qui auraient nécessité surtout des calculs précis et de patients préparatifs, étaient au contraire projetées au milieu d'une excitation d'esprit qui ornait de couleur romanesque un projet vain ou fatal[29]. »

Qu'il s'agisse du combat ou de l'amour physique, la violence qui habite le corps exige d'être reconnue et *stylisée*. Cela veut dire que les normes doivent parfois céder le pas à leur propre transgression. La culture *courtoise* dont se réclamait l'aristocratie avait ainsi intériorisé ses limites, et savait mettre ce « jeu »

29. *Ibid.*, p. 151.

(au sens mécanique du terme) à profit. « Dans la réalité, écrit Huinzinga, la vie sexuelle des hautes classes demeurait d'une rudesse étonnante. »

Le « scandale » de l'incarnation

À ce stade de l'analyse, rappelons que le « commerce » entretenu par les humains avec leur corps ne se réduit pas à la sexualité. La « mystique de la chair » évoquée plus haut n'a rien à voir avec la permissivité érotique, telle que nous l'entendons maintenant. L'incarnation, au sens propre du terme, n'équivaut pas à la licence amoureuse. Sa portée est plus ample, plus subversive, plus radicale. Elle consiste en *une acceptation apaisée de la chair qui nous constitue en tant qu'humain.* Ce consentement charnel interdit toute dévalorisation ou chosification du corps. Elle refuse tout dualisme, qui ferait du corps une simple enveloppe, une mécanique ou une prison de l'esprit. En cela, elle s'accorde avec la tradition phénoménologique d'un Edmund Husserl (1859-1938) ou d'un Merleau-Ponty. Nous n'*avons* pas un corps, nous *sommes* notre corps.

Michel Henry, déjà cité dans ces pages, illustrait une « rencontre » nouvelle, à propos de l'incarnation, entre la phénoménologie et la tradition chrétienne. La convergence suscita d'ailleurs d'âpres débats. Plusieurs philosophes – dont le regretté Dominique Janicaud – firent reproche à Michel Henry d'avoir « christianisé la phénoménologie ». Ce dernier, loin de s'en émouvoir, s'expliqua longuement et brillamment sur cet aspect de sa réflexion.

Aujourd'hui, devant la montée en puissance d'une pudibonderie d'un autre ordre, celle des technoprophètes, la thématique de l'incarnation retrouve tout son sens et son utilité. Les choses se passent en effet comme si, au bout du compte, la perspective s'inversait. Hier encore accusé de dédaigner le corps, le discours chrétien pourrait en devenir demain le meilleur défenseur. Face à une technoscience fascinée par l'immatériel et irrésistiblement conduite à rejeter le corps, il redeviendrait l'avocat de la *vie vivante.* Il est armé pour cela. Il faudrait simplement qu'il renoue de manière claire et déterminée avec une part de l'héritage évangélique trop longtemps négligé ou répudié *de facto* par l'institution.

Durant les dernières décennies, plusieurs auteurs plus ou moins marqués par la culture chrétienne ont écrit qu'ils formaient des vœux pour qu'un tel renversement advînt, et fût compris. Un proche ami d'André Gorz, le juif converti et ancien jésuite Ivan Illich fut du nombre. Dans son dernier livre (posthume), il regrettait que l'Église catholique n'eût pas été capable de reformuler, en le réactualisant, le thème de l'incarnation. Il est vrai qu'Illich – durement critiqué par le Vatican – ne mâchait pas ses mots à l'adresse du cléricalisme en général. Sur le terrain politique, par exemple, il accusait l'institution catholique de légitimer un système capitaliste et productiviste impitoyable aux pauvres. Il haussait même le ton : « Recourir aux Évangiles pour conforter un système social ou politique est un blasphème. »

Au sujet de la chair, il avait très tôt pressenti, comme son ami André Gorz, l'horreur que représentait « l'éviction du corps » par la pensée cybernétique. « De son point de vue chrétien fondé sur l'Incarnation, écrit son biographe, c'est *en tant que corps* que nous voyons la vérité venir à notre rencontre, et c'est seulement à travers notre corps que nous pouvons la connaître[30]. »

Afin de mesurer la portée universelle de l'incarnation, il faut comprendre ce qu'elle eut de révolutionnaire dans le contexte des premiers siècles, largement dominés par la pensée grecque. L'affirmation contenue dans l'Évangile de Jean – « le Verbe s'est fait chair » – était considérée comme insensée par les philosophes grecs. Elle ne signifiait pas, comme on le croit parfois, que Dieu avait provisoirement emprunté les attributs corporels d'un humain – si tel était le cas, il n'y aurait eu ni rupture ni subversion. Les dieux de la mythologie grecque, y compris Zeus lui-même, revêtent souvent un corps d'emprunt, avant de l'abandonner pour retourner sur l'Olympe. Le « scandale » chrétien porté par le message johannique signifiait bien autre chose : le Dieu biblique ne s'*incarne* pas

30. David Cayley, « Présentation » *in* Ivan Illich et David Cayley, *La Corruption du meilleur engendre le pire*, Actes Sud, 2007, p. 75.

afin d'effectuer un petit tour sur terre ; le corps qu'il revêt n'est pas destiné à servir de truchement, de passerelle ontologique entre le divin et l'humain. L'expression *le Verbe s'est fait chair* signifie que la chair humaine change de statut. Elle *donne lieu à l'existence*. Elle est le moyen d'une *émergence* bouleversante, qui est celle de la vie avec sa profusion et sa capacité de s'*éprouver elle-même* dans son « auto-affection ».

Michel Henry évoque à juste titre le caractère *abyssal* de l'affirmation de Jean, qui introduit d'ailleurs un distinguo entre la chair et le corps. Par elle, s'énonce en effet une définition de l'homme entièrement nouvelle, définition qui fondera pour une bonne part la culture occidentale. « Car notre chair, écrit-il, n'est rien d'autre que *cela qui, s'éprouvant, se subissant et se supportant soi-même et ainsi jouissant de soi selon des impressions toujours renaissantes*, se trouve, pour cette raison, susceptible de sentir le *corps* qui lui est extérieur, de le toucher aussi bien que d'être touché par lui. » La parole johannique s'approche ainsi au plus près de la vie vivante qui, dans la chair, s'autorévèle en nous. C'est parce qu'il est chair lui-même que l'homme est en mesure de rencontrer la chair du monde et d'en jouir. « Il perçoit chacune de ses qualités, il voit les couleurs, entend les sons, respire une odeur, mesure du pied la dureté d'un sol, de la main la douceur d'une étoffe [31]. » En ce sens, l'*incarnation* rompt scandaleusement, en effet, autant avec la pensée grecque qu'avec le judaïsme. Elle est bien *folie* pour les païens et *scandale* pour les juifs. À ce titre, elle est fondatrice.

Dans la Grèce antique, la chair définissait l'animalité. C'est précisément parce qu'il est *Logos*, avant d'être chair, que l'homme se distinguait de l'animal. Pour Alcibiade (450-404 av. J.C.), compagnon de Socrate, « l'homme n'est rien en dehors de son âme ». Se faire chair, c'est-à-dire *devenir en soi-même chair* (Michel Henry) revenait donc, pour les Grecs, à détruire la condition humaine et à régresser vers la pure animalité, ce qui est « folie ». On comprend mieux la scène décrite dans les Actes des Apôtres. Lorsque Paul évoque l'incarnation et la résurrection des corps devant les philosophes réunis sur l'Aréopage d'Athènes, ces derniers éclatent de

31. Michel Henry, *Incarnation*, Seuil, 2000, p. 8-9.

rire et le congédient aussitôt : « Là-dessus, nous t'entendrons une autre fois. » (Actes 17, 32.)

Pour la pensée juive, l'incarnation relève du blasphème. Qu'un simple humain, de chair et de sang comme Jésus, puisse prétendre incarner Dieu, avant de subir, comme un esclave, le supplice d'une crucifixion ignominieuse, voilà qui dépasse l'entendement. Pareil blasphème mérite la mort. Le refus horrifié des prêtres du Temple et des pharisiens est donc aussi absolu que celui des philosophes grecs, même si ce n'est pas pour les mêmes raisons. Les dernières paroles du Christ – « Mon Dieu, pourquoi m'as-tu abandonné ! » – expriment pourtant une incarnation acceptée jusqu'au bout, jusqu'à la souffrance du corps et à la morsure spécifiquement humaine du *sentiment d'abandon*.

Le corps, ainsi glorifié par le « scandale » de l'incarnation, est le lieu où tout se noue. Il n'est pas un simple amas de cellules ou de gènes, ni une « illusion » dont il faudrait se déprendre, il est une réalité à la fois souffrante et heureuse, hors de laquelle rien n'advient. L'humain est inscrit dans un corps de chair, au cœur du monde, et de cette chair sourd du désir, s'expriment du manque et un appel à l'altérité. Un professeur de théologie à l'université de Lausanne exprime bien cette centralité admirable du corps. « La chair dit, à sa manière, une vérité hors du monde ; elle a partie liée très concrètement avec ce qui, dans le monde et les corps vibre d'un ailleurs [32]. » On doit comprendre cet « ailleurs » non point comme une vague désignation du divin ou de la vie éternelle, mais comme une description précise de la vie elle-même, dans son immanence et sa surabondance. La Vie, ainsi comprise et nantie d'une majuscule, est une émergence profuse, une réalité océanique. Elle est la mystérieuse *nappe phréatique* où s'abreuve « nos » vies.

De façon troublante, une féministe comme Judith Butler rejoint sans s'en rendre compte cette désignation heureuse de la vie vivante quand elle décrit cette dernière comme un « processus calme ». « Les vies déterminées, ajoute-t-elle, viennent à l'être et disparaissent mais la “Vie” semble être le nom du *mouvement*

32. Pierre Gisel (dir.), *Le Corps, lieu de ce qui nous arrive. Approches anthropologiques, philosophiques, théologiques*, Labor et Fidès, 2008, p. 10.

infini qui confère la forme et la dissout en général. Aucune vie déterminée n'épuise la Vie [33]. »

On ne saurait mieux dire. De cette vie vivante, en revanche, la science contemporaine n'a pas grand-chose à dire, et la techno-science encore moins. Ce n'est point parce qu'elle manque d'intelligence ou de cohérence, mais, tout simplement, parce que *ce n'est pas son objet*. Le grand biologiste qu'est le Prix Nobel François Jacob avait eu la modestie – et le courage – de le reconnaître dans un livre, *La Logique du vivant*, publié en 1972 : « On n'interroge plus la vie aujourd'hui dans les laboratoires. »

L'incarnation, qui n'appartient pas aux seuls chrétiens, redevient donc plus « scandaleuse » que jamais, au sens combatif du terme.

33. Judith Butler, « Le corps de Hegel est-il en forme : quelle forme ? », *in* Judith Butler et Catherine Malabou, *Sois mon corps*, *op. cit.*, p. 70.

Table

DU MÊME AUTEUR

Les Jours terribles d'Israël
Seuil, « L'Histoire immédiate », 1974

Les Confettis de l'Empire
Seuil, « L'Histoire immédiate », 1976

Les Années orphelines
Seuil, « Intervention », 1978

Un voyage vers l'Asie
Seuil, 1979
et « Point Actuels », n° 37

Un voyage en Océanie
Seuil, 1980
et « Points Actuels », n° 49

L'Ancienne Comédie
roman
Seuil, 1984
et « Points Roman », n° R479

Le Voyage à Kéren
roman
Arléa, 1988, prix Roger-Nimier
et « Arléa-poche », 1996

L'Accent du pays
Seuil, 1990

Cabu en Amérique
(en collaboration avec Cabu et Laurent Joffrin)
Seuil, « L'Histoire immédiate », 1990

Sauve qui peut à l'Est
(en collaboration avec Cabu)
Seuil, « L'Histoire immédiate », 1991

Le Rendez-vous d'Irkoutsk
Arléa, 1991

La Colline des Anges
Retour au Vietnam
(en collaboration avec Raymond Depardon)
Seuil, 1993, prix de l'Astrolabe
et « Points », n° P1557

Sur la route des croisades
Arléa, 1993
et « Points », n° P84

La Trahison des Lumières
Enquête sur le désarroi contemporain
Seuil, 1995, prix Jean-Jacques-Rousseau
et « Points », n° P257

Écoutez voir !
Arléa, 1996

La Porte des Larmes
Retour vers l'Abyssinie
(en collaboration avec Raymond Depardon)
Seuil, 1996

La Tyrannie du plaisir
Seuil, 1998, prix Renaudot essai
et « Points », n° P668 ; « Points Essais », n° 588

La Traversée du monde
Arléa, 1998

La Refondation du monde
Seuil, 1999
et « Points », n° P795 ; « Points Essais », n° 589

L'Esprit du lieu
Arléa, 2000
et « Arléa-poche », 2002

Le Principe d'humanité

Seuil, 2001, Grand Prix européen de l'essai
et « Points », n° P1027

Istanbul

(en collaboration avec Marc Riboud)
Imprimerie nationale, 2003

Le Goût de l'avenir

Seuil, 2003
et « Points Essais », n° 568

L'homme est-il en voie de disparition ?

Fides, 2004

La Force de conviction
À quoi pouvons-nous croire ?

Seuil, 2005, prix Siloë et prix humanisme
de la Franc-maçonnerie française
et « Points Essais », n° 552

L'homme est-il encore humain ?

Racine, 2005

La psychanalyse peut-elle guérir ?

(en collaboration avec Armand Abecassis et Juan David Nasio.
sous la direction d'Alain Houziaux)
Éditions de l'Atelier, 2005

La Mémoire, pour quoi faire ?

(en collaboration avec François Dosse et Alain Finkielkraut,
sous la direction d'Alain Houziaux)
Éditions de l'Atelier, 2006

Comment je suis redevenu chrétien

Albin Michel, 2007,
prix 2008 des libraires de La Procure
et « Points Essais », n° 625

Le Commencement d'un monde
Seuil, 2008 et « Points Essais », n° 646

La Confusion des valeurs
Desclée de Brouwer/La Vie, 2009

Sont-ils morts pour rien ?
Un demi-siècle d'assassinats politiques
(avec Jean Lacouture)
Seuil, « L'Histoire immédiate », 2010